# LA BOURGEOISE

Femme
au temps de Paul Bourget

DU MÊME AUTEUR

LA PLACE DES BONNES, Grasset, 1979.

ANNE MARTIN-FUGIER

# LA BOURGEOISE

Femme
au temps de Paul Bourget

BERNARD GRASSET
PARIS

# Introduction

*Il ne voit que des chapeaux, Henry Bordeaux, dans la foule qui se presse aux conférences sur Jean-Jacques Rousseau que donne Jules Lemaitre en 1907. La dame assise devant lui arbore à chacune des dix séances une coiffure différente, toquet minuscule, capeline relevée, cloche ornée de ruches et de choux qui débordent de tous les côtés, chapeau empanaché... En final, parmi les murmures admiratifs, apparaît une « bastille de plumes, de roses et de roseaux, qui devait intercepter la vue au moins pour trois personnes par rangée[1] ». Un an plus tard, les « snobinettes », comme disait Lemaitre lui-même, se précipitent à son cours sur Racine « la tête ornée de ces plumets qu'on a si joliment appelés des gratte-ciel ».*

*En ce temps-là, la mode était surtout aux chapeaux de grandes dimensions[2]. Vers 1895, les chapeaux qui, « bibis » dix ans plus tôt, étaient devenus ensuite de petits plateaux ronds garnis de fleurs, d'ailes de papillons ou d'oiseaux, s'étaient mis à grandir. Ils atteignent leur volume d'encombrement extrême vers 1907-1910. Ce sont, fixés sur de gros chignons, de vastes capelines fleuries ou de grands mousquetaires recouverts de plumes d'autruche. Jusqu'en 1914, à côté de ces chapeaux à passe immense, on porte aussi des toques fleuries et empanachées, moins larges mais fort hautes. Poiret est responsable des longues plumes qui pointent tout droit vers le ciel. En hauteur ou en largeur, le chapeau occupe de la place jusqu'en 1925, lorsque les femmes ont coupé leurs cheveux et se sont casquées de cloches à calotte profonde et bord étroit. Le chapeau signalait moins évidemment la fortune du mari (les grands couvre-chefs de 1910 valaient très cher[3]), mais il restait indispensable. Il ne suffit pas d'une coiffure pour faire une femme honnête, mais il est certain qu'une femme en cheveux n'est pas une honnête bourgeoise.*

Les avatars des chapeaux correspondent aux modifications de la silhouette. La crinoline, la tournure (une demi-crinoline), le strapontin (protubérance postérieure dont l'armature peut s'aplatir sans dommage entre le dos et le dossier d'une chaise), tous les gonflements et rembourrages artificiels qui donnaient une vaste surface à l'image de la femme disparaissent les uns après les autres. Tout se passe comme si cette ampleur disparue de la robe devait se trouver compensée emblématiquement sur la tête et dans la coiffure. En même temps, le corset moule le corps, étrangle la taille, fait saillir la poitrine, cambre les reins — souligne les attributs féminins de la génitrice et de la mère. Puis le corset lui-même, à l'instigation de Poiret, est abandonné. Les femmes en sortent plus droites et plus fluides. Elles ont changé de maintien. Quand l'ourlet leur remontera au-dessus du genou, elles pourront se mettre à danser le charleston des Années folles.

L'allure des femmes s'est complètement transformée en très peu de temps. L'image que la société se fait d'elles ne subit peut-être pas tout à fait la même évolution, mais à mesure que grandissent les chapeaux, la question de la Femme se fait plus insistante. Sans doute la femme, comme Mme Arthur, a-t-elle toujours beaucoup, beaucoup fait parler d'elle, mais la Troisième République n'est pas en reste, loin de là. On y parle de la Femme et on en écrit au moins autant que de nos jours. Et les femmes elles-mêmes, déjà, n'étaient pas les dernières à en discourir.

On n'en est certes plus à se demander si elles ont une âme. Cependant, bien qu'elle ne soit jamais exprimée avec cette concision brutale, la question est : que faire des femmes ? Quelle place leur revient dans une république ? La bourgeoisie au pouvoir fait des hommes, et d'abord des hommes bourgeois, des citoyens. Elle leur confère une identité politique, sur la scène publique. Mais les femmes n'ont pas le droit de vote, elles ne sont pas citoyennes, elles restent confinées dans l'espace et la vie privée. On ne s'étonnera donc pas que la question de la Femme soit toujours posée en termes de mœurs et de moralité.

Les discours consacrés à la Femme sont apparemment contradictoires, mais, dans leur contradiction, ils contribuent à dessiner le même modèle. Par exemple : l'Église se donne la gestion des âmes, le souci de leur salut, et, partant, la préservation des bonnes mœurs ; les

catholiques militants veulent conserver les valeurs morales traditionnelles qui, leur semble-t-il, sont mises en danger par la République et
la laïcité ; lorsqu'il s'agit des femmes, ils tracent d'elles un portrait
constitué d'un ensemble de vertus incontestables : elles obéissent à
leurs époux, chérissent leurs enfants, se dévouent aux déshérités.
Quand les laïcs répondent, ce n'est pas pour proposer d'autres valeurs
ni d'autres rôles aux femmes. C'est pour dire, au contraire, que, loin
de miner les mœurs, la République veut elle aussi des femmes
vertueuses. Non, la Gueuse ne fera point de vos épouses et de vos filles
des dévergondées !

Ainsi l'enjeu de la polémique — les femmes — est en même temps,
de manière paradoxale, le point sur lequel les parties adverses sont au
fond d'accord. Ce qui vaut pour les catholiques et les laïcs vaut aussi
bien pour les féministes et leurs adversaires. Cette étrange fausse
polémique habite toutes sortes de discours, les ouvrages d'analyse
sociologique, les romans ou la presse. Le militant catholique Étienne
Lamy présente, dans la Femme de demain, en 1901, le même idéal
féminin qu'Alcide Lemoine, inspecteur primaire de la Seine, et Juliette
Marie, directrice de l'école normale de Moulins, lorsqu'ils composent
leur livre de lectures à l'usage de l'enseignement primaire, la Jeune
Française, en 1910. La comtesse de Diesbach, catholique, fondatrice
au début du siècle de l'Œuvre de l'enseignement ménager, propose,
avec le journal l'Enseignement ménager, pratiquement le même rôle
pour la femme, bien qu'avec une finalité tout à fait différente,
qu'Anna Lampérière, qui fut professeur au cours normal d'institutrices, dans la Femme et son pouvoir (1909). La Femme contemporaine, revue internationale des intérêts féminins, publiée à partir de
1903 sous la direction de l'abbé Lagardère, a, pour évoquer les vertus
féminines, des accents très proches de la Femme nouvelle, organe de
l'Enseignement des jeunes filles, qui paraît l'année suivante, rédigé
par des professeurs. Le même phénomène se produit dans les œuvres
de fiction. Henry Bordeaux, à droite, armé de sa « foi dans la Famille
et la Terre de France », aussi bien que Victor Margueritte, à gauche,
armé de ses idéaux progressistes et socialistes et de sa foi dans le
Couple, définissent la mission de la femme en des termes semblables.

Pour notre propos, plus médiocre est la littérature, plus intéressante
elle se révèle. Les écrivains de second (ou de dernier...) ordre reflètent
plus naïvement et plus fidèlement que les grands les lieux communs et
la mentalité d'une époque. Eugène Brieux, auteur de pièces de théâtre
qui, au tournant du siècle, connurent un immense succès, et qui,
aujourd'hui, sont insoutenables d'ennui, écrit sur des thèmes que l'on

*trouve chez Zola : la mesquinerie et la hargne des petits-bourgeois, le drame des filles sans dot, l'angoisse de la « dépopulation » (dénatalité)... Dans la mesure où, chez Brieux, ces thèmes ne subissent aucune orchestration littéraire, ils apparaissent de manière plus évidente.*

*Depuis les manuels de savoir-vivre et de conseils aux ménagères jusqu'aux analyses abstraites en passant par les implications de la fiction, les discours qui traitent de la femme témoignent de deux tendances : la généralisation d'une part, l'injonction de l'autre. Leurs auteurs appartiennent à la classe bourgeoise mais n'avouent jamais que leur modèle est la femme bourgeoise ; ils prétendent détenir la vérité sur la Femme, qui serait une essence valable pour toutes les classes sociales. De cette généralisation découle l'injonction. En effet, le discours qui prétend dire ce qu'est la femme se distingue mal de celui qui (lui) dit ce qu'elle doit être. Et la forme de ce qu'elle doit être est évidemment bourgeoise.*

*Deux séries d'éléments permettent de définir une classe sociale : ses revenus et son mode de vie. Les historiens qui ont étudié la bourgeoisie du XIXe siècle, Adeline Daumard[4] et, plus récemment, Jean-Pierre Chaline[5], ont utilisé les contrats de mariage, les inventaires après décès, les déclarations de succession, les loyers d'habitation pour tâcher d'apprécier la fortune des bourgeois. Ils ont, d'autre part, déterminé des comportements qui caractérisent la classe bourgeoise. A. Daumard souligne l'importance accordée à l'instruction des enfants et aux pratiques philanthropiques. J.-P. Chaline parle des frais de prestige et des dépenses qui « classent », logement et personnel domestique, car le bourgeois est attaché au « paraître ». Les bourgeois, selon lui, manifestent une conscience de classe dans le choix de leur lieu d'habitation, de leurs placements, de leur état ou profession. Marguerite Perrot, en 1961, définissait la famille bourgeoise comme celle qui a l'habitude de tenir ses comptes et de les conserver d'une génération à l'autre[6]. Certains éléments sont symboliques d'un mode de vie bourgeois : le salon, le piano, la bonne. Se faire servir par une bonne à tout faire est une des lignes de démarcation entre les tout petits bourgeois et les prolétaires[7].*

*J'ajouterai à ces symboles d'un statut social de bourgeois le fait que la femme ne travaille pas. Le journaliste Octave Uzanne écrit en 1910 qu'est bourgeoise « toute femme de grande, moyenne ou petite aisance dont la vie n'est astreinte ni à une profession régulière, ni à aucun travail à domicile[8] ». Vivre bourgeoisement, pour une femme, c'est mener une existence de loisir. Loisir ne signifie pas repos ou paresse, mais, selon Thorstein Veblen, « consommation improductive du temps[9] ». Le loisir est la marque de la noblesse : un noble n'a pas à être productif. Le bourgeois, au contraire, petit ou moyen, doit travailler et délègue à son épouse le soin du loisir. Elle est chargée de montrer qu'elle peut gaspiller le temps. Mais Veblen dit aussi que ce loisir « se présente presque invariablement sous l'espèce de quelque travail, tâche domestique ou devoir de courtoisie, où l'examen ne découvre aucun but, aucune intention lointaine, si ce n'est de faire constater que l'épouse ne s'emploie et n'a nul besoin de s'employer à quoi que ce soit de lucratif ou de vraiment utile ».*

*Pour rendre compte du rôle de la femme bourgeoise, Veblen s'appuie sur la part d'imitation des codes aristocratiques qu'il y a dans la classe bourgeoise. Mais il n'accorde sans doute pas assez d'importance à la notion même de productivité, d'efficacité, alors associée aux tâches féminines qu'il cite. La bourgeoisie érige le travail en valeur et l'épouse qui n'a pas à gagner sa vie n'a pas le droit, pour autant, de rester oisive. Elle n'échappe pas à l'impératif moral qui veut que chacun produise quelque chose d'utile pour la société. Et c'est là une des fonctions du discours sur la Femme : les femmes sont chargées d'une multitude de devoirs pratiques, pour faire fonctionner la maison et la sociabilité. De ces petits devoirs, on passe au Devoir. Le discours transforme en mission les tâches quotidiennes, leur donne un tour solennel. Cette disproportion entre la réalité et son expression rend parfois ridicule le discours, mais cette solennité est importante car, dans le Devoir, la femme est censée trouver sa noblesse, sa dignité et sa justification.*

*Des témoignages directs, des sources d'archives, j'aurais bien voulu en avoir à ma disposition. Leur recherche m'a pris beaucoup de temps pour un résultat fort mince. Les femmes pourtant écrivaient d'abondance au XIXe siècle, des lettres et des journaux intimes. La récente publication de* Marthe *montre qu'il reste des correspondances dans les greniers des familles. Mais on les considère comme beaucoup trop intimes pour les prêter à un étranger. J'ai demandé à des personnes dont je savais qu'elles possédaient des papiers venant de leur mère ou de leur grand-mère si elles accepteraient que je les consulte. Je me suis heurtée à un refus gêné mais unanime. Les familles préservent leur secret. Et l'idée est courante que, par les femmes, passe ce qui doit être caché.*

*Il n'est que de voir la série « Archives privées » aux Archives nationales. Si correspondances il y a, ce sont celles d'hommes politiques, par exemple, et rarement apparaissent des lettres de leurs épouses. Le seul document intéressant que j'aie trouvé est quasiment inutilisable. Il s'agit d'un carton de lettres échangées par Inès de Bourgoing, future maréchale Lyautey, et son premier mari, Joseph Fortoul, pendant la campagne du Tonkin (1882-1885)[10]. Mais ces lettres sont là dans une grande confusion, et sans doute difficilement classables, car l'année, sur chacune d'elles, n'est pas précisée. Leur lecture fournit cependant des détails précieux sur les rapports du couple, la vie quotidienne d'Inès, les relations de la famille. Mme Fortoul soupçonne son époux d'entretenir un second ménage au Tonkin, le supplie tantôt de revenir, tantôt de la laisser le rejoindre. Elle est obsédée par les « on-dit » : il la trompe avec des femmes jaunes. Elle va consulter une voyante. Elle parle aussi de l'éducation d'Antoine, leur second fils, d'affaires d'argent — dettes et placements.*

*J'ai donc eu, au bout du compte, accès à très peu de manuscrits. Au département « Manuscrits » de la Bibliothèque nationale, j'ai lu le Journal de Magdeleine Decori, femme d'un avocat connu et maîtresse de Raymond Poincaré. Trois cahiers à lignes, sur lesquels elle écrit, en 1902 et 1903 surtout[11]. On m'a prêté les Mémoires de Mme Guébin, six cahiers d'écolier sur lesquels elle retrace sa longue vie (1846-1940) alors qu'elle est devenue aveugle[12]. Jusqu'à son mariage, elle a dû gagner sa vie en donnant des cours. Puis elle a épousé un inspecteur général du dessin et s'est consacrée à lui, à l'éducation de leur fils et à ses œuvres (elle a été secrétaire générale du comité des Dames de la Ligue de l'enseignement). Enfin, j'ai eu en main un cahier, retrouvé aux Puces, du journal de Caroline Brame[13]. Jeune fille sous le Second Empire, elle appartenait à une grande famille du nord de la France. Bien qu'en très petit nombre, ces sources d'archives se sont révélées utiles, parce qu'elles illustrent le modèle, que l'on voit ainsi fonctionner.*

*Et puis j'ai rencontré douze dames de la bourgeoisie, parisiennes dans l'ensemble, qui ont bien voulu me raconter leur vie[14]. Elles sont nées entre 1876 et 1907, la plupart autour de 1900. Des entretiens que j'ai eus avec elles, j'ai retiré des précisions sur le passé : leurs familles et leurs relations, leurs études, leurs lectures, leurs vacances, l'éducation de leurs enfants. Mais il semble que pour elles — même si certaines ont une excellente mémoire — ce passé soit lointain, pour ne pas dire révolu, et qu'il les intéresse moins que le moment présent. « Les jeunes d'aujourd'hui sont bien différents de ce que nous étions »*, disent-elles, mais sans regret. Elles observent leurs descendants avec curiosité et sympathie.

**\*\*\***

La duchesse d'Uzès, douzième du nom, née de Rochechouart-Mortemart, connaît à la fin du xixᵉ siècle un succès particulier. Les journaux parlent d'elle et deux opuscules lui sont consacrés, l'un en 1893 par Hippolyte Buffenoir (série « Grandes Dames contemporaines »), l'autre en 1897 par Gaston Bonnefont (série « Nos grandes dames »). Née en 1847, elle est veuve à trente ans et mère de quatre enfants. Elle a de nombreuses cordes à son arc. Elle écrit, sous le pseudonyme de Manuela, elle sculpte et occupe la présidence de l'Union des femmes peintres et sculpteurs. Elle est la première femme de France à passer son permis de conduire une automobile, en 1893, et fonde l'Automobile-Club féminin. Elle dirige aussi un équipage de chasse à courre.

Mais si on souligne ses multiples talents, c'est comme mère et philanthrope qu'on l'exalte : « Ses enfants et les pauvres, voilà son devoir », écrit Buffenoir. Et Bonnefont : « Elle ne voulut d'autre auréole que la maternité acquise[15]... » Un journaliste la dépeint ainsi : « C'est une femme foncièrement bonne, simple, familière, étonnant les plus farouches de la classe ouvrière par la bonhomie de son caractère, par la générosité de son cœur [...], par le goût très naturel, très vif et en quelque sorte irrésistible, qu'elle éprouve pour ceux qui souffrent. Deux fois par semaine, elle va panser elle-même les malades les plus répugnants à l'hôpital des cancéreux ; elle les panse comme une vraie sœur de charité[16]... » Une trentaine d'années plus tard, en 1926 (la duchesse a vécu jusqu'en 1933), le journal féministe Minerva organise un référendum : « A quelle femme d'aujourd'hui élèveriez-vous une statue ? » La duchesse arrive seconde, derrière Marie Curie[17].

Le portrait de la duchesse est intéressant à plusieurs points de vue. Il trahit d'une part le prestige aristocratique auprès des bourgeois. Dans le cas particulier, la naissance de la duchesse permet de faire passer implicitement tout ce qui en elle est manifestation d'indépendance. Elle a du tempérament, elle est amazone et artiste : ces singularités qu'elle n'exerce pas au profit du foyer sont comme excusées par le fait qu'elle est duchesse. Mais, d'autre part — et c'est le plus intéressant —, à l'intérieur de ce portrait d'aristocrate viennent se loger des énoncés sur le mode de la louange explicite, qui ne représentent pas des

*valeurs aristocratiques mais bourgeoises : maternité et philanthropie
sont des traits du modèle en train de se promouvoir.*

*Même chose lorsqu'il s'agit d'Isabelle, comtesse de Paris, dans une
brochure éditée en 1889 au bureau du Comité royaliste*[18]. *Les auteurs
en sont « un groupe de femmes royalistes ». Elles insistent sur les
qualités de maîtresse de maison de la comtesse de Paris : « Elle a un
art pour faire arranger toutes choses ; un esprit d'organisation qui fait
que d'un coup d'œil elle juge ce qui est nécessaire pour faire réussir,
jusque dans les plus petits détails, les fêtes les plus prolongées. »
Certes, elle est passionnée d'équitation et de chasse, mais elle n'y
sacrifie nullement ses devoirs de famille : « Elle nourrissait elle-même
ses enfants, et au milieu d'une chasse, un relais préparé lui permettait
d'aller accomplir, près d'un petit enfant, les obligations que sa
tendresse lui avait imposées et de reprendre ensuite sa place dans une
battue. Des chevaux blancs d'écume prouvaient seuls, aux chasseurs,
que le cœur de la mère l'avait emporté sur le plaisir de la chasse » ! Le
portrait se termine naturellement par l'« inépuisable charité » qui la
faisait aimer de tous : après la maîtresse de maison et la mère, la
philanthrope. La comtesse de Paris, présentée sous ces traits, illustre la
parfaite femme de foyer.*

*Ainsi voit-on le modèle ancien de l'aristocrate investi et, pourrait-on
dire, colonisé de l'intérieur, par le modèle bourgeois. C'est là
l'aboutissement d'une longue évolution dans laquelle quelqu'un
comme Mme de Maintenon a joué un rôle important, ce qui explique
peut-être l'immense succès qu'elle connaît au XIX*ᵉ *siècle et aujourd'hui
encore... Pour que l'apologie des mondaines soit possible, pour les
faire briller de tout leur prestige aristocratique, il faut aussi leur
attribuer les vertus bourgeoises, les embourgeoiser quelque peu. En
revanche, lorsque les textes traitent de la Mondaine comme personnage générique, elle est toujours vilipendée. Oisive, frivole, inutile,
inconsciente de ses devoirs, elle est le contre-modèle de la femme de
foyer.*

*Ce modèle de la femme bourgeoise est celui d'épouse, mère,
maîtresse de maison, éducatrice. C'est lui qui justifie la femme
d'exister. Les jeunes filles accèdent à ce rôle par le mariage. C'est
pourquoi toute leur existence est tendue vers le « plus beau jour de leur
vie ». Elles acquièrent alors une identité, trouvent une mission à
accomplir, deviennent « quelqu'un ». Jusque-là, elles étaient en
attente et en suspens, en trop même, et plus brève est la période entre le
pensionnat et le mariage, mieux cela vaut.*

*Si la femme doit être codée par ce modèle, c'est pour échapper à* l' « indignité » de sa nature, à la chair et à la malédiction ancestrale qui pèse sur elle. *Les codes réduisent la chair, la dissolvent. Qu'ils soient mondains ou moraux, ils font disparaître les corps, qui ne sont plus que des insignes sociaux. La femme en représentation ou la femme dans son foyer n'a pas de sexualité. Le sexe refoulé revient sur la scène sociale avec le personnage de la demi-mondaine. Elle tient de la prostituée, de l'actrice, de la femme à la mode, tout à la fois. Le demi-monde, c'est, dans les classes dirigeantes, le ghetto de la chair.*

Mais la demi-mondaine n'éponge pas toute la culpabilité diffuse qui tourne autour du sexe. *Cette culpabilité est exploitée par la littérature que l'on dit réservée aux femmes et dont les romans de Paul Bourget sont l'exemple même. Les femmes honnêtes jouent avec la sexualité qui leur est déniée par romans interposés. De toute façon, malgré la volonté de « division du travail » entre les femmes honnêtes et les autres dans le domaine sexuel, il reste que les femmes ont un corps et que la chair niée des femmes honnêtes crée un malaise.* Du moins, avant que l'épouse devienne aussi maîtresse de son mari dans le Couple Égalitaire[19].

Épouse et mère sont des titres plutôt que des rôles. *Les tâches qui correspondent à ces titres sont celles de la maîtresse de maison qui aménage le nid familial.* C'est en gérant la maison avec diligence et habileté que l'on est bonne épouse et bonne mère.

Les grands traits de la maîtresse de maison sont empruntés à l'aristocratie, mais transformés. Ainsi la philanthropie imite-t-elle le devoir de suzeraineté, qui voulait que le noble protégeât ses vassaux, et le rapport qu'entretient la bourgeoise avec ses pauvres ne se justifie plus par la naissance mais par l'exigence morale. Et en même temps, la philanthropie est un moyen pour propager le modèle de la femme de foyer.

La maîtresse de maison est chargée de la sociabilité. Elle tient salon. Sous l'Ancien Régime, les salons étaient bourgeois. C'étaient de petites sociétés à l'écart de la Cour. Les participants, en principe, n'étaient pas réunis autour d'un « grand » dans un groupe régi par la hiérarchie et les étiquettes. Au contraire, ils étaient invités à égalité, s'entretenaient dans la liberté de l'esprit. Après la Révolution, le salon change de sens. Il imite dans la vie bourgeoise l'ouverture aux « gens » de la résidence aristocratique.

Mais plus on descend dans l'échelle sociale, plus le cercle des relations se restreint. Chez les tout petits bourgeois, les relations se réduisent à la famille. Du salon, il ne reste que la pièce qui porte ce nom, où les meubles sont recouverts de housses parce que l'on n'y *pénètre que rarement. Si bien que certains auteurs de conseils aux ménagères finissent par protester contre l'existence de cette pièce inhabitée et la déclarent inutile. Cette pièce qu'on n'occupe pas quotidiennement a une importance symbolique : elle proclame qu'est réservé dans l'appartement un lieu pour la sociabilité et pour la mondanité.*

*A la maîtresse de maison reviennent l'aménagement et la gestion de l'intérieur. D'elle dépendent le confort, la santé, le bonheur des êtres qui vivent dans son territoire : le mari qui ne retrouve le foyer que le soir, après son travail, mais autour duquel tourne toute l'organisation, les enfants, les domestiques. A la tête d'une grande maison, elle doit donner des ordres aux domestiques et répartir la besogne. Moins il y a de domestiques, plus il lui faut mettre la main à la pâte. C'est ainsi que les conseils pour diriger une maison deviennent conseils pour tenir son ménage, que la maîtresse de maison devient ménagère[20]. Elle fait ses comptes, veille à l'état du linge, s'occupe des achats de nourriture. Moins on est aisé, plus les enfants prennent d'importance. Ils sont davantage investis par l'ambition sociale et morale de leur mère, qui prend en main leur instruction et les pousse vers la réussite scolaire.*

*Philanthropie, sociabilité et direction de l'Intérieur sont les activités obligatoires de la maîtresse de maison, elles forment son Devoir. Elles requièrent une qualité essentielle : le Dévouement. Par le biais des devoirs communs aux grandes dames et aux petites-bourgeoises, la morale dominante nie la notion de classes sociales pour ne plus parler que de la seule vraie vocation de la femme : s'oublier au profit des autres, la famille et les déshérités, et trouver dans ce dévouement sa légitimité. La vraie vocation de la femme ne s'exerce pas sur la scène publique mais dans le nid, au foyer[21]. Les œuvres philanthropiques ne sont qu'une extension du foyer, la maternité sociale qu'un élargissement de la maternité réelle.*

*La tâche qu'accomplit ce livre est limitée. Il se borne à décrire aussi complètement que possible le modèle de la Femme de Foyer, à le dégager des discours contradictoires et polémiques qui l'abritent. Ce travail est une étape indispensable avant de relier le modèle à ses déterminations politiques et économiques, étude qui reste à faire.*

*Le modèle de la femme de foyer est à la fois fort et faible. Fort par sa puissance d'injonction morale, et de morale pratique. Bien qu'il soit périmé, les femmes d'aujourd'hui n'en sont pas délivrées. Il faut bien que quelqu'un gère la vie quotidienne. De plus, quelle femme est réellement indépendante des impératifs transmis inconsciemment par la voix et les conduites de sa mère ?*

*Sa faiblesse tient au fait qu'il contient depuis toujours le modèle non pas contradictoire mais corollaire du couple égalitaire. A l'image de la femme de foyer correspond celle de la Famille régie par son chef, le père, formation de compromis qui, d'une part, permet de conserver les valeurs traditionnelles, de l'autre, est conçue comme instrument de gestion des populations par l'intermédiaire de l'homme qui, lui, est citoyen.*

*Or la tendance générale va vers une gestion des populations qui ne passe plus par le relais de la famille mais par des institutions de type administratif. L'exemple le plus évident est la prise en charge de l'éducation par l'Instruction publique. La République cherche par là à propager ses idéaux et ses valeurs — l'égalité — le plus largement possible. Et elle rencontre, c'est inévitable, la question de l'éducation des filles et de l'instruction à donner aux femmes. Il y a alors contradiction entre la vraie vocation de la femme — femme de foyer — et la morale républicaine, qui n'est pas dans son essence une morale de la vie privée mais une morale de la responsabilité politique et publique.*

*De sorte que les conservateurs n'avaient pas tort de penser que l'instruction des filles minait la famille et leurs adversaires étaient hypocrites sans le savoir quand ils protestaient contre un tel soupçon. En établissant l'Enseignement secondaire féminin, en étendant aux filles l' « Instruction publique », différente de l'éducation dispensée dans les pensionnats confessionnels, ils ne conservaient pas la Famille, mais contribuaient à l'avènement du Couple Égalitaire (ce qui, certes, ne veut pas dire l'immoralité).*

*Le couple égalitaire ne correspond plus à une gestion familiale de l'économie, mais à une économie de consommation. Il est annoncé depuis longtemps, espéré, réclamé, par des hommes de progrès, qui avancent en général des raisons morales : exigence de justice — les femmes sont les égales des hommes — et de « santé » — dans le couple égalitaire qui fonctionne bien, il n'y aurait plus de culpabilité sexuelle. Très peu raisonnent, comme Paul Lapie en 1908, en fonction d'une analyse économique : « La fonction de ménagère va s'appauvrissant à mesure que se créent, en dehors de la famille, des industries qui se chargent de ses besognes. La division du travail tend à dissoudre la famille[22]... »*

*L'Instruction publique est en contradiction avec le rôle de la femme de foyer car elle dispense un savoir qui vise à l'universel et demande à s'employer au service d'une communauté plus large que celle de la famille. Sa logique ultime est de former des citoyens également responsables, qu'ils soient hommes ou femmes. Mais quand les filles ont, comme les garçons, fait des études supérieures et obtenu des diplômes, et qu'elles apparaissent sur la scène du travail, les professions qui leur sont proposées restent marquées par l'idéal de soin et de dévouement. La « vraie vocation de la femme » est passée du domaine privé au domaine public et entrave l'égalité à laquelle menait en principe l'instruction : il y aura des métiers « naturellement » destinés aux femmes. En étant professeur ou assistante sociale, une femme répondra encore à sa « vraie vocation ».*

# I

## Le bal des débutantes

# 1

# Apprentissages

## PREMIER BAL

Elle est vêtue d'une robe blanche, elle a dix-sept ans, c'est son premier bal — un bal blanc. Pour évoquer cette occasion, la vicomtesse Nacla trouve des accents lyriques :

« Elle l'a porté, ce blanc chaste et poétique, le jour de sa première communion ; et elle le portera pour venir, au pied des autels, unir sa vie à celui qu'elle épousera.

« Il semble que ce soit pour elle une sorte d'uniforme, tant qu'elle est jeune fille. Dans notre patrie, le blanc devrait, plus que le vert, être la couleur de l'espérance.

« Il est le drapeau qui flotte sur l'innocence [1]... »

Elle ne porte pas d'autre bijou qu'un rang de perles. Comme toutes les femmes au bal, elle a des gants très longs, avec un mouchoir glissé entre la paume et le gant, et, dans sa ceinture ou l'entrebâillement de son corsage, un carnet de bal sur lequel elle inscrit le nom de ses danseurs. Elle n'a pas droit, en revanche, à l'éventail de plume qui se garde à la main, mais seulement à une fantaisie de gaze. Pas non plus d'aigrettes ou de bijoux dans les cheveux, ils sont réservés aux femmes mariées.

Elle danse le « pas de quatre », le « pas des patineurs », la valse, peut-être même le tango : « Aux environs de 1913, parmi le malaise indéfinissable qui déjà irritait les nerfs de tous, l'épidémie d'agitation et de divertissement descendit vers les diverses bourgeoisies, vers les groupements réputés jusque-là calmes et laborieux. Les filles des universitaires, les enfants de Marie apprirent à danser le tango[2]. » Sans doute a-t-elle appris à danser en suivant des cours. Dans ses *Mémoires,* Jacques Chastenet (vingt ans en 1913) se rappelle s'être exercé « sous la direction d'une grosse dame mûre et sous l'œil des parents [...] au pas des patineurs, à la mazurka et au double boston, le tout entrecoupé de quadrilles[3] ». Ce cours se donnait deux dimanches après-midi par mois chez son meilleur ami, Robert Demenge, dont le père était administrateur délégué à la Compagnie française des métaux.

La jeune fille se demande lequel de ses cavaliers la choisira « pour la vie », à moins qu'elle ne se demande lequel aura l'heur de plaire à sa mère. Car elles sont là, les mères, qui, tout en veillant à la bonne tenue et à la décence générale, s'efforcent de repérer le jeune homme d'avenir ou comparent les dots des jeunes filles.

Les bals blancs sont exclusivement organisés pour les jeunes filles et les jeunes gens à marier. Ce sont des marchés et il importe que la jeune fille y trouve rapidement acquéreur. L'usage français veut qu'elle se marie dans le courant de l'année où elle fait son entrée dans le monde. Si elle est très jeune, elle peut sortir deux hivers de suite. Camille Marbo, qui quitte le couvent en juillet 1898, à quinze ans et demi, ne se marie qu'en octobre 1901, à dix-huit ans[4]. Mais si elle arrive au troisième hiver sans avoir trouvé preneur, on ne s'occupe plus guère d'elle. Pour être remarquée, elle est alors obligée de jouer les coquettes (c'est-à-dire, dans un langage plus moderne, flirter)[5]. On connaît la fureur de Mme Josserand, dans *Pot-Bouille,* qui, depuis trois hivers, traîne ses deux filles à travers les salons parisiens, pour les « caser »[6]. Il faudra qu'au cours d'une soirée, Berthe finisse par coincer Auguste Vabre dans une embrasure de fenêtre et s'arrange pour que tout le monde soit témoin de la scène : à se faire compromettre, elle gagne un mari.

Toute la question est là : trouver un mari en quelques mois ou, si l'on met les choses au pis, en un peu plus d'un an. La période qui sépare la fin du pensionnat des fiançailles est courte et il s'agit de l'utiliser au mieux. Pas seulement en allant dans le monde pour chercher un époux, mais aussi en se préparant à sa future condition de maîtresse de maison.

### FUTURE REINE DE L'INTÉRIEUR

La jeune fille qui quitte le couvent rêve peut-être de faire la grasse matinée. Qu'elle se détrompe ! Sa mère ou sa gouvernante se charge de lui apprendre les bienfaits du lever matinal. C'est la première leçon de conduite que reçoit Germaine, l'héroïne de la comtesse de Bassanville : il faut se lever tôt, se rendre immédiatement présentable — pantoufles et robe de chambre ne sont permises qu'en cas de maladie —, puis mettre de l'ordre dans ses affaires personnelles [7]. *Après le pensionnat* insiste sur ce point. Médecins et moralistes, écrit l'auteur, sont d'accord avec les saints pour prôner le lever de bonne heure et, de plus, à heure fixe [8]. Comme plus tard, une fois mère de famille, elle devra être la première debout et la dernière couchée, autant que la jeune fille prenne tout de suite le rythme.

Elle s'occupe ensuite de sa chambre, fait son lit, range, nettoie. Qu'elle ne laisse ce soin à personne. Et cela pour deux raisons. Sa chambre, d'une part, est le lieu où elle s'exerce à ses futures tâches de ménagère. Qu'elle en fasse une pièce claire, nette, agréable, elle montre ainsi qu'elle est capable de tenir une maison : « On peut juger d'une jeune fille en visitant sa chambre. On voit tout de suite ses aptitudes de femme de ménage [9]. » D'autre part, la jeune fille doit préserver ce qu'il y a de virginal dans son « petit sanctuaire ». La grand-mère mise en scène par Nelly Lieutier demande à la jeune Juliette : « Est-ce qu'il ne te répugne pas de penser qu'une personne de service, dont les mains ou les vêtements ne sont pas toujours irréprochablement propres, ira toucher les draps ou l'oreiller sur lequel tu dois reposer la tête ? Ne crains-tu pas pour la fraîcheur des rideaux qui entourent ton lit et qui garnissent ta croisée le contact d'une femme qui vient de toucher aux objets de cuisine et quelquefois même la vaisselle desservie [10] ? »

Il est indispensable qu'une mère associe sa fille à ses tâches, les courses, les comptes, les ordres aux domestiques, la répartition des travaux ménagers. Marcel Prévost consacre une lettre entière au rôle de maîtresse de maison que sa nièce se prépare à assumer. Françoise lui a rendu visite un Mardi gras où la cuisinière avait préparé une pâte à crêpes. Elle a goûté la préparation, a demandé l'addition d'eau et d'armagnac, puis a fait sauter les crêpes avec une parfaite aisance : « Vous n'aviez aucunement l'air d'une cuisinière.

Votre tablier de soubrette, vos gants, et cette mantille de blonde que vous aviez jetée sur vos cheveux, les abritant des vapeurs qui ne plaisent qu'au palais, tout marquait bien que vous étiez là comme un général empruntant un instant le mousquet du soldat pour lui apprendre à tirer, ou comme un ingénieur corrigeant la manœuvre du maçon novice [11]. »

C'est l'art difficile de la mise en scène que doit apprendre la jeune bourgeoise. Il faut savoir mettre la main à la pâte — c'est le cas ! —, mais sans avoir l'air d'y toucher. Le savoir-faire n'est que vulgarité. Une véritable maîtresse de maison garde, dans les activités les plus prosaïques, charme, distinction, élégance. Elle n'ignore rien des réalités ménagères et il n'est pas question que, dégoûtée, elle les fuie. Mais il n'est pas non plus question qu'en les accomplissant elle devienne répugnante. La conduite du ménage réclame tact et esprit. Rôle délicat que d'être aux prises avec la matière tout en gardant une aura nécessaire à une reine du foyer. Que la jeune fille pense à l'image qu'elle donne à ses proches, qu'elle donnera à son mari à qui elle devra plaire toujours, qu'elle préserve en elle la dimension d'idéal qu'un homme désire trouver chez son épouse.

## L'ORDRE ET L'ÉCONOMIE

Une jeune fille aura à faire ses preuves une fois mariée. Mais, avant ce moment-là, elle peut montrer ses dons. Ondine, l'orpheline de *la Fée du logis* [12], arrivant à Paris chez son oncle, prend en main sa maison. Elle affirme son autorité sur les domestiques, établit une comptabilité ménagère, vérifie les denrées apportées par les fournisseurs, surveille l'état du linge. Elle ne fait confiance à personne et s'en trouve bien, sa vigilance lui vaut le respect de tous.

Judith Gautier, la fille du poète, raconte comment, au cours d'une longue absence de sa mère, elle a étonné son père. Adolescente encore, elle a manifesté un vrai talent d'organisatrice et d'économe : « Je pris mes nouvelles fonctions très au sérieux, m'y appliquant avec beaucoup d'attention, surveillant de près la cuisinière, et je réalisai, tout de suite, de sérieuses économies. J'avais la constance d'aller aux Halles avec Philomène, les jeudis matin, pour acheter, à meilleur compte et plus frais, le poisson, truite saumonée ou turbot. Je composais des menus variés, et mon père s'étonnait que l'on dépensât moins en mangeant mieux[13]. »

Cette fierté de la jeune fille qui se voit promue au rang de maîtresse de maison peut se changer en dégoût si on lui impose de telles tâches au mépris d'autres ambitions. En particulier l'ambition de poursuivre des études sérieuses. Simone de Beauvoir le montre bien à travers l'histoire de son amie Elisabeth Mabille, dite Zaza. Elles préparent toutes deux leur baccalauréat au cours Désir. L'année suivante, Zaza prétend continuer ses études de lettres. C'est miracle qu'elle obtienne du premier coup son certificat de philologie parce que sa mère l'empêche de travailler, réclamant son temps pour un autre apprentissage : « Mme Mabille tenait l'épargne pour une vertu capitale ; elle eût jugé immoral d'acheter chez un fournisseur les produits qui pouvaient se fabriquer à la maison : pâtisserie, confitures, lingerie, robes et manteaux. Pendant la belle saison, elle allait souvent aux Halles, à 6 heures du matin, avec ses filles, pour se procurer à bas prix fruits et légumes. Quand les petites Mabille avaient besoin d'une toilette neuve, Zaza devait explorer une dizaine de magasins ; de chacun elle rapportait une liasse d'échantillons que Mme Mabille comparait en tenant compte de la qualité du tissu et de son prix ; après une longue délibération, Zaza retournait acheter l'étoffe choisie[14]. » Mme Mabille se conduit en parfaite éducatrice avec sa fille, lui offrant l'exemple d'une maîtresse de maison pétrie de vertus domestiques. Elle compte pour rien son temps et son énergie pouvu qu'elle atteigne son but : obtenir les choses les meilleures avec le moins d'argent possible. Et tant pis si Zaza place au-dessus de ces prouesses ménagères de chaque jour des désirs intellectuels. Ce n'est pas ce qu'on attend — même en 1925 et malgré l'évolution des mentalités — d'une jeune fille pourvue d'une dot, qui n'a donc pas besoin de passer des examens et de gagner sa vie.

## DEVOIRS SOCIAUX

Une fois sortie du pensionnat, la jeune fille se prépare aussi à son rôle de mondaine. Sa mère l'entraîne dans son sillage, lui fait partager ses obligations sociales. Zaza, à la suite de Mme Mabille et des dames de son milieu, court « les mariages, les enterrements, les baptêmes, les premières communions, les thés, les lunchs, les ventes de charité, les réunions de famille, les goûters de fiançailles, les soirées dansantes ». Existence de divertissement ? Non point. Être une dame, c'est se consacrer à des occupations très prenantes, qui laissent peu de place pour un vrai travail intellectuel. Femme d'intérieur, femme en représentation, les deux pôles de sa vie requièrent son temps et son attention. On peut imaginer que l'apprentissage de ces rôles empêche une fille de se concentrer sur ses chères études.

La période de transition entre le pensionnat et le mariage n'a en réalité qu'une seule fonction, la recherche d'un mari. Mais il serait indécent de l'avouer aussi crûment. On met donc l'accent sur les activités à proposer à une jeune fille. Ces activités ont un double avantage : elles l'occupent, en l'éloignant de l'ennui et de Dieu sait quels vices ; et elles l'occupent utilement, car elles ont un rapport direct avec l'avenir qui l'attend. Parfaire son éducation, se mettre au courant de ses futurs devoirs ne risque pas de la détourner de son destin.

## ARTS D'AGRÉMENT

Simone de Beauvoir parle de la tristesse résignée de ses camarades du cours Désir, qui savent de quoi demain est fait : « Passé leurs bachots, elles suivraient quelques cours d'histoire et de littérature, elles feraient l'école du Louvre ou la Croix-Rouge, de la peinture sur porcelaine, du batik, de la reliure et s'occuperaient de quelques œuvres. De temps à autre on les emmènerait entendre *Carmen* ou tourner autour du tombeau de Napoléon pour entrevoir un jeune homme ; avec un peu de chance, elles l'épouseraient [15]. » La culture, la pratique de la peinture ou de la musique apparaissent donc comme des occupations temporaires, des moyens de rencontrer des jeunes gens et de leur plaire. Rien de plus. S'il y avait plus, c'est-à-dire passion littéraire ou artistique, cela risquerait de nuire à la jeune fille dans la perspective du mariage.

Le roman de René Boylesve, *la Jeune Fille bien élevée,* montre combien vocation artistique et vocation au mariage sont antinomiques. Madeleine Doré joue du piano et a du talent. Elle rêve de donner un récital, encouragé par son professeur, M. Vaufrenard.

Mais, dès qu'est décidé son mariage avec un architecte, chacun s'attache à freiner ses efforts. Madeleine est stupéfaite : « Comment ! cette belle passion musicale que l'on m'avait insufflée, cet avenir d'artiste qu'on avait fait étinceler à mes yeux, cette autre religion dont on m'avait pénétrée, ce n'était donc qu'un pis-aller ? [...] On ne me poussait à cela que parce qu'on me savait sans fortune et parce qu'on croyait pour moi tout mariage impossible [16] ! » L'art est dangereux, sa grand-mère l'avait prévenue : « L'habitude du plaisir de l'oreille prédispose à tous les plaisirs, à tous [17] ! » Fascinée par le théâtre, une musicienne risque d'abandonner mari et enfants. Sans doute vaut-il mieux qu'une jeune fille consacre son temps aux soins du ménage et à de saines lectures plutôt que d'apprendre la musique [18].

Une honnête femme ne peut pas être une artiste. Etre artiste signifie se produire en public, et cela suffit à vous assimiler aux prostituées. L'honnête femme appartient à la sphère privée, elle se réserve pour son mari et sa famille. Pas question qu'elle se donne en spectacle. Une musicienne qui donne un concert, une intellectuelle qui fait des conférences sont suspectes d'être des femmes de mauvaise vie, de celles qu'on n'épouse pas. Lorsque le Dr Cécile annonce à sa mère qu'il veut épouser Marceline de Rhonans — l'une des Cervelines —, professeur, journaliste et conférencière, Mme Cécile est horrifiée [19]. Une jeune fille dont on voit le nom sur les murs et qui se produit en public deux fois par semaine : autant dire une actrice...

De l'art et de la culture pour les jeunes filles, mais affadis, attiédis sous forme d'arts d'agrément, qui les rendront agréables [20] sans risquer de contrarier leur vocation fondamentale d'épouse, mère et maîtresse de maison. Comme le piano est un élément important dans une maison bourgeoise — pensons à la définition qu'en donne Flaubert : « Indispensable dans un salon [21] » —, apprendre à jouer fait partie de l'éducation d'une jeune bourgeoise. Les dames qui m'ont raconté leur jeunesse au début de ce siècle prenaient des leçons de piano [22]. Sauf une, parce qu'elle n'avait pas d'oreille, me dit-elle. Mais il y avait sans doute à cela une autre raison, plus déterminante : le désir de son père de lui donner, comme à un garçon, une vraie culture classique. A quelqu'un qui lui demandait : « Votre fille apprend-elle le piano ? », son père avait répondu : « Qu'elle apprenne d'abord à parler ! » Mépris pour les arts d'agrément ; seule la rhétorique trouve grâce aux yeux de cet homme, qui, toute sa vie, a rêvé que sa fille fût un fils.

Pour deux de ces femmes, le piano était autre chose qu'un divertissement (ou une corvée) de jeune fille bien élevée. La musique était dans leur famille un vrai mode d'expression. L'une jouait en duo avec sa sœur, violoniste, et donnait des concerts dans des ventes de charité ou des réunions amicales. L'autre tenait le piano dans l'orchestre formé par ses frères et leurs copains, ils jouaient pour leurs parents et les relations de la famille le dimanche après-midi. Cela se passait en province où, me précise l'une d'elles, en l'absence d'autres manifestations culturelles, faire de la musique ensemble était une précieuse activité et un élément important de sociabilité.

## CHAPERONNÉE

Marie Bashkirtseff suivait les cours de l'académie Jullian, où elle travaillait très sérieusement la peinture. Mais elle souligne dans son *Journal* que, pour devenir une artiste, il faut pouvoir se promener seule, ce qui est interdit à une jeune fille convenable : « Vous croyez qu'on profite de ce qu'on voit, quand on est accompagnée ou quand, pour aller au Louvre, il faut attendre sa voiture, sa demoiselle de compagnie ou sa famille ? Ah ! crénom d'un chien, c'est alors que je rage d'être femme[23] ! » (2 janvier 1879.)

Une femme — mariée, veuve ou vieille fille — n'entre pas seule dans un lieu public, café, restaurant, théâtre... pas une jeune fille, à plus forte raison. En revanche, une femme peut, seule, aller à l'église, dans les magasins, et faire ses visites[24]. La jeune fille n'est quasiment jamais autorisée à sortir seule. Même pour s'occuper de bonnes œuvres. Pauline de Pange raconte qu'à dix-sept ans, elle aurait aimé se rendre à l'ouvroir de la rue de Monceau pour faire la lecture à de jeunes prolétaires, pendant qu'elles cousaient. Sa mère refuse, alléguant des raisons d'hygiène, elle craint le contact avec les microbes. Ce qu'elle ne dit pas, et qu'elle craint surtout, c'est le contact de sa fille, en principe préservée de tout et ignorante des réalités de la vie, avec des « filles du peuple ». Elles auraient pu lui ouvrir les yeux sur la sexualité : « [...] quelque fille-mère perdue de vice, qui aurait pu me révéler de terribles vérités[25] ». La comtesse de Pange raconte aussi que, jusqu'à l'âge de vingt ans, elle n'a pas eu le droit de répondre au téléphone : affaire de décence.

Une jeune fille sort donc accompagnée de sa mère, de son institutrice ou de sa femme de chambre, qu'elle aille danser ou assister à des cours. Par exemple, si l'Université catholique organise à Angers et à Nantes des conférences, elle prévoit que chaque jeune fille a le droit de venir avec une personne qui ne paie pas[26]. Clara Malraux, qui avait dix-huit ans en 1918, précise ce que la guerre a changé dans sa vie : elle a coupé ses cheveux et a enfin obtenu de sortir seule[27]. Il y avait de toute façon un mouvement dans ce sens, mais la guerre a accéléré les choses. On mesure le chemin parcouru lorsqu'on lit ce que note Caroline Brame dans son *Journal* un demi-siècle plus tôt. Elle a dix-sept ans en 1864 et sort escortée par sa dame de compagnie, sa femme de chambre ou l'une de ses tantes. Un jour, elle se trouve seule dans la rue avec sa cousine Marie, âgée de vingt et un ans. C'est un fait tellement inhabituel qu'elle croit que tous les passants se moquent d'elle.

Certaines filles jouissaient d'une plus grande liberté. Celles qui fréquentaient les établissements d'enseignement public étaient sans doute plus libres de leurs allées et venues que les autres. A moins que l'administration n'ait pris la place du chaperon. Au lycée Fénelon, vers 1910, on établissait une surveillance des filles dans la rue aux alentours du bâtiment. Si on les surprenait avec des garçons, elles étaient renvoyées.

Même dans les familles libérales, on contrôlait davantage l'emploi du temps des filles. Mme R.[28] raconte que son père, ingénieur, l'a toujours traitée comme ses frères, lui parlant politique comme à eux, etc. Mais quand, à vingt ans, inscrite à un cours de dessin, elle a désiré ne pas rentrer déjeuner chez elle pour faire une heure de peinture, il a refusé. Peut-être, ajoute-t-elle, se montrait-il particulièrement sévère parce que, depuis la mort de sa femme, il avait l'entière responsabilité de sa fille.

## COURS

Ce n'est pas sous la direction de leurs mères seulement que les jeunes filles se préparent à la vie conjugale. Une fois leurs études terminées, elles fréquentent souvent des cours d'enseignement ménager, où elles apprennent leur rôle de maîtresse de maison. Le journal *la Femme chez elle,* dans son premier numéro, le

15 avril 1894, annonce son programme : il s'agit de publier le
contenu des cours d'éducation pratique pour jeunes filles et jeunes
femmes, qui se donnent à la même adresse que le journal, 14 rue
Royale. Ces cours traitent d'hygiène, d'économie domestique, de
couture, de cuisine. Ils ont lieu l'après-midi, sauf celui réservé aux
cuisinières, le jeudi matin. Ils coûtent 15 francs par mois à raison
d'un cours par semaine. Mais le tarif est dégressif si on en suit
plusieurs. Six ou sept reviennent à 70 francs par mois. *La Femme
chez elle* propose d'envoyer une carte d'invitation pour une séance
au choix à toute personne qui en fait la demande.

Les cours comme celui-là ont du succès, au tournant du siècle. En
voici quelques exemples :

## 1. *L'École des mères*

Augusta Moll-Weiss, un jour, traverse le jardin des Plantes et voit
un enfant qui dort dans le froid, à côté d'une grosse nourrice qui
n'en a cure et lit sur un banc. Elle est indignée : il faut protéger les
enfants des riches contre la légèreté des mères causée par leur
ignorance et, pour cela, éduquer les jeunes filles. C'est ainsi,
raconte-t-elle [29], qu'elle a eu l'idée de créer, en 1897 à Bordeaux,
l'École des mères, en commençant par les Cours complémentaires
pour jeunes filles du monde. Elle se propose de compléter l'éducation théorique qu'elles ont reçue par une éducation « pratique et
altruiste ». Il s'y ajoute, en 1898, les cours du jeudi destinés à la
section populaire et ceux du samedi pour les femmes de la petite
bourgeoisie.

A Paris, l'École des mères fonctionne depuis 1903, 12 rue de
Miromesnil. Elle comprend quatre sections, section des éducatrices,
section populaire, section de propagande (qui rédige un petit
journal mensuel, le *Conseiller de la famille*), section des recherches
et des études. La première mélange les jeunes filles du monde et
celles qui veulent devenir professeurs d'enseignement ménager, elle
comporte un examen de fin d'année. La dernière organise des
« causeries d'éducation populaire » (enquêtes sur le budget de
l'ouvrier) et des cours où les jeunes filles du monde apprennent leur
rôle social. Elles peuvent ensuite devenir aides bénévoles dans les
écoles de garde, les écoles maternelles, etc.

## 2. *L'Œuvre de l'enseignement ménager*

Créée par la comtesse de Diesbach, elle est divisée en trois
sections :
— le cours normal, destiné à former des maîtresses d'enseignement ménager, ouvert à Paris le 15 juin 1902 ;
— les cours ménagers pour la classe ouvrière, fonctionnant seuls
ou annexés à des patronages, des écoles professionnelles, des
maisons d'accueil ;
— les cours privés pour jeunes filles du monde, qui permettent
d'inculquer à l'élite « la connaissance de la valeur du travail [30] ». Les
filles apprennent à gouverner leur intérieur et « sans déchoir [à]
s'incliner vers les déshérités de ce monde [31] ». Ces cours se tiennent
à Paris, 21 rue de Varenne pour la rive gauche, et 61 rue du Rocher
pour la rive droite.

## 3. *Le Cours pratique ménager Saint-Sulpice*

Au 26 rue Cassette, dans un immeuble loué en 1909 par le curé de
Saint-Sulpice, M. Letourneau, pour y loger un cercle paroissial et
ses œuvres, un vicaire de la paroisse fonde, en octobre 1910, le
Cours pratique ménager. La directrice en est Mlle J.-M. Huet,
professeur diplômée de coupe et d'enseignement ménager. Le
*Bulletin paroissial* du 25 mai 1911 explique le programme du Cours.
Trop nombreux sont les foyers désunis et, pour restaurer la famille,
il faut éduquer la jeune fille : « Cette éducation de la future
maîtresse de maison est le but que poursuit l'Enseignement ménager, qui fournit à la jeune fille, à la femme de demain toutes les
connaissances pratiques dont elle aura besoin et qui, par une
sérieuse formation morale, la rend consciente de ses devoirs et apte
à les bien accomplir. »
Le Cours comprend trois sections. La première s'adresse aux
jeunes filles de seize ans et plus, libres dans la journée, « la classe
aisée de la société ». Les cours sont payants et les ressources qu'ils
fournissent financent les deux autres sections, ouvertes à l'intention
de la classe ouvrière : l'école ménagère et de préapprentissage,
destinée aux enfants qui sortent de l'école primaire, d'une part ; de

l'autre, les cours du soir pour les jeunes ouvrières et employées qui
ne sont pas libres dans la journée.

Au programme de la première section, des cours de cuisine
d'abord. Les jeunes filles vont au marché, apprennent à composer
un menu, puis mangent, à déjeuner, ce qu'elles ont préparé. Cours
de coupe, de modes, ensuite, où on ne leur enseigne pas seulement à
faire leurs chapeaux, mais où « on s'efforce de [leur] former le goût
et de [les] convaincre que le gracieux est ami de la simplicité ».
Cours enfin d'hygiène et de pansement, d'horticulture ménagère, de
tenue de maison, de repassage, d'ouvrages de dames. Parmi les
ouvrages de dames enseignés, la broderie, le crochet, le tricot, et...
les fleurs : fleurs d'appartement, de corsage, de chapeau. Pendant
l'année 1911-1912, le Cours fait donner cinq « conférences de
morale sociale », dont le texte a été édité en 1912 : « La famille
française : ce qu'elle était, ce qu'elle est, ce qu'elle doit être » ;
« l'Éducation sociale de la jeune fille française » ; « le Mariage : la
fiancée, l'épouse » ; « l'Enfant, raison d'être de la femme mariée » ;
« l'Éducation du premier âge ».

Il est des cours plus sophistiqués où, à l'enseignement ménager de
base, s'ajoutent les ornements de l'esprit, sous forme de conférences
de culture générale. L'articulation entre les deux domaines reste la
morale sociale, c'est-à-dire le discours sur la responsabilité de la
femme des classes aisées. Ils sont parfois dispensés dans des
établissements privés d'enseignement secondaire, comme le cours
Dupanloup, ou bien ils fonctionnent de manière autonome : c'est le
cas de l'Université des Annales, et du Foyer.

## 1. *Jumilhac et Dupanloup*

En 1898, les dames de Saint-Maur annoncent la reprise des
« cours complémentaires d'éducation et d'instruction » à l'hôtel de
Jumilhac, 8 rue de l'Abbé-Grégoire, le mercredi 6 novembre, avec
ce commentaire : « L'intérêt toujours croissant que nos élèves
actuelles et anciennes ont apporté jusqu'ici à nos cours d'enseignement supérieur nous fait un devoir de continuer [32]. » Sont proposés
des cours de littérature, histoire, géographie, anglais, musique,
dessin, peinture. C'est un homme connu qui parlera de littérature

(au programme, le xviii<sup>e</sup> siècle) aux demoiselles : Gabriel Audiat, agrégé des lettres, licencié en droit, professeur de rhétorique au collège Stanislas, plus connu sous son pseudonyme, Gabriel Aubray, auteur, en 1897, des *Lettres à ma cousine*. Il publiera, en 1899, *l'Allée des demoiselles*.

Pas d'enseignement ménager à Jumilhac dans les « cours complémentaires », mais un mélange de culture générale et d'arts d'agrément. Les cours sont d'ailleurs fort chers : 60 francs pour l'année en littérature, 90 francs en histoire-géographie. Jumilhac ferme le 11 juillet 1904, à la suite de la loi qui interdit l'enseignement aux congrégations autorisées. Il se reconstitue pour donner naissance à ce qui deviendra le célèbre Cours Dupanloup. Installé à Auteuil en 1912, il déménage à Boulogne en 1921.

Les archives que détiennent les sœurs de Saint-Maur, 8 rue de l'Abbé-Grégoire, ne contiennent les programmes des « classes spéciales » du Cours Dupanloup (autre nom des « cours complémentaires ») que pour l'année 1926[33]. Mais, malgré cette date tardive, la comparaison avec Jumilhac est intéressante, elle montre l'importance qu'a prise l'enseignement ménager. Dans ces « classes spéciales », les programmes sont libres, donnés par la direction, sauf pour la « spéciale étrangère », où l'on étudie le programme officiel de l'Alliance française. En « spéciale supérieure », conférences d'ordre général, histoire, géographie, littérature, sciences appliquées à l'industrie et à la vie moderne, droit usuel, morale religieuse et sociale. La « spéciale complémentaire » est un cours de rattrapage, pour les élèves qui n'ont pas suivi régulièrement leurs classes. La « spéciale professionnelle » comporte des cours de dessin, peinture, modelage, modes, couture, coupe, lingerie, broderie. Enfin la section « spéciale pratique et ménagère » propose des leçons d'économie domestique : cuisine, sténo, dactylo, comptabilité, droit commercial et usuel.

Les « spéciale professionnelle » et « pratique et ménagère » peuvent être suivies par des jeunes filles du monde, en apprentissage de leur rôle de femmes au foyer, mais aussi par des jeunes filles qui veulent exercer un métier. Les cours de « spéciale supérieure » sont des cours de culture générale auxquels les élèves des autres « spéciales » peuvent assister, en plus, si elles le désirent, comme elles peuvent suivre les leçons d'hygiène dispensées par la Croix-Rouge. Sont facultatifs les cours de langues étrangères, de musique, de diction, de peinture, reliure, cuir et étain repoussé, coupe, cuisine, équitation, natation, danse et les conférences-promenades avec histoire de l'art.

## 2. *L'Université des Annales*

Le *Journal de l'Université des Annales* publie, à partir de 1907 et jusqu'en 1919, le texte des conférences et des cours faits à l'Université, 51 rue Saint-Georges. Les cours sont de deux sortes, les cours pratiques et les « cinq à six littéraires ». Les premiers ont lieu tous les jours de 2 h 30 à 4 h 30, les seconds tous les jours aussi, de 5 heures à 6 heures, comme leur nom l'indique.

|            | *Cours pratiques*      | *Cinq à six littéraires* |
|------------|------------------------|--------------------------|
| en 1907 :  | *15 dans l'année*      | *12 dans l'année*        |
| Lundi      | coupe                  | morale                   |
| Mardi      | sténo-dactylographie   | hygiène                  |
| Mercredi   | modes                  | littérature française    |
| Jeudi      | chorale                | histoire                 |
| Vendredi   | lecture                | littératures étrangères  |
| Samedi     | enseignement ménager   | arts-musique             |

Il faut ajouter à ce programme des promenades-conférences dans Paris (les antiquités grecques au Louvre, le musée de Cluny, les Archives, etc.) et hors de Paris (Versailles, Chantilly, la manufacture de Sèvres).

Le contenu et le but de ces cours sont définis dans le premier numéro du *Journal...* le 26 janvier 1907. Les cours de coupe (Mme Laurent Bourget) sont destinés à « apprendre aux jeunes filles, aux jeunes femmes, l'art de faire elles-mêmes leurs trousseaux, layettes et robes ». Les cours de modes (Mlle Valentine About) enseignent aux filles « l'art de confectionner leurs chapeaux elles-mêmes ». Les leçons d'enseignement ménager (Mme Louise Rousseau) théoriques et pratiques — nettoyage, repassage, etc. — visent à « former la parfaite maîtresse de maison ». Quant aux cours de sténodactylographie, leur objectif est de « faire des jeunes filles les parfaites secrétaires de leur père ou de leur futur mari ». Preuve, s'il en était besoin, que l'Université des Annales s'adresse à des filles de la classe aisée, qui ne cherchent pas de débouchés professionnels mais suivent des cours et acquièrent une pratique en fonction du rôle qu'elles jouent et joueront dans un foyer bourgeois.

Le cours de morale, en 1907, s'intitule « l'Henriette d'aujourd'hui. La Françoise de demain ». Des hommes célèbres et une seule femme, Séverine, viennent parler du rôle de la femme, sous les auspices de Molière et de Marcel Prévost. Paul Doumer (ancien président de la Chambre et auteur de *Comment élever nos fils*) parle, le 21 janvier, du « courage féminin » et de la femme comme amie, compagne, associée du mari. Jules Bois, le 25 février, traite des « cœurs neurasthéniques », des vies sans but, du mécontentement de soi, de la littérature des névrosées... de Jean-Jacques Rousseau avec *la Nouvelle Héloïse* à Anna de Noailles et Marcelle Tinayre en passant par George Sand ! Émile Cheysson, le 4 mars, décrit le « mouvement social », le rôle de la femme dans les œuvres philanthropiques, la lutte contre la tuberculose, les habitations à bon marché. Eugène Brieux devait, le 22 avril, tracer le portrait de la « femme moderne », c'est finalement Jules Bois — encore lui — qui s'en charge. L'année suivante, les conférences de morale sont moins centrées autour du rôle de la femme, elles font plutôt revivre des figures de femmes célèbres : Maurice Barrès campe Jeanne d'Arc, Camille Le Senne George Sand, etc.

Au programme des cours d'hygiène, que dispensent le docteur Thiercelin et Pierre Sebileau, professeur agrégé à la Faculté de médecine : les os, les microbes, les muscles, l'air, le nouveau-né, l'hygiène de l'habitation. En littérature française, Jules Truffier, A. Dorchain, Nozière, Jean Richepin parlent des poètes, de Villon à Musset. Les conférences d'histoire portent sur la Révolution pittoresque et voient défiler des orateurs célèbres : Victorien Sardou, Henri Lavedan, Émile Faguet, Funck-Brentano.

Le *Journal...* se fait l'écho des jugements de la presse étrangère sur l'Université. Le numéro 10 du 10 avril 1907 cite un passage du *Frankfurter Zeitung* : « Dans cette nouvelle université, on s'applique à préparer des femmes " de fond ". Car la femme ne doit pas vivre dans les nuages. La nouvelle université ne veut ni pédanterie ni restriction domestique. Elle tient à mettre un peu d'ordre dans l'esprit des femmes sans pourtant nuire à ses qualités natives de grâce et de charme. Elle estime que, pour être une bonne maîtresse de maison, il n'est pas absolument nécessaire d'ignorer la littérature. » Les conférences sont fort bien fréquentées, comme en témoigne la liste des auditeurs : Mmes Louis Barthou, Edmond de Rotschild, Herriot, Félix Faure-Goyau, Théophile Delcassé, Georges Leygues, Poincaré, la duchesse de Rohan, la duchesse douairière de La Roche-Guyon, le comte et la comtesse de Chevigné, M. et Mme Henri Lavedan, etc.

L'Université des Annales fonctionne sur le rythme universitaire normal, de novembre à mai. Une fête début juin marque la fin de l'année scolaire. Mais, pendant les vacances d'été, elle propose des thèmes de compositions à traiter pour obtenir les bourses ou le diplôme de l'Université. Ces thèmes sont choisis d'après le programme de l'année. Ainsi, en 1907, propose-t-on, en morale : « Du rôle de la femme dans la société moderne », et en histoire : « Une lettre de Marie-Antoinette à sa mère Marie-Thérèse pour lui raconter les grands épisodes de la Révolution ». Au mois d'octobre, le *Journal*... publie la liste des gagnantes et les textes des meilleurs devoirs.

Henry Bordeaux, au tome III d'*Histoire d'une vie*, rend hommage au « robuste bon sens », à l' « esprit d'une qualité rare » et au « cœur enthousiaste [34] » d'Yvonne Sarcey (Mme Adolphe Brisson), qui dirige l'Université des Annales. Avant cette Université, elle a créé l'Œuvre des maisons claires, pour les pauvres gens entassés dans les taudis. Il loue son grand sens de l'organisation. C'est elle, en effet, qui rédige le programme de toute une année de conférences aux Annales et le réalise, « avec une série de démarches et de lettres engageantes auxquelles on ne savait résister ». Elle connaît, de plus, les défauts des orateurs et y pare habilement. Si l'un d'eux est médiocre, elle lui adjoint une partie de déclamation ou de concert : « Ainsi fit-elle pour Paul Valéry qui parlait dans ses joues maigres et dont les auditeurs les plus rapprochés n'entendaient qu'un murmure clandestin, en corsant le programme par un ballet ou par des danses empruntées à l'un de ses dialogues. »

La comtesse de Pange dans ses Mémoires raconte qu'elle a été tentée de suivre les conférences des Annales en 1907 — elle a alors dix-neuf ans — car on en parle beaucoup [35]. Mais sa mère se renseigne « et déclare que les " petites Annales " n'étaient pas de mon milieu et que Mme Yvonne Sarcey, fondatrice, était " de gauche ". La cause était jugée ! » Et l'imagination de la jeune fille, du coup, l'emporte. Chez son oncle Pierre de Ségur, elle rencontre souvent Marcel Prévost. Elle ne dit pas si elle a lu *les Demi-Vierges*, mais elle connaît, comme tout le monde, le thème de ce roman qui a défrayé la chronique quelques années plus tôt. Autour d'elle, aucune jeune fille ne ressemble aux dévergondées de Prévost. Elle imagine donc que ce doit être « le genre des petites auditrices des Annales » et que c'est la véritable raison du refus de sa mère...

Plus loin, elle relate comment, après son mariage et juste avant la guerre, elle a participé à l'organisation des conférences de l'Étoile [36]. Mme de Rochetaillée avait fondé une œuvre de bienfaisance, le « Foyer de l'Étoile », dont le local, au coin des rues Balzac et Chateaubriand, avait une grande salle qui pouvait se transformer en salle de conférences. Mme de Rochetaillée avait décidé de faire concurrence aux Annales, « dans un esprit conservateur et catholique ». Elle finance l'entreprise pendant trois hivers, « malgré un fort déficit ». Pauline de Pange devient membre actif du comité, tandis que Fernand Laudet, directeur de *la Revue hebdomadaire,* accepte d'en être le secrétaire. Les conférenciers sont des académiciens et des professeurs de Sorbonne. Georges Lecomte parle d'Ovide, Victor Bérard de *l'Odyssée.* Barrès refusa de traiter du Rhin et de son rôle dans l'histoire. Rodin, le sculpteur, accepta de faire une conférence sur la cathédrale — hélas. Il fit d'abord lire à son assistante, Judith Cladel, un texte banal, puis, pendant une heure, vaticina sur la cathédrale gothique comme métaphore du corps de la femme, en employant les images les plus sensuelles : « L'effet devant ce parterre de dames pieuses fut déplorable ! Des mères affolées emmenèrent leurs filles et Fernand Laudet fut contraint de rédiger une circulaire d'excuses pour ce fâcheux malentendu entre Rodin et son public ! » Ce n'est pas ce scandale, pourtant, mais la guerre, qui mit fin aux conférences de l'Étoile.

## 3. *Le Foyer*

Mme Thome, sa fondatrice, retrace l'histoire de ce cours dans un rapport au IIIe Congrès Jeanne d'Arc [37]. Au départ, un essai d'école ménagère dans un patronage, en 1901, et la constatation que, pour être profitable, l'enseignement doit être donné par les jeunes filles du monde. En décembre 1901, deux jeunes filles se réunissent pour prendre des leçons théoriques de cuisine. Elles s'aperçoivent que la théorie est insuffisante et que, pour apprendre, elles doivent mettre la main à la pâte — ce qu'elles font. En janvier 1902, on s'installe rue de Varenne. Le nombre des élèves a beaucoup augmenté, elles cuisinent et dégustent les plats confectionnés lors de déjeuners où elles invitent les mères. En mars, on trouve un local plus grand rue de Bourgogne. Se mettent en place des cours de comptabilité, de coupe, de repassage, de pansement, et des conférences sur les questions de géographie politique du moment : les Balkans.

Enfin, en mai 1903, c'est le déménagement définitif dans un bel et grand hôtel, 37 rue Vaneau. Une multitude de cours et conférences s'ouvrent cette année-là et les suivantes. En 1903, le vicomte Henri de France fait un cours sur l'administration de la fortune, Max Turmann sur la femme dans la vie sociale, Mlle de Belfort traite de modes, tenue de maison, hygiène alimentaire. On inaugure le thé, le salon de lecture et l'ouvroir pour les pauvres. Mélange exemplaire de mondanité et de philanthropie. A l'ouvroir, le Foyer fournit les étoffes, dit Mme Thome, tandis que les jeunes filles et les dames « fournissent leur temps et leurs pauvres » (*sic*). Les pauvres sont des petites filles que leurs protectrices habillent sur mesure et auxquelles elles apprennent en même temps à coudre.

En 1904, on introduit des cours d'hygiène et des leçons pratiques sur les soins à donner aux bébés, réservés aux jeunes mères, ainsi qu'une série de cours d'arts d'agrément et de décoration (croquis, crochet et tricot, tapisserie, housses, tentures, rideaux, petits raccommodages de meubles). L'accent est mis, de plus en plus, sur l'action des femmes du monde en milieu populaire. En juin, on les engage à faire de petites conférences dans les centres ouvriers. Pour les habituer à prendre la parole, on crée des réunions entre dames, où elles s'exerceront à intervenir (février 1905). En mars 1906 on leur donne même des exemples de conférences types, avec projections et images, pour se mettre à la portée des auditeurs. Une école d'application fonctionne depuis la fin de l'année 1904 : École ménagère populaire, où les élèves du Foyer éduquent les enfants d'ouvriers. En mars 1905, un cours est proposé aux dames qui désirent apprendre à organiser une école ménagère populaire.

Le Foyer sanctionne les cours par un contrôle annuel. Le 30 juin 1906, par exemple, a lieu l'examen du cours d'hygiène domestique et soins d'urgence aux malades. Au jury, les vice-présidentes de la Croix-Rouge, la générale Voisin et Mme Biollay, et des chirurgiens. L'examen comporte trois parties : écrite, orale, pratique. Le *Bulletin du Foyer*[38] publie, le mois suivant, la liste des candidates reçues : Mme Bourgeois, la marquise de Bonneval, la baronne de Contenson, la comtesse de Marois, la comtesse de Sesmaisons, Mlles Bucquet, Canonge, Grimprel, Murat, Thome.

L'enseignement donné au Foyer veut donc déboucher sur des réalisations pratiques. Mais, parallèlement, jeunes filles et dames du monde continuent à assister à des conférences sur le rôle de la femme dans la société et dans les œuvres : l'économie sociale à l'usage des femmes du monde (Émile Cheysson), le rôle social de la mutualité (M. Dédé), la protection de la jeune fille (Mlle Chaptal), la Croix-Rouge française (Mme Fortoul), le rôle de la femme dans la vie contemporaine (l'abbé Couget), la bibliothèque Braille pour les aveugles (M. Ch. Grimond). A cela s'ajoutent des thèmes de culture générale : les grandes étapes de la civilisation (Max Turmann), notre passé artistique (le marquis de Dampierre).

Mme Thome, en 1906, résume en ces termes le but que poursuit le Foyer : « Donner aux jeunes filles et aux femmes du monde l'enseignement pratique qu'on ne leur donne nulle part. Mettre dans leur esprit l'idéal du devoir et de la vie utile. Leur apprendre à aimer leur intérieur, à le faire aimer à leur mari et à leurs enfants. Les mettre à même d'enseigner les femmes du peuple et de se rendre utiles dans les œuvres. Procurer aux femmes du monde un lieu de réunion, des renseignements sur les œuvres et sur tous les sujets qui les intéressent. Aider les œuvres en les faisant connaître. » Un tel programme est typique du discours qui se tient sur la femme des milieux privilégiés au début du xxe siècle : il faut former des femmes de devoir, capables d'assurer le bonheur à l'intérieur de leurs foyers, et, en même temps, d'exercer une action sociale efficace.

La *Revue du Foyer,* qui paraît à partir de 1911, publie les conférences faites au Foyer, afin que les femmes de province puissent en profiter. Ces conférences portent, d'une part sur l'actualité — Mgr Augouard parle de son expérience au Congo, Albert Colson, professeur à l'École polytechnique, de « la vie des poudres de guerre », sujet aride pour une conférence mondaine... le commandant Renard fait un tableau de « notre flotte aérienne militaire » —, d'autre part sur la « formation de l'âme française ». Sous cette rubrique, G. Lacour-Gayet traite de l'apogée de la monarchie (Louis XIV), Franz Funck-Brentano du roi, Albert Malet de l'unité par les armes (Vercingétorix, Gergovie).

En 1912, deux romanciers célèbres succèdent aux historiens, Paul Bourget avec *la Famille dans la littérature française* et Henry Bordeaux avec toute une série sur *l'Art et la Famille.* Bordeaux, dans ses *Mémoires,* précise que les lectures faites au Foyer en 1912, 1913, 1914 traçaient les lignes générales d' « une histoire littéraire de la famille en France, un tableau de la vie du foyer français », depuis les chansons de geste jusqu'au xixe siècle. A la suite de ces conférences, on lui offrit la direction du Foyer, de 1913 au commencement de la guerre. Comme la comtesse de Pange, il raconte des anecdotes sur les conférenciers. La prolixité de certains était embarrassante. Les conférences ne duraient pas plus d'une heure, « selon les habitudes de Paris ». Bordeaux dut interrompre le colonel Marchand qui, venu parler de l'Afrique et de l'Empire français, n'avait pas encore abordé son sujet au bout de deux heures. Il dut également encourir la fureur de Francis Jammes qui, ayant discouru pendant des heures à propos des *Sept Chants de la création,* avait vu les assistants quitter la salle les uns après les autres.

Dans la *Revue du Foyer,* à côté des textes traitant d'actualité et de culture générale, fortement marqués par le nationalisme des années qui précèdent la guerre, on trouve une rubrique plus familière, intitulée « Vie au Foyer », comportant une causerie sur l'éducation, des cours pratiques (recettes de cuisine) et un résumé de l'activité de la quinzaine au Foyer. La causerie sur l'éducation, rédigée par Andrée d'Alix, porte sur les thèmes rabâchés de la science domestique, l'école ménagère, la maîtresse de maison, l'ordre, la valeur du temps, le rôle de la volonté, le travail, l'économie, la charité, etc. Ernest Legouvé y est beaucoup cité.

Le prix des conférences, indiqué sur chaque numéro de la *Revue du Foyer* (qui, elle, coûte 50 centimes), est assez élevé. Placée sur un fauteuil, l'auditrice paie 4 francs à l'unité, 16 francs pour cinq conférences, 28 francs pour dix, 40 francs pour quinze, 70 francs pour trente, etc. Sur une chaise ou un strapontin, elle paie 3 francs à l'unité, 12 pour cinq conférences, 21 pour dix, etc. Le *Bulletin du Foyer* du 15 janvier 1907 annonçait l'ouverture, le 19 février, d'un cours pour les femmes de chambre et cuisinières, le mardi de 14 à 17 heures : repassage, coupe, cuisine. Sont admises les domestiques présentées directement par un membre de l'œuvre. Le prix de la séance est 3 francs. Les cuisinières exécutent aux frais de leurs maîtresses le plat qu'elles ont choisi et l'emportent. Ce cours a-t-il été créé à l'initiative des maîtresses de maison qui réclament une formation pour leurs domestiques ? Le *Bulletin* affirme en tout cas que beaucoup d'entre elles ont déjà inscrit leurs femmes de chambre et cuisinières.

L'activité du Foyer comme cours pour jeunes filles du monde finit avec la guerre, mais il abrite alors l'ouvroir de l'Œuvre des chapelles de secours, dont la présidente est la baronne Thénard. Son but est de porter secours aux paroisses de banlieue qui ont à héberger les prêtres-infirmiers relevant des trains sanitaires. Il est ouvert le vendredi de 14 à 16 heures, pour les dames qui veulent y travailler ou y prendre de l'ouvrage. On y reçoit les étoffes, linges, vêtements ou l'argent nécessaire à l'achat de vêtements ou de vases sacrés[39]. Les bureaux de la *Revue du Foyer* deviennent les magasins de l'Œuvre du vêtement pour les combattants, fondée par Henry Bordeaux, Fernand Laudet, René Doumic, Lacour-Gayet, etc.

Le Foyer est un excellent exemple de ces institutions qui associent enseignement et activités philanthropiques pour les jeunes filles. Beaucoup de cours d'enseignement ménager répondaient à un projet du même type : mettre au travail les jeunes filles de bonne famille, leur donner une éducation pratique et les moraliser, de manière à faire d'elles un bon élément de transmission en direction des classes populaires. On leur apprend « tout ce qui d'une jeune fille pourra faire, plus tard, non seulement une bonne maîtresse de maison, mais aussi une mère et une femme d'œuvres, connaissant à fond son " métier " de mère et d'apôtre [40] ».

# 2

# Fiançailles

## TROUVER UN MARI

Les vieilles dames à qui j'ai demandé : « Comment avez-vous rencontré votre mari ? », m'ont quelquefois parlé de « présentation », Mme Gl. s'est mariée en 1920 à un architecte auquel elle avait été présentée, au cours d'une promenade, par des amis de sa famille. On avait dit d'elle au jeune homme : « Elle est grande et a un caractère charmant. ». Une autre a connu son mari, polytechnicien, par l'entremise d'une « marieuse », amie de sa tante. Les autres rencontres enfin se sont faites plus « naturellement », chez des amis des parents, au mariage d'un cousin, etc.

Le plus simple était d'avoir une amie de pensionnat dont le frère était à marier. Françoise, l'héroïne de Marcel Prévost, n'a pas à chercher bien loin l'homme de sa vie. Le frère de sa meilleure amie, Lucie, vient voir sa sœur à la pension. Maxime a pour lui un atout : il est saint-cyrien et la moitié de l'école est « toquée d'un uniforme [1] ». Françoise est sous le charme, elle se met à l'aimer en secret. Un jour il la demande en mariage. Les jeunes gens se conviennent car ils ont des situations de famille et de fortune équivalentes. Tous deux appartiennent à la moyenne bourgeoisie traditionnelle. Le père de Françoise, mort depuis plusieurs années, était sous-chef au ministère des Finances. Dépourvu d'ambition, mais parfait honnête homme. Françoise n'a pas une grosse dot, Maxime n'est pas riche, mais il occupe une fonction stable qui garde du prestige dans la bourgeoisie. Les officiers sont des gendres appréciés, ils rassurent les parents de la jeune fille, tout comme les fonctionnaires, car, n'étant pas hommes d'affaires, ils ne risquent pas de dilapider la dot[2].

Mais l'amour pour le frère d'une amie n'est pas toujours couronné de succès. Caroline Brame, fille d'un ingénieur des Ponts et Chaussées, nièce d'un conseiller d'État, épouse, à dix-neuf ans, Ernest, un magistrat. Elle raconte, dans son Journal, les premières rencontres avec son futur mari. Nous sommes en 1864, elle a dix-sept ans et sort du pensionnat. L'année suivante, elle séjourne chez une amie et s'éprend de son frère, Albert. Son inclination est partagée. Mais la famille de Caroline (sa mère est morte, ses tantes jouent un grand rôle dans sa vie) trouve Albert trop jeune — il a dix-neuf ans — et propose à la jeune fille quelqu'un de plus âgé. On lui montre « M. Ernest » à la messe de 13 heures à Sainte-Clotilde. La première rencontre officielle a lieu le 18 février 1866, au musée du Louvre. Caroline est accompagnée, elle erre dans les salles à la recherche d'Ernest, ils parlent. Ils se revoient au musée du Luxembourg. Ils se marient en avril 1866.

Souvent les mariages se faisaient par présentation[3]. Des amis de la famille provoquaient une rencontre entre deux jeunes gens qui leur semblaient de condition assortie. C'est ainsi que se sont mariés les parents de Simone de Beauvoir. Lui, avocat parisien, elle, fille de banquiers de Verdun, sont allés à Houlgate pour être présentés l'un à l'autre, Beauvoir ne précise pas par qui[4]. Edmée Renaudin, en revanche, à propos des fiançailles de son oncle, évoque la « marieuse[5] » : une vieille demoiselle, amie ou cousine de maintes « bonnes » familles, qui déjà avait marié ses parents. De mœurs irréprochables, bien sûr : à soixante ans, elle était encore présidente des Enfants-de-Marie — comme si sa virginité consacrée validait sa fonction de marieuse. Pendant la guerre, une des questions qui agitaient le milieu bourgeois était : comment marier les filles ? La vie mondaine était morte, il n'y avait plus ni bals ni concerts, les jeunes gens se battaient. Restent les hôpitaux, mais ils sont mal fréquentés et elles risquent de tomber sur des estropiés... Les marieuses alors se réveillent et ménagent des entrevues entre jeunes filles et jeunes gens mobilisés, pendant les permissions. Elles s'y prennent plusieurs mois à l'avance, en procédant d'abord à un échange de photos, etc.[6]

Marier les jeunes gens par relations et présentation n'empêchait pas de tenir compte des sentiments. C'était même beaucoup mieux s'ils se plaisaient ! Les unions « arrangées » pouvaient fort bien réussir. C'est ce que dit Jacques Chastenet de ses parents, mariés en

1892 : « Mon père, de neuf ans plus âgé que ma mère, entourait celle-ci de prévenances, de soins, et ne manquait jamais de la consulter. Elle avait pour lui la plus vive admiration et ne négligeait rien pour lui faciliter la vie[7]... »

De toute façon, même si une fille et un garçon se rencontraient dans un bal et tombaient d'emblée amoureux, la famille de l'une prenait d'abord des renseignements sur la famille et les revenus de l'autre, et réciproquement, avant que le mariage pût être décidé. On se mariait dans son milieu : « En général, la destinée des femmes est tout unie et sans grande secousse ; le mariage même, qui en est la crise décisive, influe sur leur bonheur ou leur malheur, mais non pas sur leur condition sociale. [...] Comme on avait suivi la fortune de son père, on suit celle de son mari[8]. »

## LA DOT

Hector Le Tessier, l'un des héros des *Demi-Vierges*[9], affirme que, depuis 1880 environ — le roman est publié en 1894 —, deux valeurs, sûres jusque-là, se sont effondrées : la pudeur des jeunes filles et leur dot. En 1910, Marcel Prévost ajoute un troisième « krach » aux deux premiers : la beauté[10]. On ne croit plus, dit-il, qu'à l'élégance et à l'intelligence. Les capitaux, décidément, font faillite. Mais Prévost ne regrette pas le passé. Il n'y a plus de jeunes filles riches, 200 000 francs de dot ne rapportent que 6 000 francs de rente, « pas même de quoi louer un coupé au mois », eh bien, cela prouve que la société se moralise. Le travail paie, et non plus l'oisiveté. Plus question de vivre aux crochets de la femme qu'on épouse. Il faut donc se marier jeunes et pas très riches, et supporter par amour une situation modeste. Un mari sérieux ne peut que l'améliorer. Telle est la leçon des *Lettres à Françoise*.

Si la jeune fille riche n'existe plus, si le capital de la dot rapporte si peu qu'il ne vaut plus la peine de s'y intéresser, le système de la dot devrait s'éteindre. Or on n'a jamais tant parlé de dot qu'à la fin du XIXᵉ siècle. Sans doute parce que, dans un monde qui bouge, une structure archaïque qui continue à fonctionner fait problème. A quoi sert la dot ? A l'origine, elle représentait une compensation. Les filles n'avaient pas le droit d'hériter et la dot sauvegardait leur indépendance et leur avenir. Depuis que les femmes héritent, elle n'a pas perdu sa raison d'être pour autant, elle est la contribution de l'épouse au budget conjugal : « La jeune fille apporte, en rente, un bien-être à peu près égal au revenu qui entre dans le ménage par le fait du mari [11]. » Tel est le principe.

Mais, disent certains, la réalité est autre. La dot équivaut à « un mariage par achat », et, contrairement à ce qui se passe chez les sauvages, qui paient pour avoir une épouse, « l'homme n'est plus l'acquéreur : il est la marchandise [12] ». La dot des filles serait l'un des signes de la décadence de notre société. Virilité bafouée, Hercule aux pieds d'Omphale, corruption de la volonté mâle par l'argent. Porte ouverte à toutes les audaces chez les femmes, comme le suggère un roman anonyme de 1906, *Confessions d'une jeune femme*. L'héroïne, dépourvue de principes, affirme que l'épouse légitime devrait avoir l'initiative dans les rapports sexuels : « Ne vous a-t-elle point payé des deniers de sa dot le droit d'user de vos hommages sans en rougir ? [...] Bourgeois ou nobles, vous nous vendez votre nom, votre plus ou moins de considération sociale et votre graine génitrice. Soit, si le marché nous agrée, mais cessez de vous considérer, vous, vendeurs, comme d'omnipotents acheteurs... » Cette « jeune femme » est bien faite pour affoler les moralistes qui imaginent les héritières achetant de leurs époux, avec leur dot, le droit à toutes les libertés. Elle finit par vivre heureuse entre deux hommes, son mari et un amant qu'elle aime. Trio inséparable.

Le système de la dot est pernicieux pour l'homme car il l'empêche de tirer parti de ses facultés. Le réquisitoire de Michelet a été maintes fois repris : « Avec une dot de cent mille francs on enterre ainsi un homme qui peut-être chaque année aurait gagné cent mille francs [13]. » Cet homme que rien ne sollicite est un mort-vivant : « Le mari *vit doucement,* mais baisse vite, découragé, lourd, propre à rien. Il perd ce que, dans ses études, dans une jeune société, il avait gagné d'idées pour aller un peu en avant. Il est bientôt amorti par la *dame propriétaire...* » Pour Michelet, il serait donc salutaire de supprimer la dot et, par ce moyen, de restaurer l'amour dans le couple. Mais le fantasme peut se retourner et, de victime, le mâle se transforme en rapace. L'abbé Bolo décrit tous les jeunes gens comme des « mangeurs de dot », de véritables cannibales [14].

Tout le théâtre d'Eugène Brieux milite pour la suppression de la dot, symbole de l'égoïsme bourgeois. Il accuse les parents qui, obsédés par l'argent, font le malheur de leurs enfants et deviennent des criminels. *La Petite Amie* (1902) met en scène les Logerais,

marchands de modes en gros. Ils veulent que leur fils unique épouse
une héritière et refusent de consentir à son mariage avec une de
leurs ouvrières, qui est enceinte de lui. Le père attend que, poussé
par la faim, son fils cède. La pièce se termine sur un double suicide,
du jeune homme et de sa maîtresse. Même scénario dans *Maternité*
(1903). Annette, jeune fille de bonne famille mais sans dot, est
amoureuse de Jacques Bernin. Elle aussi attend un enfant. Les
Bernin n'acceptent pas cette union, ils jugent une dot indispensable.
Eux-mêmes réservent tout leur argent pour doter leur fille.
Annette, contrainte de recourir à l'avortement, en meurt. Dans *la
Femme seule* (1912), une journaliste féministe constate tristement :
« Nos parents ne nous ont préparé qu'une carrière : l'homme... »
La pièce raconte l'affreuse histoire d'une jeune fille qui, ayant perdu
sa dot, ne peut épouser son fiancé et se trouve acculée au travail puis
au concubinage. Et Brieux, dans la dernière scène, d'avertir
solennellement les fils de bourgeois qui n'ont pas le courage
d'épouser les filles sans dot : « Vous ne l'aurez pas voulue ménagère, et comme elle ne se voudra pas courtisane, elle sera l'ouvrière,
la concurrente... et la concurrente victorieuse [15]... »

Ces pièces, jouées avec beaucoup de succès, se situent dans le
cadre de la campagne qui se mène, au début du siècle, contre la
dépopulation de la France. Il y a, en 1891, 2 622 170 filles majeures
libres contre 7,5 millions de femmes mariées. Une fille sur quatre
doit garder le célibat [16]. L'existence des célibataires inquiète d'autant plus qu'elle se confond avec le fait que les couples mariés ont de
moins en moins d'enfants. La France va vers la dépopulation et
l'affaiblissement de sa puissance. On s'interroge donc sur la « crise
du mariage », on en cherche les causes et, comme chaque fois qu'il
est question de « crise », on répond immoralité et nécessité
d'assainir les mœurs. D'où les virulentes attaques contre la dot, au
nom de la moralité. Des solutions sont proposées à la crise du
mariage : il faut reconstruire le couple sur des valeurs sûres, choix
du partenaire dicté par l'amour, virginité et fidélité des deux époux.

## SANS DOT

Sans dot, les jeunes filles et les mères ne renoncent pas toujours pour autant à épingler un mari et un gendre. Mme Josserand est inoubliable dans le rôle de la mère qui cherche férocement à caser ses filles. Elle leur conseille de jouer les allumeuses : « Puisque vous n'avez pas de fortune, comprenez donc que vous devez prendre les hommes par autre chose. On est aimable, on a des yeux tendres, on oublie sa main, on permet les enfantillages, sans en avoir l'air ; enfin on pêche un mari [17]… »

Si elle n'attrape rien à cette « pêche », la jeune bourgeoise sans dot n'a plus que deux possibilités, le demi-monde ou le travail [18], qui toutes deux l'amènent à se déclasser. Mais peut-être le travail salarié est-il socialement plus choquant encore. Etre entretenue dérangeait moins l'ordre des choses. Aucune jeune fille n'a raconté comment elle a glissé vers le demi-monde. On n'a, sur la femme entretenue, que des témoignages romanesques. Lorsqu'elle a brûlé ses dernières cartouches, qu'elle a perdu tout espoir de devenir une épouse légitime, une fille cherche un bailleur de fonds. Les juifs sont là pour ça… L'héroïne des *Demi-Vierges,* Maud de Rouvre, après la rupture de son projet de mariage avec Maxime de Chantel, accepte d'être la maîtresse du banquier Aaron, qui paie ses dettes. Marthe Dangé, à la fin des *Jeunes Filles* de Victor Margueritte [19], avant de se résigner au baron Meyerlein — qui a déjà été l'amant de sa mère et les a sauvées de la ruine à la mort de M. Dangé —, entre en piste pour une cinquième tentative de mariage. Sans trop d'illusions.

En revanche, sur ce que représente l'exercice d'un métier, on dispose du témoignage de Simone de Beauvoir. Son père a fait de mauvaises affaires et il voit ses deux filles acculées à travailler. Cette nécessité le plonge dans l'amertume : « Dans notre laborieux avenir, il lisait sa propre déchéance [20]. » Il est contraint à renier ses valeurs : « Il estimait que la place de la femme est au foyer et dans les salons. Certes, il admirait le style de Colette, le jeu de Simone ; mais comme il appréciait le jeu des grandes courtisanes : à distance ; il ne les aurait pas reçues sous son toit. » Dans une conception traditionnelle du rôle de la femme, il y a bel et bien un rapport entre le métier d'une femme, fût-elle une créatrice, et la prostitution.

Le IIe Congrès international des œuvres et institutions féminines, en juin 1900, affirme que la jeune fille doit avoir une profession plutôt qu'une dot. Dans son rapport, Mlle Aubéry (femme de lettres qui écrit sous le pseudonyme d'Albéric Chabrol) déclare : « Le léger fétu de réalité que représente le plus souvent une dot de jeune fille, dans la petite et moyenne bourgeoisie, ne sert le plus souvent qu'à lui faire manquer sa vie de femme. Car il faut remarquer que, presque jamais, la dot attribuée à une jeune fille n'est assez forte pour lui assurer, en dehors du mariage, la continuation du bien-être dans lequel on l'a élevée, et, si la jeune fille aspire au mariage, elle ne trouve pas dans cette dot ce qu'on peut appeler une " équivalence " [21]. » Mieux vaudrait être réaliste et, au lieu de se sacrifier pour constituer une dot à sa fille, employer cet argent à lui faire suivre des études qui lui permettront de gagner sa vie. C'est un investissement plus sûr. Un travail salarié met une fille à l'abri du besoin et lui assure ce qu'une dot ne lui donnera jamais, l'indépendance. Le Congrès émet le vœu que soit diffusée, dans les établissements scolaires, une information sur les métiers accessibles aux femmes. Rappelons que les sévriennes des années 1880-1890 étaient des filles de la petite et moyenne bourgeoisie qui, n'ayant pas de dot, avaient préparé le concours [22]. A la même époque, le slogan de l'école Pigier — école de secrétariat — était : si vous n'avez pas de dot pour vos filles, envoyez-les chez Pigier.

### FIANCÉE

La jeune fille a trouvé un prétendant. Pour qu'il devienne un fiancé, il faut que son père en fasse officiellement la demande aux parents de la jeune fille. S'il est agréé, tout va très vite jusqu'au mariage. Les fiançailles durent entre trois semaines et quelques mois. Si elles s'éternisent, le « monde » risque de faire des suppositions malveillantes [23]. Un bouquet blanc précède la première visite du jeune homme. La tradition veut que chaque jour, de la présentation jusqu'au mariage, le « futur » envoie des fleurs. La baronne d'Orval conseille de varier le genre des bouquets, gerbe, corbeille, coussin, jardinière, et d'envoyer, en plus, des fleurs à sa future belle-mère, de temps en temps. Elle est hostile, en revanche, à la mode empruntée à une coutume orientale : les fleurs, d'abord d'un blanc immaculé, rosissent peu à peu, elles sont pourpres la veille du mariage. Langage de mauvais goût, dit-elle, bon pour les orientaux [24]. Plus réaliste, Adrienne Cambry, auteur d'un « petit manuel du foyer », *Fiançailles et fiancés,* dénonce le côté ruineux de cette mode, à coup sûr une invention des fleuristes. Le bouquet quotidien lui paraît un luxe superflu, il suffit d'un bouquet par semaine [25].

Lors de la première visite du jeune homme, on arrête la date des fiançailles officielles, qui sont marquées par un dîner chez les parents de la jeune fille. Les deux familles y sont conviées. Ce soir-là, le jeune homme offre la bague. La bague de fiançailles classique est formée de deux cercles d'or entrelacés, soutenant deux perles. A la fin du XIXe siècle, des pierres de couleur remplacent les perles ou les diamants traditionnels. La fiancée est autorisée à faire un cadeau en retour (bague d'homme, médaillon contenant son portrait ou une mèche de ses cheveux, etc.). Elle le remettra huit jours plus tard, avant le dîner qui a lieu chez les parents de son fiancé.

Le fiancé va, chaque jour, chez sa fiancée pour lui « faire sa cour ». Il pourrait dîner chez elle chaque soir puisque, en principe, son couvert doit être mis. Mais les mères redoutent de telles habitudes et apprécient la discrétion. Qu'il n'arrive donc pas avant 3 heures de l'après-midi et ne reste pas trop longtemps. La mère de la jeune fille ou une personne de sa famille assiste à l'entretien. Une fois fiancée, une jeune fille n'est pas tenue de rester enfermée chez elle, mais de ralentir ses sorties dans le monde, où elle ne va plus qu'avec son fiancé. Au bal, elle doit se montrer réservée avec les autres jeunes gens et ne plus flirter si elle le faisait avant !

Plus elle aime, plus il lui faut se méfier d'elle-même. A se laisser aller à des mouvements tendres, elle risque d'être prise pour une fille « facile », elle en sera punie. Marie Bashkirtseff rapporte une conversation à laquelle elle a assisté, au cours d'un voyage en Russie : « Un jeune homme était amoureux d'une jeune fille, dont il était aimé, et au bout de quelque temps il en épousa une autre, et, quand on lui demandait la raison de ce changement, il répondait : " Elle m'a embrassé, elle en a donc aussi embrassé d'autres ou elle en embrassera. — C'est juste, dit Alexandre [frère de Marie]. " Et tous les hommes raisonnent ainsi. » (30 août 1876). Cette histoire et la réflexion de son frère entrent en résonance avec un souvenir qui l'emplit de regret. Elle a, le 28 mai, embrassé un jeune homme et s'en veut toujours beaucoup quelques mois après : « Dieu ! Comment ai-je pu l'embrasser sur la figure ? moi, la première ? Folle, exécrable créature ! [...] Il a cru que c'était tout simple pour moi,

que ce n'était pas la première fois, que c'était une habitude prise !
Vatican et Kremlin ! J'étouffe de rage et de honte ! » (12 août).
Une jeune fille doit donc freiner son instinct, en ayant sans cesse à
l'esprit l'image qu'elle va donner d'elle. Qu'elle ne croie surtout pas,
parce qu'elle est fiancée, qu'elle peut se montrer plus familière avec
l'homme de sa vie. Celui-ci, au contraire, lui saura gré de sa réserve.
Elle ne lui écrit pas et ne reçoit pas de lettres de lui sans passer par
sa mère. Elle n'abuse pas des manifestations de tendresse de peur de
déflorer l'avenir : « Lorsqu'on échange trop de baisers les jours de
fiançailles, les baisers n'ont plus le même prix le jour du
mariage [26]. » Il vaut mieux pour elle et pour son fiancé qu'elle reste
un peu désincarnée, presque abstraite : « [...] que la fiancée reste
un être idéal ; que l'époux, plus tard, au milieu des contingences
diverses, et peut-être même parmi les désillusions, ait toujours le
souvenir d'une forme fine et blanche, d'un regard pur, révélateur
d'une âme vraiment innocente [27]. » Image du lys virginal qui se
dessèche dans l'herbier de la mémoire : « Cette fleur que l'on ne
touche pas, parce qu'elle est fanée avant d'être touchée [28]. »

## L'EFFONDREMENT DE LA PUDEUR

La « vraie jeune fille » n'existe plus : thème obsédant dans le
discours de la fin du siècle. Qu'est-ce qu'une vraie jeune fille ? Un
être quasiment immatériel : « Elle avait rougi légèrement, rosi
plutôt, d'une lueur de fleur, car tout en elle était ainsi furtif, nuancé
de tons subtils, et le mystère attirant de sa personne était fait de cet
on ne sait quoi d'inquiet et de fragile qui fulgurait et mourait en
fluides reflets d'âme [29]. » Être une vraie jeune fille est impossible,
puisque c'est être impalpable. C'est un mythe, une représentation,
jamais une réalité. Ce qu'on reproche aux jeunes filles, c'est d'être
faites de chair et de sang, d'être vivantes.

Edmond de Goncourt oppose à la jeunesse « sérieuse, réfléchie,
mélancolique » de l'homme, la jeune fille du jour, « ironique,
*blagueuse* [30] ». Les jeunes filles ont perdu leur fraîcheur d'âme, elles
sont devenues intelligentes, moqueuses, indépendantes, en un mot
inquiétantes, et cela « même en province [31] ». Où sont les allures
charmantes de la pudeur des femmes « doublant le prix de ce
qu'elles défendent [32] » ? Un fiancé n'aime rien tant, chez celle qu'il

va épouser, que « la sentir se dérober, refuser même la plus chaste
étreinte de fiançailles [33] ». Or les jeunes filles fin de siècle n'ont plus
rien d'effarouché. Elles parlent argot comme Chiffon, l'héroïne de
Gyp, sont au courant de tout, demandent à être traitées en
camarades par les garçons et vont jusqu'à faire de la bicyclette avec
eux. La bicyclette, pour beaucoup, marque la débâcle de la pudeur.
La Française de 1880, écrit le journaliste Octave Uzanne, fait
preuve d'une indépendance effrontée : « Ce qui resta de la pudeur
sombra dans une folle préoccupation des vêtements de dessous ;
l'habitude de l'hydrothérapie en commun, la liberté de langage, de
manières, d'attitudes accélérèrent encore cette décadence des
mœurs [34]. » Étrange pot-pourri pour rendre compte d'une évolution
des comportements.

Ces jeunes filles moins ignorantes, plus spontanées, moins
guindées, quel crédit leur accorder ? Comment adapter leur réalité
nouvelle à l'image de la chaste mariée rougissant sous sa fleur
d'oranger ? Si la pudeur s'effondre, que devient la vertu ? Sont-elles
encore vierges, ces affranchies ? Ou sont-elles toutes devenues des
« demi-vierges », à l'image de Maud de Rouvre ? Ce « joli monstre » est prêt à tromper tous les hommes, celui qu'elle aime et ne
peut épouser, parce qu'il n'est pas riche, celui qu'elle espère
épouser, à qui elle donnera sa virginité avant de devenir réellement
la maîtresse du premier. Jusqu'à son mariage, elle n'est qu'à demi sa
maîtresse, pour conserver sa virginité physique. Elle est, en fait,
tout à fait déflorée, rouée, immorale.

## VIRGINITÉ PHYSIQUE

Octave Uzanne s'apitoie sur le destin des hommes pris au piège
du « flirtage » : « Comme des pauvres alouettes se laissent prendre
au jeu rayonnant du miroir, ainsi les galantins se laissèrent séduire
par la promesse de cette virginité authentique à laquelle ils n'avaient
plus droit que par le mariage [35]. » La virginité peut servir d'appât.
C'est un capital, au même titre qu'une dot. Elle ne la remplace pas
et ne suffit pas, en général, à attirer un mari. Sa perte, en revanche,
se monnaie. Pour marier une fille qui n'est plus vierge — « jeune
fille avec tache », disent les petites annonces —, il faut y mettre le

prix, augmenter la dot, et renoncer à être exigeant dans le choix du partenaire.

La rupture d'un projet de mariage cause du préjudice à une jeune fille parce que le monde s'interroge. D'une part, jusqu'où est-elle allée avec son fiancé ? D'autre part, pourquoi cette rupture ? Aurait-il découvert qu'elle n'était pas irréprochable, qu'elle avait déjà eu une aventure ? « Mais, dites-moi, elle a l'air bien sentimental, cette fille-là. Entre nous, croyez-vous qu'elle soit arrivée à son âge, sans[36] ?... » On jase. On ne badine pas sur la virginité d'une fille, c'est une règle du jeu à respecter. Même dans un milieu bourgeois fort émancipé par ailleurs. Simone de Beauvoir évoque les « parties » auxquelles participaient ses cousins, en 1925 : « Madeleine me confia que pendant ces soirées il se passait dans les bosquets, dans les autos, beaucoup de choses. Les jeunes filles prenaient garde de demeurer des jeunes filles. Yvonne ayant négligé cette précaution, les amis de Robert [son cousin, qui courtise Yvonne], qui à tour de rôle avaient profité d'elle, avertirent obligeamment mon cousin et le mariage ne se fit pas[37]. » Une complicité cimente le camp bourgeois, on n'épouse pas une « traînée ».

## LA DÉFLORATION MENTALE

Si l'on en croit un personnage d'Alexandre Dumas fils, rien n'est plus exaltant que d'épouser une vierge : « Il n'existe pas une femme, si habile, si belle, si aimée qu'elle soit, qui puisse donner à son amant la centième partie de l'émotion que donne en une minute à l'époux qui l'a choisie la jeune fille qui va recevoir de lui la révélation de l'amour. Notre esprit, notre cœur, nos sens, toutes nos facultés trouvent dans la première expansion de cette âme ignorante, timide et curieuse à la fois, une sensation si absolue qu'elle détruit tout ce qui n'est pas elle ; si élevée qu'aucune autre n'y peut atteindre ; si complète qu'il ne nous est même plus permis de l'éprouver une seconde fois[38]. » Pour saisir dans toute sa fraîcheur cette « âme ignorante », il faut qu'elle n'ait pas été contaminée. Or l'âme d'une jeune fille est sans cesse menacée de contamination.

Et d'abord par la présence des domestiques. Par elles passe le contact avec l'interdit, tout ce qu'on a pris soin de cacher à la jeune fille : la vérité crue du sexe et les secrets de la famille, mœurs dépravées, secrets d'alcôve, maladies inavouables. Les bonnes ne respectent rien, ni les secrets, ni l'âme virginale. La femme de chambre des Campardon, dans *Pot-Bouille,* révèle à la petite Angèle les relations intimes de son père et de la cousine Gasparine, elle lui fait même mimer les étreintes que se donnent les amants[39]. Et les moralistes tancent les mères : surveillez vos filles de près, ne les laissez pas aux mains des bonnes.

Une jeune fille perd toujours un peu de sa virginité à être élevée dans un milieu trop libre. Elle en est « déveloutée[40] », dirait Marcel Prévost. Le roman de Camille Marbo *A l'enseigne du griffon*[41] met en scène deux amies qui ont le même âge (vingt-deux ans), travaillent dans la même librairie et vont aimer le même homme. Mais Juliette envie à Cécile sa pureté véritable, alors qu'elle-même s'est seulement « préservée malgré un milieu facile ». Cécile a vécu dans une famille étroite, puritaine, son père est médecin de quartier, sa mère fille de professeur. La mère de Juliette, veuve d'un homme d'affaires, vit dans un milieu mêlé, loue des chambres à des Américaines, n'a pas beaucoup de principes. Juliette « se souvient de trop de lectures, de trop de conversations, de trop d'heures où elle est restée là, où elle a souri, plaisanté sans gêne entre les amis de sa mère »... Devant Cécile, elle a honte : « Jamais plus, se dit-elle, je ne serai comme cette petite-là. » Elle se sent plus âgée qu'elle et déjà salie.

Déflorée mentalement, Juliette est facilement entraînée à ne pas respecter les codes traditionnels. Cécile, élevée dans le respect absolu du mariage, se refuse sans peine à l'homme qu'elle dit aimer, tant qu'il ne l'épouse pas. Juliette, au contraire, va se donner à lui sans en attendre aucune garantie sociale — il est marié et ne divorcera sans doute pas —, elle est sans illusions mais elle l'aime et c'est pour elle, au bout du compte, le seul critère. Cécile apparaît comme la « vraie jeune fille », que protège une éducation étroite et démodée. Que l'homme dont elle se croit amoureuse cherche à l'embrasser et ce n'est pas le trouble qui s'empare de son corps et de son cœur, mais l'instinct de sa virginité en danger. Elle se promet de « protéger son honneur », retrouvant ainsi les termes archaïques que lui ont transmis les femmes de sa famille. Elle qui se croyait révoltée rejoint spontanément, à cette occasion, la tradition familiale.

A lire, à écouter, à penser, une fille perd son ignorance et en même temps son innocence. Toute activité intellectuelle n'est-elle pas une défloration ? Nous reviendrons plus loin sur la délicate ligne de démarcation qui, selon éducateurs et moralistes, sépare les lectures d'une jeune fille de celles d'une femme mariée. Mais le discours sur les romans qui, échauffant l'imagination, font courir à l'âme vierge mille dangers, exprime de façon caricaturale une peur qui concerne plus largement le domaine de l'esprit. Réfléchir est un péché contre la virginité. Louise Weiss rapporte les reproches que lui faisait un homme qu'elle aimait. Milan Stefanik était un Tchèque exilé, rappelé dans son pays pour y occuper un poste au gouvernement. Il l'accusait de n'être pas innocente : « Tu te conduis comme un vieil homme d'État, si bien que l'innocence physique n'a chez toi aucune valeur. Tu réfléchis constamment. C'est une vierge que je veux présenter à mon peuple, une vierge de corps mais surtout d'âme [42]. »

La peur de la défloration est au centre des attaques contre la loi Camille Sée. Françoise Mayeur a bien montré que l'éducation des filles dans les lycées troublait les conservateurs parce que, traditionnellement, l'éducation dans la famille était associée avec la préservation de leur virginité. Séculariser leur instruction pouvait donc apparaître comme une atteinte à leur intégrité virginale. Elle souligne le glissement de sens du mot « étudiante » qui, sous le Second Empire, est synonyme de « grisette », alors qu'en 1880 il désigne la jeune fille qui étudie en faculté [43]. Celle-ci est-elle tout à fait indépendante de celle-là, dans les mentalités ? Les Républicains veulent rassurer. C'est pourquoi ils affirment qu'ils cherchent avant tout à former des filles pudiques et réservées, conscientes de leur devoir, dignes de devenir de bonnes épouses et de bonnes mères.

Et cela d'autant plus que les cléricaux assimilent volontiers la jeune fille à la Vierge Marie. Hugues Le Roux intitule « l'Attrait virginal » un chapitre de *Nos filles. Qu'en ferons-nous ?* Et il cite un article de Sir Philip Hamerton « Français et Anglais », dans lequel cet Anglais parle des jeunes Françaises : « La déesse des jeunes filles françaises est non pas la déesse de la lubricité, mais son opposée, la Sainte Vierge. On a prétendu, avec quelque exagération, que toutes les jeunes filles françaises s'appelaient Marie ; c'est justice de dire que toute jeune fille élevée dans la religion catholique apprend à regarder la Sainte Vierge comme son idéal [44]. »

## L'ÉDUCATION SEXUELLE

Si l'instruction, de manière générale, risque de « dévelouter »
une jeune fille, on imagine ce que, dans l'esprit de certains, peut
provoquer l'éducation sexuelle. Elle donne lieu à de multiples
polémiques. Par exemple celle qui est évoquée dans *l'Ève nouvelle,*
entre Marcel Prévost et Jules Bois[45]. Au cours d'une conférence à la
Bodinière, en février 1895, Jules Bois prône, pour la jeune fille
comme pour le jeune homme, une éducation sexuelle. Marcel
Prévost, qui assistait à la conférence, lui répond dans le *Gil Blas :*
éduquée ainsi, la jeune fille aura « moins de pudeur ». Jules Bois
proteste : ce que n'aura plus cette jeune fille nouvelle, c'est
« l'innocence, c'est-à-dire l'ignorance de la faute ». La pudeur, au
contraire, va de pair avec la connaissance de soi. Fille avertie n'est
pas synonyme de fille perdue. L'éducation produira l' « Ève
nouvelle », consciente, aimante, qui, au lieu d'être violée par son
époux, se donnera à lui, et sera meilleure mère que jamais.

L'ignorance des filles est un thème fort exploité en littérature. Et
souvent sur le mode égrillard. Marcel Prévost met en scène, dans ses
*Lettres de femmes,* deux filles au couvent qui attendent une lettre de
leur amie mariée de fraîche date. Elle leur a promis de leur donner
tous les détails sur ce qui se passe quand on est avec son mari dans
un lit. La lettre arrive et les laisse sur leur faim, elle ne raconte
naturellement rien de précis[46] ! Autre situation de vaudeville, dans
les *Nouvelles Lettres de femmes,* le récit de sa nuit de noces par une
jeune fille qui sort du couvent à une de ses camarades. Son mari
l'embrasse mais se montre incapable d'aller au-delà. Il lui demande
pardon, elle ne comprend pas pourquoi. Au matin, il se fait
conduire chez un médecin. Elle ne voit pas pour quelle raison.
Serait-elle déjà enceinte[47] ?

Plaisanteries grivoises sur les oies blanches. Mais l'imaginaire
peut aussi inverser les choses. Vous les croyez ignorantes et
innocentes, elles sont affreusement perverties. C'est ce qu'Octave
Feuillet fait dire à l'un de ses héros. Il assiste à un bal blanc, les
jeunes filles ont entre quinze et vingt-deux ans. Il entend les propos
de trois d'entre elles : « Ils auraient fait rougir un singe », et
constate que les mères sont aveugles : « Une mère n'hésite pas à
livrer sa fille à toutes les excitations dépravantes de ce qu'on appelle

le mouvement parisien, lequel n'est autre chose, en réalité, que la mise en train des sept péchés capitaux [48]. »

Se faire une idée de ce que savaient ou non les filles est bien difficile, car leur ignorance ou leur savoir fait toujours marcher les imaginations. Chacun se représente les choses à travers ses angoisses, ses frustrations, ses rêves. Là où certains ne voient que misérables vierges ignorantes, brutalement renseignées par un mari peu délicat et rendues à jamais frigides, d'autres suspectent des filles trop averties, délurées, propres à faire douter de la moralité d'une époque. Les textes véhiculent des fantasmes, les statistiques manquent. Restent, ici et là, quelques anecdotes. Mme Rv., par exemple, raconte que sa mère, à la veille de son mariage, en 1890, dit à son fiancé : « Je voudrais avoir des enfants. Mais comment ferons-nous pour reconnaître un garçon d'une fille ? » Stupéfait par cette question, le fiancé va trouver sa future belle-mère : « Votre fille se moque de moi. — Pas du tout, le rassure cette dame. C'est qu'elle n'a jamais *vu* de garçon. » Il est vrai qu'on évitait de démailloter les garçons devant les filles... mais la demoiselle avait vingt ans.

Restent aussi quelques allusions aux troubles provoqués chez les filles par ce qu'elles ne connaissent pas, en particulier les règles. Madeleine Pelletier décrit le désarroi de Marie, son personnage de *la Femme vierge* (à qui elle a donné beaucoup de ses propres traits), lorsque, un matin, elle perd du sang. Elle en parle à une religieuse de son école qui la gratifie d'un : « Petite sale ; on ne dit pas ces choses-là [49]. » Sa mère, questionnée, ne veut rien lui expliquer non plus. Elle se sent abandonnée. C'est son père qui la console. Edmée Renaudin, quant à elle, a tenté de se renseigner sur les bébés auprès de sa mère, qui refuse toute explication, puis auprès de la jeune femme de chambre, mais Juliette craint les représailles : « Si je vous le dis, on me renverra tout de suite [50]. » Lorsque apparaissent les règles de sa sœur aînée — elles ont treize et quatorze ans —, on les met au courant de ce qui les attend : « L'annonce de futurs bébés n'atténua nullement notre colère contre ce sale tour de la nature [51]. » Tout le monde n'a pas le réflexe intelligent de Louise Weiss qui, avec son frère, cherche dans l'*Encyclopédie,* le sens de tous les mots entendus, qu'elle ne connaît pas et qui la troublent [52]. Elle peut ainsi se représenter l'acte charnel et savoir qu'il ne suffit pas d'un baiser pour être enceinte — ce qui est très rassurant.

Dans la seconde moitié du XIXe siècle, bon nombre de gens (médecins, pédagogues, féministes, romanciers) s'inquiètent de l'ignorance de la jeune fille en matière sexuelle et réclament pour elle une éducation. Tout le monde s'accorde sur un point : renseigner la jeune fille le soir de ses noces, un quart d'heure avant qu'elle se retire avec son époux, est inutile et même dangereux. Les « derniers conseils » ne servent qu'à donner bonne conscience à la mère, mais ils gênent la mariée et accroissent son malaise : « Maman vient de me dire des choses solennelles, à ce qu'il paraît, qui correspondent pour elle à un devoir sacré, et je n'ai pas compris un mot, pas un ! [...] Je lui en voulais d'avoir touché à mes frayeurs les plus intimes, de les avoir augmentées sans m'en expliquer aucune, de m'avoir obligée à rougir sans me rassurer[53]. »

Pas de révélation de dernière minute. Va-t-on alors choisir de se taire ou de parler à la jeune fille plus tôt ? Se taire, c'est parier que tout se passera bien « naturellement ». Mme Gd. raconte : elle s'est mariée en 1907, sa belle-mère s'inquiétait. « Vous l'avez mise au courant ? » demande-t-elle à sa mère. Et la mère de répondre : « Non ! Personne n'en est jamais mort ! » Pour la vicomtesse Nacla, les avertissements sont superflus car la jeune mariée a un rôle forcément passif. Elle n'a qu'à se laisser conduire, comme si elle était en bateau ou en train : « Corps et âme vous êtes à la merci du commandant[54]. » !

L'autre méthode consiste à s'y prendre à l'avance pour instruire la fiancée. Encore faut-il, dans ce cas, être sûre que le mariage se fera. Car, si le projet est rompu, on court le risque d'allumer les feux de l'imagination sensuelle sans qu'un mari vienne à temps pour les éteindre... Porte ouverte à toutes les dépravations. Marcel Prévost a développé ce thème dans *Mademoiselle Jaufre*. La femme du pasteur Hoc donne une « leçon de mariage » à sa fille Marthe, quinze jours avant ses noces[55]. Elle instruit en même temps Camille Jaufre, sur le point de se marier elle aussi. Les réactions des jeunes filles sont bien différentes. Marthe est détendue, un peu souriante, Camille au contraire semble bouleversée. Lorsque le mariage projeté pour elle avorte, Camille ne regrette pas le prétendant qu'elle n'aimait pas mais elle supporte mal d'être rejetée dans la chasteté. Elle devient une proie facile pour le premier séducteur venu. Si une jeune fille a une nature sensuelle, il peut être dangereux de lui révéler les réalités de la chair, elle en perdra la tête.

Dans les cas que nous venons de voir, il s'agit de révélation provoquée par le mariage proche et non d'éducation. L'éducation devrait intervenir beaucoup plus tôt et tenter de répondre aux questions que l'adolescente se pose sur son corps, qu'elle ne peut manquer de se poser à l'apparition des règles. Devraient être expliqués le mécanisme des règles et leur lien avec la fécondation. Le II<sup>e</sup> Congrès international des œuvres et institutions féminines, en 1900, est le théâtre d'une vive polémique sur ce sujet. Le mercredi 20 juin, la cinquième section, sous la présidence de Mme le docteur Edwards-Pilliet, entend des rapports sur la « situation actuelle de la femme dans les sciences ». Mme Nutt, de Londres, parle de l' « importance de l'embryogénie dans le développement normal de l'enfant » et conclut à la nécessité d'une étude élémentaire de l'embryologie continuée par celle de l'hygiène de l'enfance. Mme Edwards-Pilliet voudrait que soit créée une école des Mères, où l'on donnerait « un enseignement théorique et pratique aux mères de famille, et plus tard aux jeunes filles ». Mlle Aubéry proteste : « Laissez ceci de côté », tandis que Mme Coignet s'exclame : « Oh ! ne touchez pas aux jeunes filles ! »

Suivent des réactions diverses chez les congressistes. Mme Edwards-Pilliet fait rire : « Vous savez que la jeune fille ne doit pas savoir qu'elle sera mère un jour. Ce serait quelque chose d'épouvantable », ou sourire : « La jeune fille doit être maintenue dans une ignorance qu'on appelle de l'innocence, et qui n'est arrivée d'ailleurs qu'à lui faire méconnaître les choses qu'elle devrait savoir — le reste, nous savons toutes qu'elle le sait. » Mme Coignet est très opposée à un enseignement scientifique de la sexualité pour les filles. Leur mère suffit à leur instruction, d'une part. De l'autre, « on ne fait guère de science sérieuse avec les jeunes filles ». Comment en ferait-on, riposte le docteur Edwards-Pilliet, quand, dans les lycées, elles apprennent la physiologie sur des écorchés neutres ! Pauline Kergomard, qui passait par là, donne son avis : les mères ne savent pas comment s'y prendre pour instruire les filles, la plupart du temps il faut donc que d'autres s'en chargent.

La controverse a été si chaude que le Congrès revient sur la question le samedi 23 juin. Mme Nutt demande que soit annulé son vœu sur l'éducation des jeunes filles. Demande accordée. Éducation sexuelle, oui, mais dans le cadre de la famille : « Toute mère a le devoir d'instruire sa fille de ces questions, dit Mme Pégard en conclusion, mais au jour et à l'heure où elle le juge à propos. Nous ne pouvons pas créer des cours publics pour cet enseignement, donné à des jeunes filles de seize à dix-huit ans ; il est tout à fait inutile de faire travailler leur esprit sur le sujet. »

En 1912, une enquête est lancée auprès des militantes féministes sur le thème : faut-il instruire les jeunes filles des réalités du mariage[56] ? Mme Andrée Nel, de l'Union fraternelle des femmes, fait confiance à la mère « sage et aimante » pour éviter que la révélation de l'amour ne laisse à sa fille du dégoût. Dans ce but, Jeanne Oddo-Deflou, présidente du Groupe français d'études féministes et des droits civils de la femme, lui conseille de se servir des végétaux et des animaux. Non pas, affirme Mlle Arria Ly, fondatrice du Combat féministe, car les premiers fournissent des exemples trop poétiques et les seconds trop réalistes : « Ignoble spectacle [...] La chose vue ! mais c'est l'impudicité toute nue... » Les livres de médecine sont encore la meilleure solution. Il est à noter que Mlle Ly milite farouchement pour la virginité. S'il faut instruire les filles, c'est pour qu'elles sachent avec précision « quelles sont les malpropretés infamantes que les maris se croient en droit d'imposer à leurs femmes durant toute leur vie et que légistes et théologiens nomment effrontément : le devoir conjugal ! » ... Pour Nelly Roussel, enfin, les garçons devraient, au même titre que les filles, recevoir des explications scientifiques sur la reproduction, car « leurs sœurs ne voient que l'irréel, eux ne connaissent que la bestialité ». Une telle éducation les empêcherait peut-être de mépriser les femmes.

Les réponses des féministes montrent combien il est difficile de parler d'éducation sexuelle sans porter en même temps des jugements de valeur sur la virginité, sans prôner une morale du couple. Revendiquer une éducation sexuelle pour les filles fait certes partie du combat des féministes qui espèrent réduire ainsi l'inégalité des sexes devant le mariage et permettre aux épouses de le vivre autrement qu'en victimes. Mais cela fait aussi partie du mouvement de moralisation du mariage et de la famille, qui veut régénérer la société en fondant le couple sur la connaissance, l'hygiène et l'amour. Il faut que les filles soient renseignées théoriquement sur ce qui les attend, mais dans un but précis : qu'elles soient de meilleures épouses et de meilleures mères. Il n'est pas question qu'elles aient des expériences sexuelles avant le mariage. L'éducation sexuelle espère seulement mettre fin à l'angoisse de vierges ignorantes et à leur viol par des hommes qui ont déjà trop vécu. Elle ne met pas fin à la promotion de la virginité, au contraire. Et dans la foulée, on va réclamer que le jeune homme, aussi bien que la jeune fille, arrive vierge au mariage.

# 3

# Mariage

Mme Octave Feuillet évoque, dans ses souvenirs, l'époque de ses fiançailles. Elle a dix-neuf ans quand son cousin la demande en mariage. Il a déjà une réputation, elle se trouve, en comparaison de lui, « provinciale et peu instruite [1] ». Le jour de l'arrivée d'Octave, au moment où elle doit l'accueillir, elle s'enroule dans les rideaux. Son cousin est surpris, la mère explique : « C'est de la pudeur. » Pendant leurs fiançailles, ils se promènent, chaperonnés par le père de la jeune fille ou sa femme de chambre. Octave raconte à Valérie sa vie et ses douleurs. Il est orphelin de mère et, alors qu'il ne songe qu'aux lettres, son père veut qu'il soit diplomate. La jeune fille compatit : « J'écoutais tout cela avec intérêt et pitié, souffrant des souffrances passées de celui que j'aimais. » Sur le plan pratique, la grande préoccupation est de confectionner le trousseau : « Nous passions une partie des journées dans une chambre où étaient étalés des rouleaux de toile, des rouleaux de batiste, des broderies et des dentelles. Je coupais, je taillais, je donnais des ordres aux ouvrières. Mon cousin prenait un aimable intérêt à ces travaux... »

Mme Feuillet appartenait à la petite noblesse bretonne, où les talents de couturière étaient à l'honneur et où la fille de la maison ne craignait pas de mettre la main à la pâte. C'est cette tradition-là que regrettent tant certains auteurs comme Zénaïde Fleuriot. Après est venu le temps des petites-bourgeoises qui, voulant marquer la distance avec les filles du peuple, ne se consacraient qu'aux arts d'agrément et regardaient de haut les réalités domestiques. Contre cette tendance se construit le personnage de la jeune fille déjà maîtresse de maison et consciente de ses devoirs ménagers. Il ne faut pas craindre, écrit Adrienne Cambry, de montrer à son futur époux ses talents pratiques. Et d'abord ses talents de couturière. Mais pas question de passer son temps à confectionner des objets inutiles, coussins, écrans, chemins de table, etc. Un jeune homme aime voir sa fiancée occupée à des ouvrages utiles, ses chapeaux par exemple.

### TROUSSEAU

Il est fourni par la jeune fille et comprend le linge de maison et son linge à elle. Le jeune homme n'apporte que son linge personnel. Mme de Graffigny, en 1910, dans son encyclopédie *Tout ce qu'il faut pour se mettre en ménage,* propose un trousseau type [2]. Pour la maison : douze draps en toile blanche de 3,50 mètres sur 2,40 ; trois douzaines de torchons en toile ; deux douzaines d'essuie-mains ; dix-huit taies d'oreiller et six taies garnies ; trois douzaines de serviettes de table ; trois nappes ordinaires pour six couverts ; un service damassé pour douze couverts ; deux douzaines de serviettes-éponges pour la toilette (le linge de maison est marqué aux deux initiales des noms de famille, du mari d'abord, de la femme ensuite). Pour la jeune fille : deux douzaines de mouchoirs de toile ; douze douzaines de bas ; douze chemises de jour en toile ou en coton ; six chemises de jour garnies de broderies ; six chemises de jour en percale ; six chemises de nuit en madapolam ; six camisoles en madapolam ; trois matinées en batiste de coton ; douze pantalons en madapolam ; six pantalons en percale ; six pantalons en finette, six cache-corset ; trois jupons de dessous ; deux jupons de costume en nansouk [3] ; deux douzaines de serviettes hygiéniques ; six tabliers de cuisine de couleur ; six tabliers blancs en madapolam [4] ; six tabliers de fantaisie. L'auteur indique, pour chaque pièce, le métrage de tissu nécessaire (au chapitre suivant, elle donne les directives pour tailler et coudre) et le prix de revient. Au total : 668 francs.

C'est là un trousseau très modeste, si l'on compare avec le montant de ceux qui apparaissent dans l'étude de Marguerite Perrot sur les budgets des familles bourgeoises. Elle parle de deux trousseaux, celui d'une jeune fille qui se marie en 1880 et celui de sa fille qui se marie en 1903. Presque tous les éléments figurent en plus grande quantité dans ces trousseaux-là. De plus, ils ont été achetés à la Grande Maison de Blanc, ils reviennent donc forcément plus cher que le trousseau fait à la maison. En 1880, on compte, parmi le linge personnel, six douzaines de tabliers, trois douzaines et demie de chemises, trente chemises de nuit, cinq douzaines de mouchoirs et quelques mouchoirs brodés dont certains coûtent 48 francs pièce... Le linge de maison est considérable, surtout en 1903 : quarante-huit paires de draps, soixante taies d'oreiller, seize nappes, six douzaines de serviettes de table, huit services de table complets — nappes et serviettes assorties. Le coût de ces trousseaux est de 5 000 à 10 000 francs[5]. Mme d'Alq précisait, en 1881, que la valeur du trousseau devait être 5 p. 100 de celle de la dot. Elle expliquait ce qui différenciait un trousseau riche (25 000 francs) d'un modeste (2 000 francs). Dans le premier, tout est compté par douze douzaines, dans le second par trois douzaines. Mais la grande différence vient des dentelles et des robes. Le trousseau riche comporte des déshabillés en mousseline, des robes d'intérieur, des costumes du matin, des « toilettes de lingerie », le modeste comprend seulement deux sauts-de-lit en piqué blanc, une robe de chambre en cachemire bleu ou gris, une toilette de soierie noire et une ou deux autres en fantaisie[6].

La comtesse de Pange, qui s'est mariée en 1910, précise de quoi se composait son trousseau. De lingerie d'abord : des chemises de jour et de nuit, des jupons, des culottes, des cache-corset par douzaines, en pur fil, garnis de dentelles et de petits rubans bleus ou roses. Par douzaines aussi les bas de fil ou de soie, noirs, et les gants, longs et en peau de Suède, blancs pour le soir, courts pour les visites dans la journée, de couleur gris-perle ou beige. De vêtements ensuite : trois robes de Worth, plusieurs robes de dîner et d'intérieur, trois tailleurs de marche, un manteau de loutre, un renard argenté, une étole de zibeline. Enfin, quatre grands chapeaux garnis de plumes ou de fleurs. Elle donne un détail intéressant : les pièces de velours et de satin, qui faisaient partie du trousseau et servaient autrefois à tailler des robes, ont recouvert des coussins et des fauteuils, car la mode était, en 1910, aux étoffes plus souples pour les robes[7].

Posséder une grande quantité de linge répondait à un besoin absolu dans une civilisation rurale où on lavait le linge seulement deux ou trois fois par an, par grandes cuvées[8]. La nécessité en était moins grande en ville, quand se sont installés les lavoirs et les systèmes de nettoyage régulier par les blanchisseuses. Elles venaient chercher le linge sale et le rapportaient propre la semaine suivante, on ne gardait donc pas des monceaux de linge sale en attente. Mais s'il ne répond plus à une nécessité pratique, le trousseau a une valeur symbolique. Avoir du linge est signe de richesse. Le trousseau représente un capital pour la jeune fille. Sous le Second Empire encore, on l'exposait, comme la corbeille et les cadeaux offerts à la fiancée, jusqu'à la veille du mariage[9]. Plus tard, cet usage semble tombé en désuétude : « Cette exhibition froissait les sentiments des délicats ; les objets de lingerie intime d'une femme ne doivent pas ainsi s'étaler aux yeux et à la vue de tous [10]. »

Mais même si on ne l'expose plus, le trousseau reste la fierté d'une jeune fille [11]. On le mesure au succès de l'Œuvre du trousseau, qui avait pour but de permettre à l'adolescente de milieu populaire, à qui sa famille ne pouvait offrir un trousseau, de se le constituer elle-même. Elle épargnait petit à petit pour acheter le tissu, puis taillait et cousait les différentes pièces. L'Œuvre attirait beaucoup de filles dans les écoles et les patronages.

L'Œuvre du trousseau à l'école de jeunes filles, place Reine-Mathilde à Caen, était présidée par Mme Félix Lion. Elle s'était inspirée de l'exemple de Mme Béquin, directrice d'une école municipale du XXe arrondissement de Paris et de Mlle Bergevin, sa continuatrice. Ouverte le 17 février 1909, elle a pour but « de faire naître et d'entretenir l'amour du foyer domestique en aidant ses membres participants à la confection d'un trousseau ». Pour être membre participant, il faut être âgé de huit ans au moins, savoir coudre, et verser chaque mois 0,50 franc. Cette cotisation est due jusqu'à l'âge de vingt et un ans. Elle fournit une partie des fonds nécessaires à la confection du trousseau. Le reste vient des cotisations et des dons des membres auxiliaires d'une part, du produit des fêtes d'autre part. Les statuts donnent la liste des pièces à confectionner. Linge de maison : six draps, six taies d'oreiller, douze torchons, douze essuie-mains, douze serviettes de toilette, un service de table ; linge personnel : douze chemises, trois jupons, trois camisoles, trois pantalons, trois tabliers, douze mouchoirs. L'étoffe nécessaire à la fabrication de l'ensemble revient, au prix de gros, à 100 francs. Cette somme est obtenue par treize années de cotisation de l'adhérente (91 francs) et 9 francs de subvention de l'Œuvre.

Le *Journal de Caen et Progrès du Calvados réunis,* quotidien de la démocratie républicaine de la Basse-Normandie, rend compte, le 30 mars 1911, de l'activité de l'Œuvre du trousseau, à la suite de sa réunion annuelle. Sur un effectif de 140 enfants à l'école (dont 50 toutes petites), 70 filles sont membres participants de l'Œuvre, soit 15 de plus que l'année précédente. En mai 1910, une ancienne élève de l'école s'est mariée. Huit jours avant le mariage ont été exposés à l'école le trousseau que la future épouse avait payé et cousu et les objets offerts par de généreuses dames auxiliaires. Les jeunes amies ont fait cadeau du voile et de la couronne. L'Œuvre du trousseau s'est étendue à différentes écoles de Caen, de Vire, d'Évrecy. Une nouveauté dans les statuts : l'écolière devenue ouvrière pourra augmenter son trousseau à volonté, selon ses ressources et son activité. De plus, on a ajouté à la liste des pièces à confectionner trois tabliers en toile bleue réservés au ménage — à côté des trois tabliers en vichy pour l'après-midi.

Les réactions d'une jeune fille en face du trousseau varient selon son origine sociale. De milieu modeste, elle est sans doute fière d'arriver au mariage avec « du linge ». Au contraire Mme B., issue de la bonne bourgeoisie parisienne, me raconte qu'elle a eu, en 1920, un trousseau important contre ses désirs (elle possède encore des draps de sa mère et surtout des draps brodés de sa grand-mère). Les éléments du trousseau qui allaient par douzaines lui rappelaient de mauvais souvenirs. Quand elle était petite, sa mère lui achetait tout par douzaines, et le temps d'user douze chemises ou douze culottes semblait à la fillette une éternité...

## LA CORBEILLE

On appelle « corbeille » les cadeaux qu'envoie le fiancé à sa future femme. Ils étaient autrefois contenus dans une corbeille de vannerie doublée de satin blanc, avec rubans et fleurs. On les a envoyés ensuite dans un petit meuble du genre bonheur-du-jour. Vers 1900, on se contente des écrins et cartons livrés par les fournisseurs, mais il est à la mode d'offrir les bijoux dans un coffret de mariage du XVIᵉ siècle. Mode ruineuse parce que ces coffrets anciens sont des objets rares.

La corbeille, comme le trousseau, représente 5 p. 100 du montant de la dot, en principe — ou encore une année de revenu[12]. Elle contient des dentelles blanches et noires, qui se transmettent de génération en génération, que l'on soigne, que l'on fait réparer et nettoyer. Des bijoux, joyaux de famille ou bijoux modernes. Dans ce dernier cas, la baronne d'Orval recommande d'éviter les objets trop en vogue en 1900, comme les insectes, qui risquent de dater. On offre traditionnellement une montre, un « objet de cou » qui peut faire broche, des « parures » — tours de cou et boucles d'oreilles. Mallarmé, sous le pseudonyme de Marguerite de Ponty, dans le premier numéro de *la Dernière Mode, gazette du monde et de la famille* (journal qu'il avait créé et rédigeait presque entièrement,

mais qui n'eut que huit numéros, de septembre à décembre 1874)
s'en donne à cœur joie en décrivant les bijoux d'une corbeille de
mariage :

« Nous commencerions par y mettre une paire de pendants
d'oreilles tout en or, d'un travail absolument artistique, longs [car la
mode le veut ainsi], à quoi nous assortirions une jolie croix avec
chaîne, une deuxième parure en lapis, pierre très appréciée aujour-
d'hui, et une troisième plus habillée ; des cabochons grenat en forme
de poire ou de pomme dont la queue est garnie de diamants.
Boutons de manchette assortis à chacune de ces garnitures.

« Nous choisirions ensuite, pour dîners ou soirées, des boutons
d'oreilles et un médaillon dont le milieu serait occupé par une très
grosse perle noire entourée de trois rangées de brillants ; c'est un
objet tout nouveau, en ce moment, chez les grands bijoutiers
(Froment-Meurice, Rouvenat ou Fontenay...).

« Une fort belle parure prendrait place à côté de la précédente :
composée de saphirs taillés en tablettes et entourés de brillants.
Cette pierre, recherchée plus que jamais à l'heure qu'il est, efface
un peu de son éclat moins vif les superbes émeraudes. Collier pareil.
Je préférerais ces joyaux variés aux éternels solitaires et brillants,
que nous avons connus si longtemps.

« Qui veut connaître des bracelets ? J'en ai vu hier un splendide
en or et rubis ; puis plusieurs bagues en brillants ou émeraudes, ou
bien avec camées (ces derniers revenant à la mode). Je vous laisse
choisir l'agrafe pour le châle. »

A côté des dentelles et des bijoux se placent dans la corbeille des
bibelots précieux : petits flacons, éventails, bonbonnières, etc. Plus
ces objets sont anciens et authentiques, plus ils ont de valeur.

Viennent ensuite les tissus. Et d'abord le châle. Il était très à la
mode sous le Second Empire, puis est tombé en désuétude. Mais on
a continué pendant un certain temps à le mettre dans la corbeille,
parce que c'était un objet de luxe. En cachemire des Indes, il valait
une fortune, 500 ou 600 francs. Mallarmé, en 1874, le cite encore
comme obligatoire, mais « d'un prix quelconque, ce vêtement
nécessaire ne se portant que très rarement [car la mode ne l'admet
plus comme habillé] ». En 1881, Mme d'Alq conseille de renoncer à
ce châle-quand-même. Mieux vaut choisir une fourrure, qu'une
femme portera avec plaisir. Ou plutôt des peaux, elle en fera un
manteau à la mode quand elle le désirera. Sont recommandés : le
renard argenté, la loutre, le chinchilla, la zibeline. On offre aussi des

pièces de satin, de soie, de velours, que la couturière transformera en robes.

Dernier objet de la corbeille, destiné à être utilisé le jour du mariage : un missel. La baronne d'Orval le voit très précieux : « En maroquin écrasé violet, incrusté de la gerbe liturgique en opale, le fermoir du livre formant le chiffre en poussière de diamant, paginé de parchemin manuscrit avec enluminures et miniatures. » Le fiancé doit y inscrire lui-même, sur la première page, une maxime sur l'amour, « empruntée à Fénelon, Bossuet, Massillon » !

A tous ces cadeaux s'ajoute une bourse pleine de pièces d'or neuves, sortant de la Monnaie, qu'on offre avec la mention : « Pour vos pauvres. » Or vierge, symbole de l'amour pur qui lie les époux ? Équivalent de la virginité de la jeune fille ? Il ne faut pas confondre ces pièces d'or avec la « pièce de mariage », que le fiancé offre à part, le matin de la cérémonie religieuse. Elle est en or, vermeil ou argent, selon la fortune des époux [13]. En 1913, elle n'est plus un jeton de métal plus ou moins précieux, mais une petite médaille gravée d'un côté de l'emblème du mariage, de l'autre des initiales des fiancés et de la date du mariage [14].

La corbeille est envoyée le jour de la signature du contrat, elle est exposée jusqu'à la veille du mariage dans le petit salon (alors que le trousseau était exposé dans la chambre de la jeune fille), en même temps que les cadeaux de noces des parents, amis et relations. Cette exposition flatte l'amour-propre de la fiancée et aussi celui des donateurs, dont la carte de visite reste épinglée au cadeau qu'ils ont fait. Offrir un chèque est à la mode en 1900, ou encore un « bon pour un piano », « bon pour un coupé », etc. [15] La fiancée va choisir et la facture est envoyée au donateur. Dans un très grand mariage, l'exposition prend des proportions grandioses. Fin 1904, le journal *la Femme d'aujourd'hui* rend compte de l'événement mondain qu'a été le mariage de la fille unique du comte et de la comtesse Greffulhe (née Caraman-Chimay, un des modèles de Proust pour Oriane de Guermantes) avec le duc de Guiche. Après la cérémonie, les invités sont allés chez la comtesse Greffulhe douairière, où étaient exposés les mille deux cent cinquante cadeaux. Vraie couronne autour de la corbeille.

On publiait, dans les journaux mondains, la liste des cadeaux accompagnés des noms des donateurs. *La Grande Dame,* en 1894, signale que cette habitude est démodée [16]. Pourtant Paul Morand, dans *l'Homme pressé,* met en scène « la tribu de Boisrosé », des créoles — la mère et ses trois filles — fanatiques de la chronique des

cadeaux du *Figaro* : « Une heure plus tard, on entendait encore :
" Marquis et marquise de Z. un éventail, baronne W. un nécessaire
en or, vicomte B. une aquarelle de chasse [17]. " »

## Le contrat

Les fiancés se rendent chez le notaire avec leurs parents proches
ou bien le notaire vient dans la maison de la fiancée. Dans les deux
cas, le cérémonial est le même. Le notaire procède à la lecture de
l'acte. Les fiancés doivent avoir l'air d'y prêter peu d'attention :
« Tout votre rôle, le soir où l'on signe votre contrat, consiste à être
aimables pour vos invités et très occupés l'un de l'autre, pendant
que le notaire confiera à sa cravate blanche ses savantes élucubra-
tions [18]. » Le souci des affaires d'argent leur siérait mal, surtout à la
jeune fille qu'on veut idéaliste tant qu'elle est fiancée. Promue au
rang d'épouse, elle se voit au contraire chargée de tous les comptes.
Étrange destin que celui où l'on a à assumer, d'un jour à l'autre, des
rôles si contradictoires. La lecture du contrat terminée, le fiancé se
lève et signe, puis tend la plume à sa future femme. Signent ensuite
leurs mères, leurs pères, les parents et les amis, s'il s'en trouve là. Si,
dans ses relations, on a une personnalité importante que l'on tient à
honorer, on lui demande de venir signer le contrat.

Il y a quatre conventions matrimoniales possibles [19] :

1. La communauté légale : la plus grande partie des biens des
époux se combine pour former le patrimoine de la famille, que le
mari administre seul ;

2. La séparation de biens : chaque époux administre lui-même sa
fortune ; le patrimoine familial n'est formé que d'une partie des
revenus des biens propres des époux ;

3. Le régime sans communauté : il n'y a pas de patrimoine de la
famille. La femme remet au mari l'administration et la jouissance de
sa fortune personnelle. Le mari est chargé d'entretenir la famille
avec les revenus de ses biens et de ceux de sa femme ;

4. Le régime dotal : les biens de la femme sont divisés en deux
parts ; l'une est constituée en dot, remise au mari, qui en a
l'administration et la jouissance ; l'autre partie lui reste, elle
l'administre et en jouit, ce sont les biens paraphernaux. Comme

dans le régime sans communauté, le mari est chargé d'entretenir le ménage avec les revenus de ses biens et de ceux de sa femme.

La « communauté conventionnelle » est un régime dont la base est la communauté légale. Mais elle a été modifiée par des clauses empruntées aux autres régimes, la réduction aux acquêts et la séparation de dettes. En effet, dans la communauté légale, alors que les biens des deux conjoints tombent dans la communauté sans distinction, il n'en est pas de même pour leurs dettes. Celles du mari tombent toujours dans la communauté, qu'elles aient été contractées avant ou pendant le mariage. En revanche, celles que la femme a contractées avant le mariage ne tombent dans la communauté que si elles ont été constatées par un acte authentique antérieur au mariage. Seuls les gens sans fortune se marient sous le régime de la communauté légale, c'est-à-dire sans établir de contrat. Les bourgeois passent tous contrat devant notaire, pour établir au moins un régime de communauté conventionnelle[20].

## MARIAGE CIVIL

Les lettres d'invitation doivent être envoyées huit ou quinze jours avant le mariage (à ne pas confondre avec les lettres de faire-part, qui seront envoyées en très grand nombre, même aux gens que l'on voit fort peu, huit jours après le mariage). Les personnes qui sont invitées aux repas sont tenues de répondre par une lettre ou une visite. Celles qui font partie du cortège sont prévenues plus longtemps à l'avance, pour que les femmes aient le temps de s'occuper de leur toilette.

Le mariage à la mairie a lieu, en général, un jour ou deux avant la cérémonie religieuse. Le fiancé envoie une voiture à ses deux témoins et une autre à ceux de sa fiancée, puis il se rend avec ses parents chez la jeune fille, pour l'emmener à la mairie[21]. Le maire, ou son adjoint, lit les actes et le chapitre VI du Code civil, relatif aux devoirs et droits des époux. Il demande à chacun s'il consent de prendre l'autre pour époux. La jeune mariée signe la première l'acte sur le registre, tend la plume au marié qui lui dit : « Merci, madame[22]. » Le mariage civil est gratuit mais on donne traditionnellement au maire une offrande pour les pauvres de l'arrondissement. On va dîner et passer la soirée chez les parents de la mariée.

Une mode nouvelle, en 1900, consiste à faire du mariage civil une cérémonie très élégante avec, parfois même, des fleurs, des plantes vertes, un orchestre et des chanteurs en vogue[23]. Cette mode a été introduite par les mariages purement civils, en particulier les remariages à la suite de divorces, ou encore par les mariages mixtes entre catholique et israélite, pour lesquels il est impossible, à cause de la différence de religion, d'organiser à l'église une cérémonie fastueuse.

### MARIAGE RELIGIEUX

Il y a diverses classes de service religieux, de 10 à 2 000 francs pour les mariages à l'église catholique, à la synagogue aussi, de 15 à 2 000 francs, avec un mariage « hors classe » à 4 000 francs. Au temple, au contraire, la cérémonie est gratuite pour tous[24]. Ce sont les mariages catholiques que décrivent le plus souvent manuels de savoir-vivre et romans. Selon la classe du service commandé, on a un velum à la porte de l'église, des fleurs et des lumières plus ou moins luxueuses, de la musique plus ou moins grandiose. On peut, en y mettant le prix, faire venir des artistes et des instrumentistes de l'Opéra et du Conservatoire[25]. Les très grands mariages mondains étaient d'ailleurs des spectacles si recherchés qu'aux lettres d'invitation on joignait des cartes d'entrée à l'église, par crainte d'une assistance trop nombreuse. Tous les frais occasionnés par le mariage à l'église sont à la charge du marié, alors que le déjeuner, le dîner ou le lunch et le bal sont payés par la famille de la mariée. Telle est la théorie. En pratique, il semble que le coût global de la cérémonie était parfois réparti entre les deux familles[26].

Les bans ont été publiés par le prêtre trois dimanches consécutifs. Pour obtenir que soient supprimées une ou deux de ces publications, il faut une dispense. Tout comme pour se marier pendant l'avent, le carême et autres fêtes spéciales (en règle générale, on ne se marie pas le vendredi). Ces dispenses s'obtiennent contre des sommes d'argent destinées aux pauvres de la paroisse.

Suivons maintenant le déroulement de la cérémonie. Toutes les personnes faisant partie du cortège sont convoquées au domicile des parents de la jeune fille. On part de là pour l'église dans l'ordre suivant : dans la première voiture la mariée et ses parents, dans la seconde le marié et ses parents, la troisième contient les demoiselles d'honneur, la quatrième les témoins, puis viennent les membres des deux familles, les garçons d'honneur, le reste des invités. Pour entrer à l'église, la mariée prend le bras gauche de son père, ou de la personne qui la conduit à l'autel, sauf si le marié appartient à l'armée. Dans ce cas, la mariée et toutes les femmes du cortège prennent le bras droit de leur cavalier. Les invités venus pour la jeune fille se mettent à gauche, ceux de l'époux à droite.

Vers 1900, on multiplie les demoiselles d'honneur. En avoir une douzaine n'est pas rare, « escadron volant du plus gracieux aspect[27] ». Elles sont choisies parmi les sœurs et les amies de la mariée. Mais comme, après trente ans, on ne peut plus être demoiselle d'honneur, si une demoiselle se marie à plus de trente ans, elle ne trouvera plus d'amie de son âge pour tenir sa traîne (rappelons que jusqu'à quarante ans, il est admis de se marier en blanc), elle prendra donc des enfants, ses neveux et nièces. Il est d'usage de consulter la demoiselle avant de lui présenter son garçon d'honneur. Leur rôle est différent. La demoiselle d'honneur accompagne la mariée et veille sur elle. La mariée, toute à son émotion, doit être déchargée de tout[28]. A l'église, la seule tâche de la demoiselle d'honneur est de faire la quête. Le garçon d'honneur, en revanche, est un vrai maître des cérémonies : il indique aux invités leur place dans le cortège, à l'église et à table. Pour cela, il lui faut connaître les parents et amis des deux familles. C'est lui aussi qui s'occupe des cochers et des gens de service. C'est lui, enfin, qui, après une petite allocution, porte un toast aux jeunes mariés.

La mariée s'avance, au bras de son père. Elle est en blanc des pieds à la tête, des souliers au corset, en passant par les jupons. Elle est la seule à porter des gants de chevreau blanc, tous les autres ont dû choisir des gants beurre frais — très clairs sans être blancs. Son voile est long, en tulle, ou court, en dentelle. Il est retenu par la « couronne de fleurs d'oranger », qui n'est plus qu'un nom. C'est en réalité un petit diadème de fleurs. Ou bien la chute de la chevelure est ornée par des brins de myrte mêlés à de l'oranger. Elle a peu de bijoux, des perles aux oreilles et au cou et sa bague de fiançailles. Le matin de ce grand jour, son fiancé lui a envoyé un bouquet blanc, qu'elle tient à la main.

On se rend d'abord à la sacristie, où l'on rédige l'acte de mariage, puis à l'autel. Il est de bon ton que la jeune mariée, avant de prononcer le « oui » sacramentel, tourne la tête vers sa mère, comme pour lui demander son assentiment. Lorsque le prêtre bénit l'alliance, les mariés se dégantent. L'alliance ou les alliances ? En 1913, Adrienne Cambry précise que l'alliance pour les hommes n'est nullement obligatoire, c'est une mode venue de l'étranger pour le plus grand bonheur des joailliers. En 1891, le *Nouveau Guide pour se marier* parle de l'alliance au singulier tandis que la baronne d'Orval, dix ans plus tard, met le mot au pluriel. La mode a été aux anneaux plats et larges, comme l'indique Mme d'Alq en 1881. A la fin du siècle, ils sont étroits et ronds. Les noms des mariés et la date du mariage religieux sont gravés à l'intérieur.

A l'offertoire, le bedeau remet à chaque époux un cierge allumé pour se rendre à l'autel baiser la patène. A leur cierge est piquée la pièce d'or qui représente l'offrande. Pendant la bénédiction nuptiale, les garçons d'honneur tiennent « le poêle » (un voile) au-dessus de la tête des mariés agenouillés sur leur prie-Dieu. La quête est faite par les demoiselles et les garçons d'honneur, chaque couple précédé d'un suisse. La demoiselle remet au jeune homme son bouquet (le bouquet teinté rose qu'il lui a envoyé le matin, entouré d'un mouchoir de dentelle noué par un ruban), il le tient dans la main gauche, en même temps que son chapeau haut de forme. De l'autre main, il prend celle de sa compagne ou ferme le poing et l'élève, pour que la jeune fille pose ses doigts sur le poing fermé. La quêteuse présente sa bourse de la main droite et, à chaque offrande, remercie en inclinant la tête ou en souriant.

Après la messe, les nouveaux époux vont à la sacristie, où défile toute l'assistance, pour les embrasser, leur serrer la main, les féliciter. C'est en général la bousculade mais cette tradition connaît toujours beaucoup de succès. Le cortège sort de l'église, mais cette fois-ci, la mariée est au bras de son époux, sa mère au bras de son beau-père, son père à celui de sa belle-mère. Le nouveau couple monte dans un coupé décoré de fleurs et de nœuds de ruban blanc. On se dirige vers la maison de la mariée pour un lunch (les invités restent debout), ou un dîner, et un bal. La mariée quitte parfois son voile, mais il est préférable qu'elle reste « enveloppée de ce nuage qui la nimbe de poésie et de blanches clartés[29] ».

On peut se demander pourquoi la cérémonie du mariage catholique a connu tant de succès, même auprès des athées, et a tellement joué comme modèle romanesque — et, par là, comme élément important de l'imaginaire féminin. Répondre que la France était fille aînée de l'Église est insuffisant. Jules et Gustave Simon me semblent avoir bien montré, dans *la Femme au XXe siècle,* pourquoi rien ne remplace le sublime d'un mariage à l'église. Ils s'indignent qu'on en ait privé les femmes entre 1879 et 1885, période où, par anticléricalisme, se sont multipliés les mariages civils : « Nous ne comprenons pas, nous autres hommes, ce qu'est pour une femme son église. Y entrer en voiles blancs, au bras de son bien-aimé, aux sons de l'orgue, dans un nuage d'encens, au milieu de tous ses amis émus et souriants, c'était le rêve de son enfance, et ce sera le souvenir de toute sa vie. Elle n'oublie rien, ni les fleurs, ni les cierges, ni les doux chants des enfants de chœur, ni la voix mourante du vieux prêtre, ni l'anneau passé à son doigt tremblant, ni l'étole posée sur sa tête, ni la bénédiction sacrée, ni derrière la porte de la sacristie, le chaud embrassement de sa mère. Le grand bonheur des petites filles qui viennent de quitter la poupée, c'est de travailler au trousseau de leur sœur aînée, en attendant leur tour. On ne peut pas retrancher cela de la vie d'une femme [30]. »

## VOYAGE DE NOCES

Écoutons Camille Marbo parler du sien. Elle s'est mariée à dix-huit ans, le 12 octobre 1901, à Saint-Germain. Cérémonie à la mairie puis au temple réformé. Fille d'un normalien mathématicien, elle épouse un autre normalien mathématicien, Émile Borel. Les jeunes mariés quittent le lunch, partent pour Paris en « voiture de poste », suivant la tradition en usage dans les bonnes familles de Saint-Germain. Et puis c'est l'Italie :

« En 1901, la coutume des voyages de noces était barbare. Le mien fut un mélange d'étonnements physiques, de fatigue, et d'ahurissement causé par des excursions, des visites de monuments et de musées.

« Émile Borel, doué d'une santé de fer, ne voulait rien perdre des possibilités artistiques et pittoresques d'un voyage en Italie. Du matin au soir, nous grimpions dans des tours de cathédrale, défilions devant des tableaux, des fresques ou des statues [31]... »

Ils voyagent pendant six semaines. Comme, en plus, elle est tout de suite enceinte, elle se trouve au bout du voyage si mal en point que son mari est obligé de la rapatrier par bateau. A son retour l'attendent de multiples obligations. Les « visites de noces » d'abord. Visites que l'on doit faire aux parents et amis au retour du voyage de noces et qui marquent la « mise en route de la barque

conjugale [32] ». Et surtout l'apprentissage de son nouveau rôle de
maîtresse de maison : donner des ordres à la bonne, faire les
courses, organiser des dîners pour bien accueillir les amis de son
mari qui désirent la connaître. Elle essaie d'être à la hauteur de
tâches auxquelles elle n'a pas été préparée : « Justine m'avait
toujours interdit l'entrée de la cuisine. Je n'avais jamais disposé que
de l'argent de ma tirelire et, à Paris, n'avais pas mis une fois les
pieds dehors sans être accompagnée. » Accablée par ses soucis
domestiques ajoutés aux malaises dus à sa grossesse, elle fait une
fausse couche qui la tient alitée longtemps. Après, elle ne peut plus
avoir d'enfant.

Ce témoignage montre pourquoi le principe du voyage de noces
était si controversé, du point de vue médical en particulier. Jules et
Gustave Simon mettent en scène deux personnages aux arguments
opposés sur la question, la mère et le médecin. La mère juge le
voyage de noces nécessaire pour sauvegarder la pudeur de la jeune
fille, c'est affaire de convenances et mairie-église-voyage forment
une trilogie indissociable. Le médecin affirme au contraire que le
voyage juste après le mariage est une habitude stupide parce qu'il
est fatigant et que la jeune fille a déjà mené une vie fatigante
pendant les six à huit semaines précédentes. Mieux vaudrait pour
elle aller à la campagne vingt ou trente jours avec son mari, elle y
mènerait une vie saine et reposante, « bien simple et bien bourgeoise [33] ». La baronne Staffe est de l'avis du médecin : un peu de
retraite et de solitude à deux est bien plus nécessaire au lendemain
du mariage qu'un voyage [34]. Le voyage, selon la vicomtesse Nacla,
sera bien plus profitable quelques mois plus tard. Moins fatiguée,
« cette fleur fragile » supportera mieux « le tumulte des gares et des
paquebots [35] ». Elle verra plus de choses et gardera davantage de
souvenirs.

Tout conspire à la fin du siècle contre le voyage de noces. Il est
difficile de savoir si la pratique et le discours s'accordaient, mais il
est sûr, d'après le discours, que la mode n'est plus au voyage de
noces, considéré dans un certain monde comme vulgaire. A la fin du
Second Empire, la comtesse de Bassanville notait déjà que le départ
des mariés tout de suite après la cérémonie était moins à la mode.
Le mensuel *la Grande Dame* de juin 1894 est catégorique : « On ne
se met plus en route immédiatement après la cérémonie ; c'est
devenu bourgeois. A présent, le marié emmène sa femme dans ses
terres ou dans le nid qu'il lui a préparé en étudiant ses goûts, quand
ce ne sont pas les parents qui abandonnent, pendant quelques jours,

leur propre habitation, pour laisser les jeunes époux à eux-mêmes. » Six semaines ou deux mois plus tard, les nouveaux époux font un voyage. Le dernier chic est de renoncer même à ce voyage ultérieur et de s'installer incognito dans un grand hôtel parisien, écrit Marcel Prévost en 1902 [36]. En tout cas, le traditionnel voyage en Italie est devenu un tel lieu commun qu'on cherche d'autres horizons, la Suède et la Norvège par exemple, qui, « dans leur poésie sauvage, tentent les gens épris d'idéal [37] ».

La quête de l'idéalisme nordique va de pair avec l'engouement qui se manifeste alors pour le théâtre d'Ibsen et ses héroïnes torturées, avec la mode de l' « âme slave », des « mariages pour l'idée [38] », etc. Le voyage en Italie ou sur le bord de la Méditerranée suggérait la quête et la rencontre de la plus vive sensualité. Qu'on songe à la brutale découverte que fait Jeanne, l'héroïne d'*Une vie*, au cours d'une promenade dans le maquis corse pendant son voyage de noces [39]. La chaleur et la beauté violente du paysage bouleversent le corps et l'âme et permettent l'irruption de la jouissance. N'y a-t-il pas d'ailleurs une contradiction entre les bouffées de sensualité du voyage de noces et la sexualité conjugale ultérieure ? Comme le souligne la « jeune fille bien élevée » de René Boylesve en voyage de noces à Venise : « C'est une grande erreur, c'est une inconsciente ou stupide cruauté que de conduire en de pareils endroits les femmes comme nous, qui ne sont pas destinées à la vie voluptueuse, paresseuse ou facile. [...] Ah ! mon Dieu ! Quelles contusions et quelles fatigues j'ai promenées dans cette ville... [40] »

L'utilité du voyage de noces est toute symbolique et, comme telle, très grande. C'est le point de vue que développe Marcel Prévost dans les *Lettres à Françoise*. Il défend le voyage de noces traditionnel, qui a pour mérite « d'accroître cette dose d'espoir et d'enthousiasme si nécessaire à deux êtres qui vont ensemble s'avancer dans la vie ». Parce qu'il est symbole de la vie conjugale, il ne laissera que de bons souvenirs, ajoute-t-il. Que les souvenirs soient bons, ce n'est pas évident. Combien de Thérèse Desqueyroux pour lesquelles le voyage de noces aux lacs italiens n'a pas été une révélation ? Mais, bons ou mauvais, l'important est que les souvenirs existent, pour témoigner des événements qui ont ponctué la vie. Comme pour la blanche fiancée, ou la mariée sous son voile, il s'agit de se créer des souvenirs, de fixer des images.

Les fiançailles, la cérémonie du mariage, le voyage de noces sont des étapes obligatoires dans le déroulement d'une existence. Qu'on accomplisse ou non ces rites, on se situe par rapport à eux, tant ils informent l'imagination de chacun. Rites de passage d'un âge à l'autre, d'une condition à une autre. Autour d'eux s'est développé un discours sentimental. Mais leur rôle n'a rien de sentimental, peu importe, à la limite, la manière dont on les vit, il faut surtout qu'ils soient et qu'ils aient été, puisqu'ils marquent le passage du statut de jeune fille à celui de femme.

# II

## *Les émois de la chair*

# 1

# Honnête ou perverse

## LA FRONTIÈRE INCERTAINE

« L'honnête épouse, au moment où elle se livre à son honnête époux, est dans la même position que la prostituée au moment où elle se livre à son amant.

« La nature les a faites nues, ces victimes, et la société n'a institué pour elles que le vêtement. Sans vêtement, plus de distances, il n'y a que la différence de beauté corporelle ; alors, quelquefois, c'est la prostituée qui l'emporte[1]. »

Rachilde, dans ces lignes de *Monsieur Vénus,* ranime les hantises de l'imaginaire bourgeois et l'affolement dont il est saisi devant non pas tant la femme nue que la femme *déshabillée.* On songe aux beautés impudiques peintes par Gervex. Sans vêtements, les épouses les plus honnêtes seront-elles, elles aussi, des monstres de lascivité ? Il faut pourtant bien que s'accomplisse l'acte de chair pour qu'elles deviennent mères...

Les frères Goncourt s'affligent : sur la plage de Cabourg, une mère qui se promène avec son enfant a l'air respectable, qu'elle soit une « fille » ou une «femme honnête » (25 août 1863). La maternité gomme les différences parce que c'est une fonction commune à toutes. Tout comme les rapports sexuels. La princesse Mathilde s'en indigne[2]. Elle déclare aux Goncourt qu'elle n'aime pas leur roman *Germinie Lacerteux.* Elle trouve ce personnage de bonne dénué d'intérêt et surtout répugnant. Qu'elle soit condamnée à faire l'amour de la même manière que Germinie la met en fureur.

Quelle humiliation pour une grande dame d'être réduite au même coït que sa servante !

Que signifie la colère de la princesse Mathilde ? Elle n'a pas, derrière elle, une lignée d'aristocrates, elle incarne l'aristocratie napoléonienne, plus proche de la bourgeoisie que de la noblesse d'Ancien Régime. Une vraie grande dame ne se serait même pas posé la question : « Comment puis-je me différencier d'une domestique lorsque je fais l'amour ? » Son nom, sa race, ses ancêtres auraient suffi à marquer la distance avec le reste de l'humanité, même dans les situations les plus communes. La princesse Mathilde exprime là une angoisse toute bourgeoise, celle de la légitimation. Il s'agit, en fait, d'établir une différence sociale entre les femmes : les femmes « comme il faut » et celles qui ont « mauvais genre ». Mais comme s'opère sans cesse une confusion entre les domaines de la bienséance et de l'éthique, ces deux catégories se traduiront en termes de morale sexuelle : les « honnêtes femmes » et les « noceuses ». La femme épouse et mère respectable et insoupçonnable, la maîtresse « sorte de poubelle où se déverse le trop-plein des scories masculines[3] ». A l'épouse la pruderie, à la maîtresse le goût pour le sexe.

Cette répartition des rôles fonctionnait dans les classes aisées, là où, traditionnellement, les couples mènent une existence séparée et où l'homme a des relations sexuelles extraconjugales. Mais tout change avec la situation petite-bourgeoise où le couple, pour des raisons économiques, vit en circuit fermé, replié sur lui-même. La bonne gestion de la sexualité conjugale va nécessairement faire partie de la gestion du ménage. On s'achemine alors vers une réhabilitation de la sexualité à condition qu'elle soit conjugale. Se dessine donc un mouvement vers le couple amoureux, la maîtresse investissant lentement l'épouse et mère. Ce mouvement s'amorce très tôt. En 1866, Gustave Droz écrit sur ce sujet un livre très explicite, *Monsieur, Madame et Bébé*. Il affirme avec force qu'il faut être la maîtresse de son mari : « Arrachez aux drôlesses [...] le cœur de vos maris [...] Faites pour celui que vous aimez ce qu'elles font pour tout le monde : ne vous contentez pas d'être vertueuses, soyez séduisantes ; parfumez vos cheveux ; entretenez l'illusion comme une plante rare dans un vase d'or [...] Que, de temps en temps, lorsque vous êtes ensemble, vous croyiez être en bonne fortune[4]. » Les rapports de séduction qu'il conseille aux époux se situent dans un cadre plus large : il plaide pour le bonheur qu'on peut trouver en famille, en jouant avec son fils ou en allant souhaiter une bonne année à ses parents.

Le texte de Droz est particulièrement intéressant parce qu'il lie conjugalité et recherche du bonheur, dont fait partie le plaisir amoureux. Les autres livres de conseils aux femmes sous-entendent la même chose mais empruntent plutôt le langage du devoir que celui du plaisir. La baronne Staffe qui, en 1896, écrit *Mes secrets pour plaire et pour être aimée,* ne met pas au nombre de ses recettes la séduction, mais la bonne humeur, la discrétion, la délicatesse. La comtesse de Tramar en 1913 traite du bonheur conjugal en titrant carrément *l'Amour obligatoire.* Elle déclare qu'une femme « peut et doit être la maîtresse de son mari[5] », et qu'elle n'a pas, au nom de la religion, à « s'ensevelir dans un frigorifique ». Elle n'a pas le droit en effet, d'être « une dissolvante du foyer ». Le devoir conjugal entre dans son rôle de gardienne du foyer.

Non, les manuels destinés aux ménagères ne contiennent pas, à côté du chapitre sur l'ordre et la propreté qui doivent régner dans la maison, un développement sur le lit comme élément d'ordre dans le ménage... Mais que déduire d'autre si l'on entend les choses ? Ils disent que la bonne ménagère mettra tous ses soins à retenir à la maison son mari et ses enfants. Une attitude accueillante au lit n'est-elle pas complémentaire de la propreté, de la lecture en famille et du pot-au-feu réussi ? Le mari n'ira pas chercher à l'extérieur ce qu'il trouve chez lui. Qu'elle prenne ou non plaisir à la séduction n'entre pas en ligne de compte, elle joue son rôle de femme à tout faire. C'est la ménagère petite-bourgeoise que définit ainsi, en 1897, une héroïne d'Eugène Brieux : « On disait jadis de nous : ménagère *ou* courtisane. Maintenant, c'est changé, le progrès a marché... il vous faut les deux dans la même femme : ménagère *et* courtisane. C'est là notre seule différence avec celles que vous avez aimées avant de nous épouser ; l'épouse, c'est une maîtresse qui consent à être servante[6]... »

LES CONVENANCES

A quoi reconnaît-on les femmes qui ne sont pas « honnêtes »,
celles qu'on appelle demi-mondaines, actrices, femmes entretenues,
courtisanes, regroupées souvent sous le terme vague et forcément
péjoratif de « ces femmes-là » ? Alexandre Dumas fils, qui, en
1855, fait jouer une pièce intitulée *le Demi-Monde,* répond : « A
l'absence de maris. » C'est un critère largement admis, même si des
moralistes protestent parce qu'être pourvue d'un mari est davantage
une convention sociale qu'une preuve de moralité : « La demi-
mondaine, écrit Hugues Le Roux, aura dix bailleurs de fonds et un
" amant de cœur "[7]. » Les mondaines — si elles sont honnêtes —
auront dix « amants de cœur » et un seul « bailleur de fonds ». Si
elles ne le sont pas, leurs amants ne seront plus seulement « de
cœur »...

L'honnêteté est affaire de statut social. Une femme honnête est
reçue dans la société. Comme la société a pour fondement les
couples légitimes, elle ne reçoit que les épouses légitimes. Les
maîtresses, les concubines n'ont pas droit de cité. Leur présence
pourrait souiller les femmes honnêtes. C'est une règle du jeu que
chacun connaît, et que respectent les hommes qui vivent avec une
femme sans être mariés. Robert Claeys, lorsqu'il rend visite à son
ami Louis Lhotte qui vient d'épouser Camille Jaufre, n'emmène pas
avec lui sa concubine de Paris, une élève pianiste du Conservatoire.
Il la loge à l'hôtel, chaperonnée par sa mère qui voyage avec elle[8].

Mais avoir un mari ne suffit pas pour être reçue. Encore faut-il ne
pas avoir de passé affiché. Pensons à Odette de Crécy. Elle a été
demi-mondaine, son mariage avec Swann, qui est du meilleur
monde, ne suffit pas pour effacer son passé et lui ouvrir les salons
que fréquente son époux. Swann voit seul ses anciens amis. Jusqu'à
la fin de sa vie, il rêve de présenter à Oriane de Guermantes Odette
et leur fille, sans succès. Lui qui était reçu dans les plus grandes
maisons ne peut voir, en compagnie d'Odette, que des gens
médiocres. Leurs relations sont comme contaminées par l'origine de
son épouse : seules les femmes des sous-chefs de cabinet rendent à
Odette ses visites[9].

Pour ne pas se trouver ainsi écarté, il faut veiller à ne pas épouser
une femme au passé trouble. Être prudent et ne pas confondre celles

qu'on épouse avec celles qu'on aime. Alexandre Dumas fils met en scène dans *le Demi-Monde* les honnêtes messieurs ligués contre les malhonnêtes femmes. Olivier de Jalin, qui a été l'amant de Suzanne d'Ange, avertit Raymond de Nanjac : « N'épousez pas Suzanne, mais aimez-la, elle en vaut la peine [10]. » Suzanne reproche à Olivier de s'être conduit comme un misérable en brisant son mariage. Il lui répond, avec une parfaite bonne conscience : « Ce n'est pas moi qui empêche votre mariage, c'est la raison, c'est la justice, c'est la loi sociale qui veut qu'un honnête homme n'épouse qu'une honnête femme. » Avec des femmes comme Suzanne, un homme prend du plaisir. Mais il ne les épouse pas, ce serait leur donner une caution de légitimité sociale qu'elles ne méritent pas. L'homme du monde serait la victime de cette affaire.

Pour se marier, un homme ne doit « jamais consulter que les convenances [11] ». Il importe que personne ne mette en doute ni la virginité ni la moralité de la femme qu'il épouse. Mme de Staël a, au début du XIXe siècle, avec le personnage de Corinne, longuement décrit et mis en cause le mariage lié aux convenances. A la fin du siècle, on cite encore beaucoup cette héroïne comme le modèle de la femme émancipée et par là même suspecte. Corinne n'est pas une femme « convenable », elle a trop fait parler d'elle. Fille d'un lord anglais et d'une Italienne, s'ennuyant à mourir dans la province anglaise, elle s'est retrouvée à vingt et un ans orpheline et maîtresse de sa fortune. Elle est partie vivre en Italie. Son esprit d'indépendance est la honte de sa famille, sa belle-mère a exigé qu'elle ne porte plus son nom. Ses talents poétiques lui ont valu d'être, à Rome, une femme à succès. Elle a été aimée par deux hommes, un grand seigneur allemand et un prince italien. Est-elle pour autant une femme facile ? Elle a la réputation d'être plutôt inaccessible, mais le comte d'Erfeuil n'y croit guère : « Une femme seule, indépendante, et qui mène à peu près la vie d'un artiste, ne doit pas être difficile à captiver [...] Elle a certainement mille fois plus d'expression dans le regard, de vivacité dans les démonstrations, qu'il n'en faudrait chez vous [les Anglais], et même chez nous [les Français], pour faire douter de la sévérité d'une femme. »

Corinne est une vedette, elle manque de la retenue qu'un homme espère trouver chez une femme. Lord Nelvil, qui en devient amoureux, la soupçonnera toujours, parce qu'elle n'est pas conforme au modèle. Elle devra sans cesse se surveiller et se justifier. Si elle propose à Nelvil de se promener en lui disant : « Allons admirer ensemble tout ce qui peut élever notre esprit et nos sentiments ; nous goûterons toujours ainsi quelques moments de bonheur [12] », il est choqué par cette phrase où il voit la « légèreté » de Corinne, un appétit de jouissance immédiate. Il lui répond, pour la blesser : « Vous avez beaucoup réfléchi sur le sentiment, madame. » Manière de lui dire qu'il la trouve déflorée : « C'est la plus séduisante des femmes, mais c'est une Italienne ; et ce n'est pas ce cœur timide, innocent, à lui-même inconnu, que possède sans doute la jeune Anglaise à laquelle mon père me destinait. »

Nelvil va épouser Lucile. Blonde, innocente, angélique, recueillie, elle le fait rêver « à la pureté céleste d'une jeune fille qui ne s'est jamais éloignée de sa mère, et ne connaît de la vie que la tendresse filiale [13] ». Corinne dévoile trop, Lucile respecte « ces voiles mystérieux du silence et de la modestie, qui permettent à chaque homme de supposer les vertus et les sentiments qu'il souhaite ». Mais très vite il s'ennuie et part pour les îles, laissant sa jeune femme enceinte. Plus tard, il revient, emmène en Italie sa femme et sa fille. C'est chez Corinne qu'il fait secrètement conduire sa fille, pour qu'elle apprenne avec elle l'italien et la musique. Corinne a beau être inoubliable, elle n'est pas une femme qu'on épouse. Ses talents de poétesse ne peuvent rien contre la pudeur d'une vierge. Elle est entourée d'une aura intellectuelle mais elle a quelque chose de l'actrice, de la demi-mondaine.

## COÛTEUSE VERTU, TRISTE DEVOIR

Dans le trio Corinne-Lucile-Nelvil, tout le monde est perdant, Corinne parce qu'elle est de celles qu'on n'épouse pas, Lucile parce qu'une fois mariée, elle est, comme toute honnête femme, destinée à ennuyer son époux et à être délaissée, Nelvil enfin, parce que, contre l'amour, il choisit les convenances mais qu'il ne supporte pas la vie conjugale.

Les maîtresses, c'est bien connu, menaçaient de ruine les patrimoines. Ne dit-on pas, encore aujourd'hui, lorsqu'un homme a une passion coûteuse : « C'est sa danseuse » ? Il ne faut pas croire pour autant qu'un homme ne paie pas l'honnêteté de son épouse, non pas en dilapidant ses biens — au contraire, la vertu accumule —, mais en s'ennuyant. Jules Renard fait à ce sujet des réflexions sans ambiguïté. Son *Journal* du 20 décembre 1903 oppose à l'amour

« pot-au-feu » de Marinette et Jules Renard l'amour-passion d'une
femme pour son amant plus jeune qu'elle. La comparaison n'est pas
au bénéfice de l'amour conjugal. Le 6 août 1904, Renard est encore
plus sévère avec la vertu de sa mère : « Il faut entendre maman
parler du " vice " ! " J'ai toujours eu mes défauts, j'en ai encore,
mais j'ai toujours eu le droit de marcher la tête haute. " Oui, mais
papa cocu aurait peut-être été plus heureux [14]. » Cette fois-ci, le prix
à payer, c'est l'aigreur de l'épouse.

Les maris sont des victimes. Ils étouffent sous le poids de la
quotidienneté et de la bonne conscience de leurs femmes. Gide fait
tenir à un personnage des *Faux-Monnayeurs*, Oscar Molinier
— marié, une maîtresse depuis longtemps —, ces propos amers :
« Une femme vertueuse, mon cher, prend avantage de tout. Que
l'homme courbe un instant le dos, elle lui saute sur les épaules. Ah !
mon ami, les pauvres maris sont parfois bien à plaindre. Quand nous
sommes jeunes, nous souhaitons de chastes épouses sans savoir ce
que nous coûtera leur vertu [15]. » Son honnêteté est lourde à porter
pour l'épouse elle-même. Mme Molinier dit : « Au fond, je me
demande quel pourrait être l'état d'une femme qui ne serait pas
résignée ? J'entends : d'une " honnête femme "... Comme si ce que
l'on appelle " honnêteté ", chez les femmes, n'impliquait pas
toujours résignation ! »

L'épouse se réduit à sa vertu. D'autres femmes peuvent faire
preuve d'intelligence, de charme, séduire par des qualités personnelles, l'épouse doit plaire en se conformant le mieux possible à son
statut de femme honnête. La répartition des rôles n'est pas plus
glorieuse pour elle que pour celles qui ne sont pas « honnêtes ».
Jules Renard l'a bien senti : « Quand nous rencontrons une actrice,
une femme de lettres, nous lui disons : " Ma femme est beaucoup
moins intelligente que vous. Elle n'a ni votre esprit, ni votre beauté,
ni vos toilettes, mais vous verrez comme elle est bonne femme ! Elle
sera si heureuse de vous connaître que je suis sûr qu'elle vous
plaira. " Et si notre femme, surgissant derrière nous, nous entendait
parler ainsi, elle nous donnerait peut-être une claque. » (10 octobre
1895). Si l'honnêteté va de pair avec la résignation et la médiocrité,
il n'y a pas, pour une femme, de quoi être flattée.

Bien que chacun des personnages soit perdant dans la répartition
des rôles, elle fonctionne pourtant et se traduit en une formule qui a
valeur de dogme : on ne traite pas son épouse comme une
maîtresse. Jules Renard caricature ce cliché dans un chapitre de
*l'Écornifleur* intitulé « Théories ». M. Vernet, le type même du

bourgeois, pose à Henri, jeune pique-assiette installé chez lui, la question : « Physiquement, doit-on traiter sa femme comme une maîtresse [16] ? » Si elle le désire, répond Henri, il fera à sa femme ce qu'il fait à ses maîtresses. M. Vernet s'indigne : « Ne faites pas ça ! Je vous en supplie, ne faites pas ça ! [...] Je sais, et vous le savez mieux que moi, gredin, quelles libertés on peut prendre avec une fille. Or gardez-vous de croire que votre femme est une fille, voilà ce que je tenais à vous dire. »

Henri risque qu' « une femme est une femme », mais son interlocuteur se montre catégorique : « Erreur ! Avec le mariage, la caresse devient une chose grave. Ah ! certes, personne, dans un fumoir, dans une réunion d'esprits libres, dans un aparté du sexe fort, ne goûte plus que moi les confidences graveleuses, où l'obscénité s'en donne à cœur joie [...] Mais ne badinons pas, s'il vous plaît, avec le saint amour du ménage. » Et il développe sa théorie : « La pudeur est un mur mitoyen. N'allez pas, imprudent, le dégrader vous-même, car il s'effritera, à la longue fera brèche, et les voisins entreront chez vous [...] Il faut compter avec la perversité instinctive de la femme. Elle a des curiosités ; elle pose de petites questions ; elle furète et met son joli nez partout. Plus d'une fois, Mme Vernet m'a tâté sur ce terrain mais j'ai si bien fait la bête, qu'elle a fini par n'y plus penser. »

M. Vernet, pour assuré qu'il soit de la justesse de ses vues, n'en reste pas moins dans le vague. Quel est le contenu de l'interdit ?

1. On n'expose pas son épouse aux mauvaises fréquentations. C'est un reproche qui peut, au cours d'un procès, être adressé à un homme. Un chroniqueur judiciaire, rendant compte d'un procès en séparation de corps en 1880, rapporte les arguments des adversaires. Mme Santerre s'est rendue coupable d'adultère, certes, mais son mari a eu le tort « d'avoir un peu trop vécu avec sa femme comme avec une maîtresse [17] ». Il n'a pas compris « tout le sérieux du mariage » et a mené une existence dissolue de soupers au cabaret et de parties fines, mais il l'a menée — c'est là le plus grave — en compagnie de son épouse.

Mme Santerre se sent souillée, traitée comme une « fille » et non avec les égards dus à une femme légitime. La preuve, c'est qu'elle écrit dans son carnet intime : « Une courtisane, au moins, a l'excuse d'une piètre éducation, de la misère. Mais, moi, quelle excuse ai-je à ce marché honteux ? Je ne me donne pas, je me vends ! J'espère toujours que mon mari me paiera par de meilleurs procédés ; je me dis que, puisque je ne puis agir que sur ses sensations, non sur ses sentiments, il me faut au moins lutter en cédant. Mais non, je suis volée ! »

Que le mari l'ait en quelque sorte initiée au vice semble être un argument souvent employé par la femme adultère pour se défendre. Le même chroniqueur, à propos du procès en séparation du couple Vast-Vimeux, cite l'épouse prise en flagrant délit : « D'après elle, M. Vast-Vimeux l'avait, dès le début du mariage, assujettie à la fréquentation des maîtresses de ses amis [18]. » A rapprocher, commente le journaliste, de l'affirmation de Mme Santerre, « prétendant que son mari lui avait fait présider des dîners de garçons ».

2. On n'impose pas à son épouse des caresses — dont l'exacte teneur n'est jamais précisée — considérées comme dégradantes. Le *Code de la femme* est formel : « Le devoir conjugal dont l'obligation est exigible doit être dégagé de tout acte contre nature et limitativement borné à ce que l'on sait. L'alcôve conjugale ne doit pas être profanée. Si, entre la pudeur de la jeune fille et celle de l'épouse, il y a toute une nuance, toute une révélation, un monde, il n'en faut pas conclure que la pudeur de la femme mariée n'existe plus et que le mari a licence de tout entreprendre.

« Même dans l'accomplissement de ses devoirs conjugaux la femme mariée a droit à des respects et à des convenances [19]. »

Respecter sa femme, c'est avoir avec elle des relations sexuelles hygiéniques, auxquelles ne se mêle aucune recherche érotique, pour ne pas éveiller sa lascivité. L'initier davantage la ferait glisser du côté des « filles » et le mari s'exposerait à être trompé un jour ou l'autre. Il risquerait surtout de la mépriser, parce que l'érotisme va toujours de pair avec la souillure. L'apprentissage du plaisir ne se fait pas impunément, c'est une forme de corruption lente qui, comme toutes les corruptions, mène au dégoût de soi et vous attire la répugnance de l'autre. L'époux est responsable de la moralité de sa femme légitime. La période la plus dangereuse, de ce point de vue, est évidemment la lune de miel. Le docteur Charles Montalban, auteur de *la Petite Bible des jeunes époux,* met en garde le jeune homme : « L'époux est tendre, passionné. S'il aime profondément, s'il obéit trop facilement à la fougue de ses désirs, il ne sait pas, le malheureux ! qu'il va soudain allumer des feux que bientôt il ne pourra plus éteindre [20]. » Qu'il se méfie des « excès vénériens » des premiers mois. La sexualité conjugale réclame prudence et doigté.

### L'ÉPOUX TROP SOLLICITÉ

Une épouse, destinée à être « honnête », sort de son rôle si elle se conduit en maîtresse amoureuse de son mari, si elle cherche à provoquer son désir. Elle brouille les cartes et perturbe la tranquillité qu'il est en droit d'attendre d'une conjugalité légitime. C'est là la faute de Germaine, l'héroïne d'une pièce de Porto-Riche, *Amoureuse*. Comme une maîtresse, elle laisse traîner sa voilette sur le bureau d'Étienne, son époux. Comme une maîtresse, elle se donne trop facilement et s'attire le mépris d'Étienne. Elle lui parle des heures de la nuit. Il les apprécierait davantage, lui répond-il, « si tu n'en diminuais pas le prix par la hâte de tes consentements, si tu laissais quelquefois mon désir rôder autour de toi [...] Tu n'es pas fière[21]. » Comme une maîtresse enfin, elle fait des caprices, l'empêche de partir pour un congrès. Étienne la rappelle à l'ordre : « Il n'y a pas que l'amour au monde, il y a le travail, la famille, les enfants[22]. » Germaine, qui n'a pas d'enfant, se pique : « Je suis trop ta maîtresse pour être une bonne mère, c'est là ce que tu veux dire ? » Le paradoxe est qu'Étienne regrette la vie apaisante, très organisée, conjugale, en un mot, qu'il menait, avant de se marier, avec sa maîtresse d'alors.

Un mari se fatigue vite des exigences amoureuses de sa femme, la vie quotidienne n'est guère compatible avec elles. Dans une pièce de Mme Adam intitulée *Coupable*, Louis, qui a épousé Cécile depuis un an, confie à son ami : « Tu ne peux t'imaginer ce que c'est que d'être adoré d'une femme belle, intelligente, riche, qui n'a rien à désirer, qu'un amant dans son époux ! C'est un enfer ! Réaliser les rêves romanesques d'une jeune fille ! Subir la comparaison avec ses héros ! Les scènes de reproches, de larmes, de jalousie rétrospective pleuvent tout le jour. De même qu'une veuve compare entre eux ses maris, la jeune fille compare ceux qu'elle aurait pu épouser. "Celui-là m'eût aimée, peut-être !" est l'éternel refrain. Puis les attendrissements viennent, tournant sans cesse autour de la sempiternelle préoccupation. Ce que j'ai entendu de fois : "Dis-moi seulement que tu m'aimes ! Je ne demande que cela ! — Oui, je t'aime ! — Je vous ennuie ! — Mais non ! Je t'aime !"[23] »

Le mariage doit réguler le sexe et la passion. Un homme se marie pour pouvoir se reposer dans le « nid », dans le cocon dont son épouse est la gardienne. Il lui faut de la tendresse, pas du désir ni des élans amoureux qui perturbent le cours de la vie. Installé dans le cadre conjugal, le désir mène à la mort. C'est ce qu'imagine avec humour Jules Renard dans *l'Écornifleur*. M. et Mme Vilard, mariés pourtant depuis longtemps, sont ravagés par un amour fou : « Ils ne font que sucer des pastilles de chocolat que parfois ils échangent de bouche à bouche, dans un baiser. Ils brûlent, ils se consument, indifférents aux quolibets des hommes et aux avertissements des docteurs. Tous les six mois le mari est obligé d'aller à l'hôpital [24]. » Les bains de mer, loin de calmer leurs ardeurs, raniment leur flamme : ils sortent de l'eau pour courir faire l'amour dans une cabine ! C'est non seulement la tranquillité, mais la santé, mais la vie même du mari qui sont menacées par la frénésie du couple. Si l'épouse était une honnête femme, elle ne se laisserait pas aller à de pareils débordements.

## LA HONTE DE L'ÉPOUSE

« Plus la femme se donne, moins elle conserve de mérite aux yeux de l'homme ; plus elle pense reprendre son ascendant par la profusion de ses faveurs, plus elle diminue l'estime qui lui était acquise ; car il arrive, au contraire, que l'homme s'attache davantage à celle qui met à un plus haut prix sa défaite ; de même qu'en toute chose, la rareté renchérit la vertu, l'amour s'aiguise par ses privations et ses sacrifices [25] », écrit J.-P. Dartigues, dans un ouvrage où il recherche les causes de l'adultère féminin. Au nombre de ces causes, il compte les « fraudes conjugales » qui donnent à l'épouse l'habitude des voluptés sensuelles, puisque les rapports sexuels ne comportent plus alors de risques de grossesse. De l'habitude du plaisir dans le mariage, on glisse sans peine à l'adultère. Ce danger s'accompagne d'un autre, non moins grave pour le couple légitime : « Comment un mari serait-il disposé à respecter une femme lascive ? Celles qui le deviennent perdent, aux yeux de leurs époux, ce prestige moral, cette auréole de pudeur qui va si bien à leur front [26]. »

Une épouse qui se donne trop facilement à son mari s'expose à ne plus être respectée, à ne plus se respecter elle-même. Avec *le Journal de Simone*, Marcel Prévost imagine le bilan que fait une

jeune femme de sa première année de mariage. Les joies du
mariage, écrit-elle, sont de trois sortes : joie de vanité (on commence à tenir un rôle social), joie d'affection (on a un compagnon)
et enfin « le plaisir pervers de cesser d'être chastes [27] ». Elle voit,
dans la perte de son innocence, deux étapes : elle a d'abord été
passive, connaissant les « révoltes d'une pudeur qui agonisait »,
puis active, saisie par une « fièvre d'impureté conjugale ». Pendant
cette seconde période, elle a laissé libre cours à sa curiosité
sensuelle : « C'était moi qui dérangeais mon mari, qui le sollicitais,
qui le menais avec adresse vers des épreuves que de lui-même il
n'aurait peut-être pas tentées... » Elle a honte d'elle : « Il me
semble que j'ai été trop la maîtresse de mon mari, trop la Dalila
usant de son corps pour séduire l'homme étendu près d'elle. Je
pense que Jean, après ces minutes troubles, devait me mépriser un
peu. » Ce qui a suivi cette débauche conjugale, c'est, bien sûr, la
lassitude. De là à l'adultère, il n'y a qu'un pas, qui sera aisément
franchi.

Trop libre avec son mari, l'épouse peut attirer ses soupçons un
jour ou l'autre. N'aurait-elle pas été initiée avant le mariage ? Car il
y a un seuil de caresses à ne pas dépasser. En réfléchissant après
coup à la manière dont Camille Jaufre s'est donnée à lui, Louiset,
son mari, trouve confirmation des bruits qui courent sur la « faute »
de sa femme : « Lèvres avides, caresses, mortelles étreintes !...
C'étaient elles qui accusaient Camille. Une vierge n'a pas cette
science de l'amour... Et il pensa ceci, qui lui creusa le cœur comme
un fer tors : Elle m'a appris des choses que je ne savais pas !... Des
choses ?... Tout l'amour [28]. » Camille, en effet, a été séduite et
abandonnée, elle a épousé Louiset enceinte de son amant. Elle aime
son mari, qui est son ami d'enfance, et s'est conduite avec lui, le soir
de ses noces, en vierge effarouchée, moins par feinte que parce
qu'elle était réellement émue et se sentait affreusement coupable.
Elle a mimé la virginité parce qu'elle aurait voulu être vierge pour
Louiset, comme il l'était pour elle. Larmes, soupirs, refus...

Mais Camille est allée trop loin ensuite. Pour effacer sur son corps
la trace de l'amant, elle a voulu que son mari commît avec elle les
« folies amoureuses [29] » qu'elle avait connues avec l'autre. Dans un
premier temps, Louiset s'anéantit dans la sensualité qu'elle lui fait
goûter, puis il se ressaisit. La jeune femme comprend qu'elle doit
changer d'attitude : « Elle se défendait davantage, Louis était plus
pressant. En sorte que leur amour connut enfin la douceur des
faveurs suppliées, mollement refusées et toujours conquises. »

Il serait donc faux d'imaginer la débauche comme le résultat d'une frustration conjugale. Elle peut l'être, mais elle peut aussi avoir une cause exactement inverse. Le goût du plaisir pris dans le lit conjugal recèle une fatale dépravation. Colette fait dire à Claudine, après un an de mariage : « Je sens progresser en moi l'agréable et lente corruption que je dois à Renaud[30]. » Ce mari, qui a le double de son âge, lui a révélé « le secret de la volupté donnée et ressentie ». Elle en jouit « comme un enfant d'une arme mortelle ». Claudine a ensuite une liaison homosexuelle et Renaud, loin de s'offusquer de son infidélité, trouve d'abord une garçonnière pour elle et son amie, puis fait l'amour avec la maîtresse de sa femme, par curiosité. *Claudine s'en va* met en scène Claudine et Renaud, mais cette fois-ci fidèles. Colette et Willy n'en insistent pas moins sur le caractère scandaleux de ce couple qui vit moins en époux qu'en amants. On les imagine d'ailleurs mal installés en famille, avec des enfants. Les *Claudine* ont connu le succès à cause de leur parfum de libertinage. On les cite pour les épisodes d'homosexualité féminine. Mais si scandale il y avait, il résidait sans doute autant dans les rapports sexuels excessifs du couple légitime. Colette, sous la férule de Willy, savait doser l'immoralité. Rien de plus moral en effet que le destin de Claudine et Renaud puisque « Claudine s'en va » pour se consacrer exclusivement à son époux, loin du monde et de ses vertiges (le charme des filles), au cœur de la saine nature[31]. A noter le contraste de ce dénouement avec le titre alléchant, qui fait imaginer une rupture entre les héros déjà célèbres...

Le plus étrange, dans la série des *Claudine,* est un livre écrit par Colette en 1936, intitulé *Mes apprentissages,* avec, en sous-titre, « Ce que Claudine n'a pas dit ». Colette règle ses comptes avec son co-auteur, dont elle a divorcé depuis longtemps. Elle raconte son arrivée à Paris en 1894. Elle a vingt ans et vient d'épouser Willy, qui en a trente-cinq : « Résignons-nous à dire que si mainte jeune fille met sa main dans la patte velue, tend sa bouche vers la convulsion gloutonne d'une bouche exaspérée, et regarde sereine sur le mur l'énorme ombre masculine d'un inconnu, c'est que la curiosité sensuelle lui chuchote des conseils puissants. En peu d'heures, un homme sans scrupules fait, d'une fille ignorante, un prodige de libertinage, qui ne compte avec aucun dégoût [...] La brûlante intrépidité sensuelle jette, à des séducteurs mi-défaits par le temps, trop de petites beautés impatientes, et c'est à celles-ci, ma mémoire aidant, que je chercherais querelle. Le corrupteur n'a même pas besoin d'y mettre le prix, sa proie piaffante ne craint rien — pour commencer. » Texte étonnant ! Peut-on mieux exprimer la fureur contre soi-même et le sentiment de culpabilité ? Elle s'est donnée à son mari, elle y a pris goût et elle en a été punie par l'impression de souillure qui a suivi (remarquons le mot « corrupteur », qui reprend la « lente corruption » de *Claudine en ménage*) : on croirait lire du Marcel Prévost. Un témoignage de ce genre est précieux car il montre combien la littérature informe la vie. Colette parle de son expérience dans les termes qu'aurait employés un roman de l'époque.

Une femme sage évite donc à tout prix le dégoût — celui qu'elle risque d'inspirer, celui qu'elle ne tardera pas à ressentir — et ne se donne qu'avec circonspection, dans les limites de l'honnêteté. Comme l'écrivait à sa fille l'impératrice Marie-Thérèse : « Ne pas te laisser entraîner dans ta tendresse pour ton mari jusqu'à l'excès [...] ménager même les caresses les plus innocentes. » Conseils pour être heureuse en ménage que reprend, à toutes fins utiles, *la Femme et la famille et le journal des jeunes personnes* dans son premier numéro[32]. Le thème de la nécessité d'une sexualité conjugale bien tempérée s'exacerbe dans la seconde moitié du XIXe siècle. Mais il était clairement posé plus tôt. Qu'on se rappelle les *Mémoires de deux jeunes mariées,* où Balzac oppose le mariage réussi, fondé sur la raison, à la passion ravageuse incompatible avec l'union légitime. Renée la sage écrivait à Louise l'exaltée : « La gloire du ménage est précisément dans ce calme, dans cette profonde connaissance mutuelle, dans cet échange de biens et de maux que les plaisanteries vulgaires lui reprochent. Oh ! combien il est grand ce mot de la duchesse de Sully, la femme du grand Sully enfin, à qui l'on disait que son mari, quelque grave qu'il fût, ne se faisait pas scrupule d'avoir une maîtresse : " C'est tout simple, a-t-elle répondu, je suis l'honneur de la maison, et serais fort chagrine d'y jouer le rôle d'une courtisane. " Plus voluptueuse que tendre, tu veux être et la femme et la maîtresse. Avec l'âme d'Héloïse et les sens de sainte Thérèse, tu te livres à des égarements sanctionnés par les lois ; en un mot, tu dépraves l'institution du mariage[33]. »

## Les paradoxes de Clément Vautel

Clément Vautel, journaliste et romancier, publie en 1924
*Madame ne veut pas d'enfant,* où il retourne avec humour les
clichés. La situation de départ est classique. Paul Le Barrois a
trente-neuf ans, il est l'amant depuis dix ans d'une femme entretenue, Louise Bonvin, chez laquelle il a ses pantoufles et ses
habitudes. Il décide de se marier pour « faire une fin », et c'est là
que commencent ses tribulations.

Il choisit une jeune fille de vingt-deux ans qui n'aime qu'une
chose, sortir dans le monde. Elle n'est pas, comme l'héroïne
d'*Amoureuse,* la maîtresse passionnée de son mari — l'épouse de
Porto-Riche avait au moins l'excuse de l'amour —, mais elle le
perturbe pareillement. Car elle se conduit en courtisane plutôt
qu'en femme légitime. D'ailleurs, à un de ses amis qui lui confie :
« Je t'ai aperçu l'autre soir, dans une loge de la Cigale, avec une
bien gentille petite poule [34] ! », Paul n'ose pas avouer que c'était sa
femme. Il a beau l'avoir épousée vierge, dès sa nuit de noces, Paul a
l'impression de se trouver avec une « fille ». Élyane a voulu qu'ils
s'installent dans un hôtel ultramoderne alors que Paul rêvait d'un
« nid ». A l'hôtel, cette « petite femme à cheveux courts », qui fait
un abondant usage de l'eau et l'appelle « mon chéri », lui rappelle
des aventures anciennes et médiocres [35]... Elle ne le trompe pas,
mais c'est un peu par hasard et, au lit, manifeste des dispositions de
grue : « Paul découvrait chez Élyane une docilité, voire une
imagination qui, pendant les entractes, ne laissaient pas de l'inquié-
ter quelque peu [36]. »

Il retourne chez sa maîtresse, qui lui avait, dès avant son mariage,
prédit ce qui arriverait. Les maris manquent de plus en plus de
« bouillotte conjugale », elle le sait bien. Ses deux amants réguliers
viennent la voir pour trouver auprès d'elle le repos « bourgeois »
que ne savent plus donner les épouses : « La maîtresse pot-au-feu
qui vous repose de la légitime nerveuse, exigeante et frivole, c'est un
article qui commence à être nécessaire et qui, bientôt, sera
indispensable [37]. » Louise prend Paul en pitié, lui donne ses
pantoufles, son journal, sa pipe, un bon bouillon et se couche avec
lui de bonne heure : pour la première fois, il lui semble être marié !

Plaisant retournement du stéréotype : le sexe chez la maîtresse, le foyer avec l'épouse.

Le couple de Paul est sauvé par l'intervention de Louise, qui conseille à Élyane de faire un enfant et de donner enfin à son mari la vie conjugale paisible dont il a besoin. L'arrivée du bébé arrange effectivement tout : Élyane oublie les sorties pour ne plus penser qu'à son fils, qu'elle allaite, et Paul, jouissant de ses pantoufles et de son journal, n'a plus besoin de chercher chez sa maîtresse ce que lui refusait sa femme. Louise l'avoue amèrement, elle aurait grande envie de devenir une femme d'intérieur, épouse, mère et ménagère. Elle en a les qualités, amour de l'ordre et de la propreté, sens moral. Elle aime lire Henry Bordeaux : « Ça, c'est de la littérature ! Tandis que tous ces livres dégoûtants où il n'y a pas un homme convenable, pas une femme qui se tienne... » Mais elle est une femme entretenue, il lui est impossible de changer de camp. C'est pourquoi elle adjure Élyane qui, elle, se trouve dans la position de « femme honnête », d'en comprendre les devoirs et de les bien remplir en appréciant sa chance d'être du bon côté de la barrière.

Si, en 1924, Vautel peut imaginer, pour faire rire, un tel retournement de la répartition ancienne des rôles, c'est que les mentalités ont évolué. La trilogie de Victor Margueritte que nous analyserons plus loin en témoigne : l'idéologie nouvelle cherche à dépasser le partage traditionnel des rôles, à réconcilier l'épouse et la sexualité.

### La maudite

*Dans l'âme il hait Félix et dédaigne Pauline,*
*Et s'il l'aima jadis, il estime aujourd'hui*
*Les restes d'un rival trop indignes de lui.*

Gilbert Lascault commente ainsi ces vers de *Polyeucte* : « On s'interroge sur cette étrange conception : d'une femme qui a aimé un autre homme, l'intégrité aurait disparu. Elle ne serait plus toute. Seuls subsisteraient des fragments. L'amour qu'elle porterait à un autre aurait décomposé la femme. Elle aurait été dévorée par l'amour, ne resteraient que les os[38]. » Et il cite, pour illustrer son analyse, un texte de Jules Lemaitre sur Louis XIV : « C'est chose tout à fait plaisante que de voir le grand roi, jeune encore (il avait quarante-cinq ans), épouser les cinquante ans sonnés d'une dévote dont un bouffon infirme (Scarron) avait cueilli jadis (comme il avait pu) la jeunesse en fleur, et ce monarque glorieux vivre trente ans des restes de ce cul-de-jatte. » Rien n'exprime plus justement l'obsession du xixe siècle : qu'une femme ait appartenu à plus d'un homme. Ce qui varie, c'est que le « un » désigne parfois le mari, parfois le premier amant. De toute façon, au-delà du premier amant, l'unanimité se fait : une femme mariée est sur la pente de la galanterie.

Les réticences à propos du divorce viennent, entre autres raisons données, de là. Une femme divorcée peut se remarier. Que sera alors le second mari, sinon la preuve vivante que deux hommes l'ont possédée ? Le remariage, après un divorce, légitime ce qui est le plus choquant, la double empreinte que porte une femme, d'hommes tous les deux vivants et qui peuvent se trouver face à face. Paul Hervieu en fait le thème d'une pièce, *le Dédale*. Marianne Vilard-Duval, divorcée et mère d'un fils de dix ans, se remarie. Sa cousine, mariée et qui a un amant, s'en offusque : « On n'a pas encore admis qu'une femme s'expose à mettre en présence le mari d'hier et le mari d'aujourd'hui[39]. » Et elle distingue cette « attestation officielle que la même femme n'a rien de secret pour ces deux hommes qui sont là, en chair et en os » de l'adultère, qui est moins grave, parce que « la femme mariée qui prend un amant n'accomplit qu'une action cachée, où la pudeur mondaine n'est pas invitée à voir ».

Le second mariage d'une femme divorcée choque donc la « pudeur mondaine ». Mais il est aussi la porte ouverte à la jalousie du second mari. Lorsque le nouveau couple rencontre au théâtre le premier mari, le nouvel époux de Marianne lui avoue : « Je vous voyais subir ce regard que jettent les hommes sur les femmes qui ont été à eux[40]. » Cette jalousie trouve un objet : Marianne et son premier mari se retrouvent au chevet de leur fils malade et ils font l'amour à nouveau, un peu par surprise. Marianne ne comprend pas son égarement, se sent souillée à jamais. Aussi, quand le second tente de l'embrasser, s'écrie-t-elle : « Pas vos lèvres !... Malheureux ! [...] L'autre m'a possédée ! » Elle ne cherche pas à se justifier de ce que son époux appelle « un entraînement des sens, une facilité de fille perdue, de bête en folie[41] ». Elle demande seulement à expier, en se consacrant désormais à son fils, pour se racheter à ses propres yeux. Il le lui accorde à condition qu'elle ne retombe pas dans les bras de son premier mari, qu'il finit d'ailleurs par entraîner

dans la mort... La mère expie, désormais sans homme, le crime
qu'elle a commis, et dont l'essence même est contenue dans le
divorce.

Le premier époux d'une femme divorcée a été son amant au vu et
au su du monde et du second époux, et rien ne garantit qu'il ne le
redevienne pas, à la faveur du lien établi entre eux par l'enfant.
L'enfant permet, on vient de le voir, les retours de tendresse, il
permet aussi le chantage. Alphonse Daudet l'imagine avec *Rose et
Ninette*. Régis de Fagan aime Mme Hulin, séparée de son mari
depuis plusieurs années. Ce mari propose à Mme Hulin un
marchandage : elle lui donne une nuit, il lui laisse leur fils qu'il
menaçait de mettre en pension. Malgré son amour pour Régis, elle
est obligée d'accepter. Lorsque Régis l'apprend, il est bouleversé,
comme si elle avait, pour la seconde fois, cédé sa virginité, et à un
nouvel amant : « Du nouveau, de l'inconnu dans ce lit d'austère
veuvage, et [...]juste à l'âge où la femme de nos contrées [...]
comprend l'amour et ne fait pas que le subir[42]. » Elle a permis
qu'une image envahisse Régis : « Les grands yeux bleus pâmés sous
les caresses d'un autre... », et elle sait que « s'ils se mariaient, cette
hantise douloureuse les poursuivrait tous deux, gênerait, souillerait
leur bonheur ».

C'est la femme, dans un couple, qui est la gardienne de la pureté,
et qu'elle offre à un homme « les restes d'un rival » est une
souillure. Pour cette raison, une femme divorcée est suspecte. Les
partisans du rétablissement du divorce, avant la loi de 1884,
voyaient dans le divorce une manière d'en finir avec la situation
fausse de la femme séparée de son époux. Un avocat, Alexandre
Laya, en parle ainsi : elle prend un ami ou un protecteur, mais si elle
rompt et qu'elle en a ensuite un autre, elle tombe « dans un abîme
au fond duquel elle ne peut que rencontrer le désordre[43] ». Le
monde, en effet, ne pardonne pas : « Elle ne peut entrer dans le
même asile, dans le même salon, dans le même monde, que la
femme adultère mais *mariée*, qui s'est signalée par le nombre de ses
bonnes fortunes. Celle-là passe auprès de celle-ci, qui est appuyée
nonchalamment sur le bras d'un époux officiel trompé... mais
toujours officiel ; elle a le regard superbe, en disant : Comment
peut-on recevoir ça, quelle impudence ! » Le divorce aurait dû, en
principe, permettre à une femme de se remarier et de mener une vie
sociale semblable à celle de toutes les femmes légitimes. Ce n'est pas
si simple. Ce que dit Laya de la femme séparée peut s'appliquer à la
femme divorcée et remariée : toujours la « pudeur mondaine »...

Alexandre Dumas fils, en préface à sa pièce *l'Étrangère,* explique pourquoi un second amant choque le public, alors que le premier est attendu et plutôt bien accueilli. Une femme mariée qui prend un amant a des excuses aux yeux des spectateurs, puisque le divorce n'existe pas (nous sommes en 1876). Dumas fils était partisan du rétablissement du divorce, pour mettre fin aux unions mal assorties et faire place au mariage d'amour et à la fidélité. L'épouse infidèle n'aura plus droit alors à l'indulgence. Il allait un peu vite, le rétablissement du divorce n'a pas aussitôt remplacé le mariage de convenance par le mariage d'amour, et, dans les romans de Paul Bourget, on attend, tout autant que dans le théâtre de Dumas fils, « le premier amant d'une femme mariée ». Les spectateurs, poursuit Dumas fils, ne pardonnent pas un second amant, car « une femme ne peut avoir appartenu qu'à deux hommes, un mari qui s'est conduit d'une façon abominable, cela va sans dire, et un amant qui adore cette femme ». Si cet amant la quitte, elle doit prendre le deuil : « Si jeune qu'elle soit encore, sa vie est brisée ; elle ne vivra plus que dans la retraite et l'on devra quitter la salle bien convaincu qu'après cette dure leçon, notre héroïne ne recommencera plus jamais, jamais. » Au second amant, elle n'aurait plus droit à aucune sympathie, elle serait tombée dans la galanterie. Comment expliquer alors le succès de *la Dame aux camélias,* qui a eu jusqu'à trois amants en scène ? « Courtisane, monsieur, courtisane ! Ce n'est plus la même chose. » Elle a l'excuse de la misère et de l'ignorance. La femme du monde n'a qu'une excuse, l'amour unique.

C'est une excellente analyse, et l'on retrouve très souvent, dans la littérature, le schéma qu'elle met en lumière : une femme, après avoir eu un seul amant, passe sa vie à se sacrifier ou à expier. Citons par exemple le sketch de *Comment elles se donnent,* intitulé « Par amour ». Mme Thala, à trente ans, s'est donnée par amour à un écrivain, Jacques. Elle a tout abandonné pour lui, a vécu dans la pauvreté. Quand il est devenu célèbre, elle a rompu, il n'avait plus besoin d'elle. Lui l'appelle, la regrette. Mais la certitude même qu'il l'aime toujours l'aide à vivre loin de lui. Elle s'est retirée de la vie pour mieux consacrer l'éternité de cet amour. Il lui rend comme un culte, puisqu'ils ont gardé l'appartement de leurs années de bonheur, qu'il va le fleurir et le nomme « mon pleuroir[44] ». Cette dévotion, dit-elle, l'empêche d'être jalouse de ses maîtresses actuelles. Elle a décidé de ne plus teindre ses cheveux blancs, signe de sa retraite définitive. Pour prouver qu'elle aime vraiment, une femme n'a qu'un moyen : se sacrifier après s'être donnée une seule fois, corps et âme. Elle montre ainsi que son amant était unique, irremplaçable et évite de donner à un autre les « restes d'un rival ».

Une femme apparaît étrangement responsable de ce qui s'est inscrit dans sa chair. L'idée d'empreinte ineffaçable sur un corps de femme est toujours présente alors que, pour un homme, la question ne se pose pas. L'homme marque, la femme est marquée. Lui ne véhicule rien dans son corps. Son corps à elle, au contraire, témoigne du passé, est comme un livre ouvert qui porte des traces. C'est pourquoi un second amant a le droit de lui reprocher le premier. Anatole France en a fait le sujet du *Lys rouge*. Thérèse Martin-Bellème, mariée mais libre de mener sa vie, a eu, pendant trois ans, un premier amant, Robert, à qui elle s'est donnée parce qu'il l'aimait et pour lequel elle avait un goût sensuel. Elle rencontre ensuite Jacques Dechartre, entre eux naît la passion. Mais Jacques est jaloux de la première liaison de Thérèse. Elle tente de le raisonner, elle ne lui reproche pas, quant à elle, son passé. Ce n'est pas la même chose, lui répond Jacques : « Il n'y a pas dans le sang, dans la chair d'une femme, cette fureur absurde et généreuse de possession, cet antique instinct dont l'homme s'est fait un droit. L'homme est le dieu qui veut sa créature tout entière [...] tu es la matière et moi l'idée, tu es la chose, et moi l'âme, tu es l'argile et moi l'artisan[45]. » Il est torturé par ce qui, en elle, « vient de lui peut-être, d'eux, que sais-je ?... ». Comme aucune parole ne le console, elle le caresse et ils font l'amour comme jamais auparavant. Loin d'être calmée, sa jalousie empire, « parce que je sais maintenant ce que tu donnes ». Ils finissent par se séparer, hantés par la présence de « l'autre ».

Il ne faut pas qu'une femme laisse un homme la soupçonner d'avoir eu, avant lui, des aventures. D'où le rôle de la pudeur. Une femme provocante blesse, par sa seule allure, un homme prêt à l'aimer ; elle dévoile trop : « Par instants, sous les yeux de tous, peut-être sans le vouloir, elle avait un geste, une posture, une expression qui, dans l'alcôve, aurait fait frissonner un amant. Quiconque la regardait pouvait lui dérober une étincelle de plaisir, pouvait l'envelopper d'imaginations impures, deviner ses secrètes caresses[46]. » Sur son corps, une femme est sommée de rendre des comptes, sans cesse, à un mari, à un amant et même à un homme qui la regarde, qui s'intéresse à elle — amant en puissance. Il n'est pas étonnant qu'à cette obsession masculine de la trace en elle, elle réponde en se culpabilisant. Lorsqu'elle aime, elle rêve de « se refaire une virginité », d'effacer toute empreinte. L'élan vers la chasteté est d'autant plus violent que le passé est plus chargé. La fille Élisa, la prostituée du roman d'Edmond de Goncourt, tombe un jour amoureuse d'un soldat qui lui a apporté des fleurs. Elle veut l'aimer en jeune fille, « avec des tendresses ignorantes, avec des caresses ingénues, avec des baisers innocents et doux [47]... ». Quand il essaie de la prendre de force, en prostituée, elle le tue.

La fille de « maison » rêve d'être traitée en vierge par l'homme qu'elle aime, il la purifierait ainsi du passé. Toute femme voudrait, pour témoigner de son amour, redevenir une jeune fille et se donner intacte. Surtout lorsqu'il est question de mariage. Cela mène à des situations paradoxales. Une jeune fille s'est donnée vierge à un homme qui veut ensuite l'épouser. Elle regrette alors le passé qu'elle a eu avec lui, elle s'en veut de ne pas être pour lui une épouse intacte. A son amant qui la demande en mariage, l'héroïne de *la Femme nue,* une pièce d'Henry Bataille, dit : « J'ai un gros chagrin de penser que j'ai un passé... que je ne serai pas une femme nette... comme tu le méritais [...] je voudrais ne pas te connaître et te rencontrer aujourd'hui pour la première fois [48] ! »

Marcel Prévost pousse jusqu'à la caricature ce scrupule-là dans une des *Lettres de femmes* intitulée « Expiation ». Sœur Louise de Marie écrit à M. de Vaubert. Elle l'a adoré, mais en devenant sa maîtresse, elle a brisé son rêve : « Vous donner en moi la plus belle, la plus tendre et surtout la plus chaste des épouses. » Elle ne se pardonne pas de n'être plus intacte : « Je ne pouvais vous offrir qu'un corps défloré et qu'une âme défleurie, je ne pouvais être pour vous qu'une épouse *moins pure que les autres!* » Elle s'est donc enfuie au couvent pour expier et prier Dieu de donner à son amant la femme pure qu'elle lui souhaite. Comme si une femme se coupait en deux, comme si, en elle, le personnage de l'épouse était souillé par le don qu'a déjà fait la maîtresse.

Rage et mirage du corps féminin intact, que Flaubert dénonce dans une lettre à Louise Colet, le 13 mars 1854. Louise lui a écrit qu'Edma Roger des Genettes — qu'ils appellent la D., abréviation de « Diva » —, maîtresse de Louis Bouilhet, était sans doute une femme entretenue. Flaubert répond : « [...] Tu t'ébahis qu'on puisse boire avec plaisir où tant de lèvres se posent. C'est s'étonner que l'on se grise au restaurant. Est-ce qu'on pense, en humant le sauternes, à toutes les sales gueules qui se sont mises là un quart d'heure avant, et qui vont s'y remettre un quart d'heure après ? Où y a-t-il d'ailleurs une virginité quelconque ? Quelle est la femme, l'idée, le pays, l'océan que l'on puisse posséder à soi, pour soi, tout

seul ? Il y a toujours quelqu'un qui a passé avant vous sur cette
surface ou dans cette profondeur dont vous vous croyez le maître. Si
ce n'a été le corps, ç'a été l'ombre, l'image. Mille adultères rêvés
s'entrecroisent sous le baiser qui vous fait jouir. Je crois peu aux
pucelages physiques, mais aux moraux non. Et dans la vraie
acception du mot tout le monde est cocu — et archi-cocu. Le grand
mal après tout. »

Le corps féminin est une page blanche, une profondeur inerte, il
n'y a pas de sexualité féminine. Ce qui sexualise la femme est la
trace de l'homme sur elle. Une telle représentation, bien sûr, peut
se retourner entièrement. La femme alors n'est plus une page
blanche sans sexe. Au contraire, sa chair recèle une sexualité
débordante, agitée de pulsions débridées et de désirs incontrôlés.
C'est un abîme sans fond, une menace constante pour l'homme.

## L'ENNEMIE

Personne mieux que Dumas fils ou les frères Goncourt n'a
exprimé la panique que provoque chez l'homme l'appétit féminin.
Dumas fils écrit, dans sa préface à *l'Ami des femmes*, qu'il ne faut
pas l'émanciper mais « la rallier, la subordonner, l'incorporer à
l'homme [49] ». Il est urgent de neutraliser ce qu'elle représente :
« Nous coudoyons tous les jours des Peaux-Rouges à teint rose, des
négresses à mains blanches et potelées, véritables anthropophages
qui ne pouvant manger de l'homme cru se disposent et se préparent
à grignoter de l'homme vivant... à la sauce du mariage ou du
plaisir [50]. » Il affirme même qu'après les femmes, « il n'y a plus que
l'invasion des barbares, de l'étranger ou de la populace [51] ». Toutes
les marées qui, en déferlant, risquent de vous engloutir...

La femme est donc l'ennemie de l'homme. Ils sont pris tous deux
dans un rapport de forces où l'homme doit s'imposer, sans quoi il est
perdu. Il lui faut se méfier d'autant plus qu'elle a l'air inoffensif.
Lentement mais sûrement, s'il n'y prend garde, elle le détruira.
Cette vision d'apocalypse qui est celle de Dumas fils est parfaitement illustrée par un roman des Goncourt, *Manette Salomon*.
Manette est le modèle et la maîtresse du peintre Coriolis. Il le
séduit par sa soumission, sa docilité, son effacement. En apparence,
elle est « détachée de tout désir de domination [52] ». En réalité, elle

envahit progressivement l'univers du peintre, son intérieur et jusqu'à son cerveau. Telle l'araignée, elle tend sa toile et le paralyse peu à peu. Elle s'approprie son énergie virile, « ce qui se détache à la longue, dans l'amollissement du ménage, de la force de l'homme pour aller à la faiblesse de la femme [53] ».

Du jour où elle a un fils, elle devient redoutable. Il est vrai que c'est à la fois une femme du peuple et une juive, deux traits qui, pour les Goncourt, ne peuvent qu'aggraver son « écrasant despotisme [54] ». Manette impose au peintre son obsession de l'argent, le fait glisser de l'art au métier. Il finit par n'être plus qu'une coquille vidée de sa substance, elle l'a dévasté, comme il le dit à Anatole, son vieux compagnon : « Quand il y a un homme d'intelligence, il faut qu'il se trouve une femelle pour lui mettre la patte dessus, le déchirer, lui mordre le cœur, lui tuer ce qu'il a dedans, et puis encore ce qu'il y a là... — et il se toucha le front — enfin le manger [55] ! » Lorsqu'ils se marient, Coriolis réduit à l'état de somnambule, est un « homme décapité [56] ».

La femme est un vampire : « Elle a toujours besoin de sensations nouvelles pour se faire croire à elle-même qu'elle vit, car elle est plus morte que ce qu'elle a déjà fait mourir [57]. » Ce qu'elle a tué, déjà, c'est l'homme qui l'a aimée et qu'elle a trompé sans vergogne. Elle a vocation au mal, à la trahison, à l'immoralité. Dumas fils ne cesse de le répéter sur tous les tons. L'adultère n'est que le résultat de tous les vices féminins, « d'un idéal renversé, d'une dignité faible, d'une morale élastique, d'une imagination troublée par les mauvaises conversations, les mauvaises lectures et les mauvais exemples, de la curiosité de la sensation déguisée sous le nom de sentiment, de la soif du danger, du plaisir de la ruse, du besoin de la chute, du vertige d'en bas et de toutes les duplicités [58]... ».

Perversion absolue de la femme, du cœur comme du corps, qui s'épanouit dans l'adultère. L'homme, en revanche, n'apporte dans une liaison que son personnage mondain, « son tailleur, son cheval, la manière dont il met sa cravate, des regards de ténor de province, des serrements de main mécaniques, des phrases qui ont traîné partout [59]... ». Il est ridicule, certes, mais pas pervers. L'amant n'est pas glorieux, il a l'air d'un mannequin tout droit sorti d'une opérette. Ni son corps ni son cœur ne s'engagent dans ses aventures. La femme, elle, est toujours à la recherche de sensations et de sentiments nouveaux. L'homme, entre ses mains, est un terrain d'investigation pour sa curiosité malsaine.

Les Goncourt et Dumas fils ont le même fantasme de la femme

dévoreuse, mais il ne s'agit pas de la même femme. Pour les
Goncourt, toutes les femmes sont mauvaises à l'exception des
femmes du monde, qui, seules, sont véritablement civilisées. Une
éducation raffinée a tué chez elles la nature grossière, a transcendé
la sensualité. Dumas fils dénonce les femmes du monde, oisives,
coquettes, corrompues. Elles ont le temps de cultiver leur sensualité. Il faut se rappeler que les Goncourt ont la nostalgie des
aristocrates du xviiie siècle tandis que Dumas fils, fils naturel du
grand Dumas, a eu pour mère une ouvrière séduite et, sinon
abandonnée, du moins jamais épousée.

L'horreur pour la femme qui trompe est, chez Dumas fils, sans
limites. Dans le célèbre pamphlet de 1872 contre la femme adultère,
*l'Homme-Femme,* il crie au mari qui serait trompé, malgré l'attention et l'amour qu'il porte à sa femme : « Tue-la[60]. » Il ferait justice
pour tous les maris que détruit, par sa coquetterie et son infidélité,
la femme du monde. Étrange processus : elle a des amants, le mari
pleure, il prend à son tour une maîtresse, est obligé d'avaler des
aphrodisiaques et en meurt. Tout cela à cause d'une épouse
monstrueuse, qui dansera sur sa tombe et se remariera allégrement !
Les « femmes de foyer », qui devraient être épouses et mères, se
conduisent en réalité comme des « femmes de rue », des courtisanes.

# 2

# L'adultère

Thème inépuisable de romans, de vaudevilles ou de dessins humoristiques, l'adultère est difficile à appréhender dans la réalité. C'était en tout cas un sujet de conversation dans les dîners mondains, peut-être une manière de toucher sans danger à l'interdit et d'en jouir quand même. Mme Decori écrit, dans son *Journal* du 3 novembre 1902, après un dîner chez elle (au nombre des convives, l'écrivain Alfred Capus et l'homme politique Louis Barthou) : « On a beaucoup parlé adultère, droit de vengeance, pistolet. Je ne sache pas qu'on ait parlé d'amour ! » Mme Aubernon, l'un des modèles de Mme Verdurin, donnait traditionnellement des dîners de douze personnes, auxquelles le sujet de conversation était annoncé à l'avance. Mais les convives ne prenaient pas toujours au sérieux ces causeries. Sans doute n'appréciaient-ils pas que la maîtresse de maison leur imposât un sujet et les rappelât à l'ordre en agitant une clochette lorsqu'ils ne parlaient pas à leur tour. Toujours est-il qu'à la question : « Que pensez-vous de l'adultère ? », le jour où le thème avait été choisi, Laure Baignères, une autre mondaine, répondit : « Je m'excuse, je ne m'étais préparée que pour l'inceste [1]. »

Si on en parle volontiers en public et pour dire des généralités, l'adultère n'est pas un sujet sur lequel on apporte facilement un témoignage personnel. Les dames qui m'ont entretenue de leur mode de vie au début de ce siècle, de leurs rapports avec leurs parents ou leurs enfants, se sont montrées beaucoup plus discrètes sur leurs relations conjugales. Elles citent leurs maris à propos de telle ou telle activité qu'ils avaient en commun, mais ne prennent pas la parole sur eux. Elles ne les jugent pas. Lorsqu'elles évoquent l'entente ou la mésentente d'un couple, il s'agit du couple parental, pas du leur. Une seule, veuve d'officier, reconnaît s'être toujours sentie éloignée de son mari, autoritaire et conventionnel. Mais le lendemain de notre entretien, prise de remords comme si elle l'avait trahi, elle m'a téléphoné pour le justifier et préciser qu'elle l'a beaucoup admiré. Deux m'ont dit, avec un sourire malicieux, que leur mari avait été très jaloux, ont ajouté qu'elles avaient été très jolies et courtisées. Le sourire qui accompagnait cet aveu servait à masquer l'impudeur innocente. Et, comme si elles en avaient déjà trop dit, elles se sont arrêtées là.

Comment imaginer alors qu'elles auraient pu mentionner des liaisons extraconjugales ? Elles ne les cachent d'ailleurs pas forcément. Peut-être, si elles en ont eu, les ont-elles simplement oubliées. Lorsqu'il m'est arrivé, dans les premiers entretiens, de poser naïvement la question, on m'a répondu : « Oui, on en parlait, il y avait les romans, mais cela ne se pratiquait pas dans nos milieux [intellectuels rive gauche]. Ailleurs, oui, sans doute... » L'une d'elles a fait une remarque intéressante : l'adultère, m'a-t-elle dit, était une affaire de classe. Il n'y en avait pas tellement dans la moyenne bourgeoisie qu'elle fréquentait (son mari était officier), car il fallait avoir des occasions de mondanité.

## L'ADULTÈRE ET LA LOI

L'adultère ne peut être dénoncé que par le conjoint du coupable. S'il préfère se taire, l'adultère le plus notoire reste impuni. L'adultère d'un des deux époux est pour l'autre un motif de divorce et de séparation de corps. Voici la procédure à suivre dans le cas d'une poursuite en adultère :

— L'époux trompé dépose sa plainte au parquet, en indiquant les lieux où se rencontrent les coupables ;

— Une première enquête vérifie ses dires ;

— Le cas échéant, un officier de police, accompagné du plaignant et de deux témoins, va surprendre les délinquants ;

— D'autres fois, l'époux trompé fait constater l'adultère par des témoins qui se prêtent complaisamment à la chose. Les domestiques attachés à la maison peuvent déposer ;

— Le procès a lieu devant le tribunal correctionnel.

## 1. *Le constat*

« Deux êtres, de sexe différent, enfermés dans une chambre à un seul lit suffit pour constituer le délit d'adultère », rappelle la *Gazette des tribunaux,* dans sa « chronique » du 3 septembre 1890. On juge un homme de soixante-cinq ans qui vit avec une veuve de cinquante ans. Il dit qu'elle est sa garde-malade, qu'elle dort la nuit dans le fauteuil et le jour dans l'unique lit. Mais ce lit unique est la preuve *légale* du délit. Qu'il y ait dans la pièce un lit unique et qu'on y trouve un monsieur seul ne prouve pas qu'il soit innocent. La *Gazette...* du 13 septembre 1885 raconte que le commissaire chargé du constat ne s'y est pas laissé prendre. Il a remarqué que l'empreinte de deux corps était encore chaude. Le complice ose affirmer que l'autre empreinte est celle de son chien ! Inversement, s'il y a deux lits dans la chambre et que les accusés prétendent n'avoir jamais eu de relations coupables, il n'est pas question d'abandonner l'affaire : « Habilement interrogés ils ont fini par avouer et ont été envoyés au Dépôt. » (*Gazette...* 22 août 1885).

Les constats d'adultère donnent parfois lieu à des scènes amusantes, comme celle-ci, rapportée par la *Gazette...* du 12 octobre 1890 : un négociant du quartier Saint-Vincent-de-Paul cherche à faire constater l'infidélité de sa femme qui, huit jours après leur mariage, l'a quitté pour aller vivre avec son amant. Le commissaire se présente à 11 h 30 du soir. Mme N. joue aux échecs avec un jeune homme. Elle le prie de revenir un quart d'heure plus tard afin de constater le flagrant délit et s'excuse de ce contretemps ! Un quart d'heure plus tard, le commissaire peut dresser le procès-verbal du flagrant délit dans la chambre à coucher. Quelquefois, les amants sont moins coopérants et refusent d'ouvrir. On fait alors appel aux serruriers. Mais si les serruriers ne sont pas encore levés ? On enfonce la porte, tout simplement (*Gazette...*, 24 septembre 1880).

Il est des constats tragiques, comme celui que relate le journal *la Femme de l'avenir,* le 1er juin 1898, à la rubrique « les Suicidées de la quinzaine ». Mme Mathilde G., trente-huit ans, a quitté son mari pour aller vivre avec son amant âgé de quarante-six ans. Elle a emmené avec elle sa fille de dix-huit ans. M. G. fait établir un constat d'adultère, mais Mme G., prévenue, s'est couchée dans le lit de sa fille tandis que celle-ci la remplace dans le lit de son amant. Résultat : l'amant et la jeune fille s'enfuient ensemble. Mme G., désespérée, se tire un coup de revolver dans la tête, elle est dans un état très grave.

## 2. *Les témoins*

L'affaire racontée dans la *Gazette*... du 8 septembre 1880 donne une idée des témoignages que peut recueillir un époux trompé. Un garçon d'hôtel vient témoigner que l'accusée, Mme Aubertin, et son complice ont prétendu être mari et femme dans l'hôtel où ils se sont réfugiés après la scène de coups et blessures sur la personne du mari. Un employé de commerce qui habite l'immeuble du plaignant déclare « avoir vu à travers des carreaux dépolis du magasin de modes (côté de la cour) des scènes entre Mme Aubertin et Hupel, ne pouvant laisser aucun doute sur la nature de leurs relations ». Un autre locataire de la maison dépose également : « S'il me fallait raconter les choses que j'ai vues, ce serait à faire rougir l'assemblée ; des choses qui ne se font que par les filles publiques. Nous voyions tout cela de notre magasin qui est en face ; ça se passait sur un canapé. »

## 3. *Inégalité de l'homme et de la femme devant la loi*

— L'adultère de l'épouse est puni dans tous les cas. Celui de l'époux ne l'est que s'il se complique d'une circonstance aggravante, l'entretien d'une concubine au domicile conjugal. On entend par « domicile conjugal » tous appartements, résidences, locaux qui servent au ménage, comme l'appartement que le mari loue sous un faux nom. Or la preuve sur ce point est difficile à apporter : « C'est une véritable misère pour les femmes trompées que de prouver que leur mari a un domicile et que ce domicile est le domicile conjugal », écrit le chroniqueur de la *Gazette*... (11-12 octobre 1880). En effet, les hommes amoureux ont recours à toutes les ruses : ils mettent leur logement au nom de leur concubine, d'un ami, d'un parent. Le journaliste cite l'exemple d'une femme abandonnée avec trois enfants. Son mari ne lui donne pas un sou, il vit avec une autre femme, chez la mère de cette femme, disent-ils.

— Comme preuve de l'adultère, on accepte la correspondance

amoureuse de l'épouse interceptée par le mari, pas celle du mari interceptée par la femme.

— L'épouse est passible d'un emprisonnement de trois mois à deux ans, le mari seulement d'une amende, de 100 à 2 000 francs.

— L'époux peut arrêter l'effet de la condamnation prononcée contre sa femme, en consentant à la reprendre. Elle ne jouit pas du même pouvoir de grâce.

— Selon le fameux « article rouge » (article 324 du Code pénal), le meurtre de la femme adultère et de son complice par l'époux est légalement excusable, s'il les prend en flagrant délit dans la maison conjugale. La femme qui tuerait dans les mêmes conditions ne serait pas excusable légalement.

## 4. *Les condamnations*

En 1880, les peines de prison sont effectives, d'après les comptes rendus de la *Gazette...*, de quinze jours à quatre mois pour la femme adultère — et, pour celle qui a été condamnée à quinze jours, le journaliste précise : « Elle n'a été condamnée qu'à quinze jours », ce qui montre bien que ce n'est pas la norme —, autant pour l'amant, qui, en plus, doit payer une amende, de 100 francs en général. Quand il s'agit d'un mari poursuivi pour adultère, il se voit infliger une amende de 200 francs, ainsi que sa maîtresse. Dix ans plus tard, la peine de prison infligée à la femme adultère s'élève au maximum à quinze jours. Vers 1910, la peine est rarement appliquée, on admet souvent les circonstances atténuantes, et l'on se contente d'une amende de 25 francs ou de 16 francs. Un juriste ajoute avec humour : « Un spirituel jugement du président Magnaud en fixa même le taux à 1 franc. C'est pour rien[2]. »

De 1895 à 1910 s'est développé un important mouvement en faveur de la suppression de toute sanction pénale de l'adultère. M. Violette a déposé un rapport sur une proposition de loi de Paul Meunier, et la question fait l'objet d'un débat en 1911 à la Chambre et au Sénat. Parmi les défenseurs du projet, les frères Paul et Victor Margueritte. La peine de l'amende doit disparaître du Code pénal : « A tarifer ainsi l'honneur, on le déshonore », écrit Victor Margueritte dans *le Journal* du 15 février 1911. Puisque le divorce est un remède à l'adultère et non une sanction, au vrai sens du mot, la solution est peut-être d'établir une sanction civile[3]. Mais aucune loi n'est votée.

Il y a eu, en revanche, une modification de la législation en ce qui concerne le remariage adultérin. Selon l'article 298 du Code civil, dans le cas de divorce admis en justice pour cause d'adultère, l'époux coupable ne pouvait pas se marier avec son complice. Cet article a été abrogé par la loi du 5 décembre 1904. Il avait sans doute pour but de prévenir les abus. Mais, dans la mesure où les procès en adultère sont de plus en plus utilisés à des fins de divorce, le nombre des gens qui se trouvaient dans une situation insoluble légalement allait croissant. En 1889, Claire Vautier a publié un roman sur ce sujet : *Adultère et Divorce*. L'héroïne est mariée contre son gré à un homme dépravé, qui lui impose des hommes au domicile conjugal. Le mari part pour la Russie, elle tombe amoureuse d'un artiste et trouve avec lui le bonheur. Mais, à son retour, le mari fait établir un constat d'adultère, ce qui interdit pour jamais à la jeune femme d'épouser l'homme qu'elle aime.

## LES COMPTES RENDUS
### DE LA *GAZETTE DES TRIBUNAUX*
#### ET LES FAITS DIVERS

Les chroniques de la *Gazette...*, qui rendent compte des procès en adultère, se lisent comme des romans. Le rédacteur évoque de manière vivante les constats d'adultère, les scènes de coups et blessures. Il les truffe de commentaires personnels et brosse souvent avec humour le portrait des personnes en présence, des femmes surtout. Le 29 septembre 1880 comparaît Mme Bouchet, petite femme d'une trentaine d'années, « qui serait assez gentille sans un nez retroussé suffisamment pour qu'il puisse pleuvoir dedans ; avec cela, la voix brève et l'air d'une petite personne à qui il est difficile d'imposer des volontés. Elle est coquettement vêtue : chapeau noir très chic, robe noire dans laquelle elle est sanglée... » Le journaliste donne son sentiment sur la conduite des prévenues : « Mme Lemoine, écrit-il le 10 novembre 1880, est une jeune blonde dont assurément il ne faudrait pas exagérer la vertu. Il semble bien qu'elle a eu pour époux un homme terrible, jaloux, brutal même, mais il y a une chose qu'on pourra toujours lui dire quand elle voudra tirer vanité de ses mérites, c'est qu'elle en a tout de même joliment pris à son aise avec son mari ! » Ou encore, le 26 septembre

1890 : « L'amour est comme les pommes de terre ; il y a sept ou huit manières de l'assaisonner. Mme Hennequet, traduite aujourd'hui en police correctionnelle, pour adultère, ne démentira pas l'auteur de cette réflexion ; la dame paraît l'avoir accommodé à toutes les sauces, si l'on en croit son mari. » Enfin, il ajoute parfois des remarques piquantes sur les mœurs : « Privilège de la jeunesse et de la beauté ! Qu'une femme mariée traduite en police correctionnelle pour adultère et l'amant à qui elle a donné son cœur possèdent ces deux trésors inestimables, ils trouveront des sympathies dans l'auditoire : les hommes, en voyant la jolie pécheresse, excuseront absolument le pécheur et se diront même : j'en ferais bien autant que lui. Les femmes n'iront pas jusque-là, mais les plus sensibles comprendront la faiblesse de la jolie femme pour le joli garçon et il restera toujours cet argument qu'après tout c'est de leur âge. » Mais, dit-il, si, comme c'est le cas ce jour-là (13 septembre 1885), la femme adultère a quarante ans, est « jaune et sèche », si l'amant en a cinquante, est « chauve et ventru », tout change : « On les blaguera, alors qu'on devrait, au contraire, admirer leur courage, d'autant plus que, comme pénalité, c'est le même prix. »

Ces chroniques, pour intéressantes qu'elles soient, ne sont pas représentatives de l'adultère bourgeois. Souvent, la profession des prévenus n'est pas précisée. Lorsqu'elle l'est, on constate qu'il y a fort peu de bourgeois. Sont en cause des petits commerçants dont la femme travaille, des journaliers, des domestiques, etc. L'adultère chez les bourgeois mène donc peu à l'affrontement en correctionnelle. Est-ce par souci de discrétion ? Parce qu'il y a, à l'intérieur des couples, des arrangements à l'amiable ?

Au hasard des scandales mondains et des faits divers apparaissent çà et là des affaires d'adultère bourgeois. On lit, par exemple, dans la revue *la Grande Dame* en août 1893, à la rubrique « Lettre parisienne », le potin suivant : « Tu as su l'aventure du directeur de *la Revue des deux mondes*. Avoir des maîtresses, lorsqu'on est marié, cela arrive aux gens réputés les plus austères, et je suis heureuse de remarquer que le cas est beaucoup plus fréquent dans le monde de la bourgeoisie que dans le nôtre [le chroniqueur prétend parler en femme de l'aristocratie ; l'adultère, nous l'avons dit plus haut, est toujours ailleurs]. Mais on a le soin de choisir, au moins, de ne pas donner dans le vice bas et malpropre, de ne pas jeter au vent des passions ordurières une fortune laborieusement acquise par ses parents, et surtout de ne pas employer à de pareils usages l'argent de sa femme. Songe que Mme Buloz en a été réduite à prendre un petit appartement. Qui aurait pu penser cela du rigide directeur de *la Revue ?* »

Les drames révèlent des adultères. L'assassinat de Gaston Calmette par Mme Caillaux, en mars 1914, met en lumière l'attachement que lui portaient d'autres femmes. Henry Bordeaux, dans ses *Mémoires,* écrit : « Il paraît que Marcel B. ne se serait douté de sa disgrâce conjugale qu'au désespoir de sa femme devant le cadavre de Calmette[4]. » L'incendie du Bazar de la Charité, en 1897, trahit, lui aussi, des attachements illégitimes, soit que deux hommes cherchent une morte aimée en commun, soit que le mari cherche en vain une épouse qui était ailleurs... Henry Bordeaux raconte sa visite aux corps brûlés en compagnie du journaliste Jules Huret : « Huret me signale le mari et l'amant, connus de tout Paris, à la recherche de la malheureuse victime[5]. » A l'inverse, certaine dame qui aurait dû tenir un comptoir en cet après-midi tragique s'adonnait à des activités coupables ailleurs. La philanthropie semble un alibi irréfutable, jusqu'au jour où vous rentrez chez vous tranquillement sans savoir à quel danger vous avez échappé. Votre mari ne vous voyant pas revenir vous a cherchée en vain parmi les décombres. Cette anecdote réelle a servi de thème à une nouvelle de Paul Morand, *l'Incendie du Bazar de la Charité*[6].

A l'occasion de la mort d'un être, le voile qui recouvrait sa double vie se déchire parfois. Nadar intitule « le Secret professionnel » un chapitre de ses souvenirs. Il avait été appelé au chevet d'un homme de trente-cinq ans qui venait de mourir, pour prendre les dernières photos. Le lendemain, une dame en noir passe au laboratoire chercher les épreuves, elle semble éperdue de douleur. Une heure après arrivent deux femmes, l'épouse et sa mère... il est trop tard, il comprend que la précédente était la maîtresse à qui il n'aurait pas dû remettre les photos. Il n'a pas le courage de mentir mais regrette le mal qu'il fait : « Tout un monde de souvenirs chers, tout un passé de jeunesse, d'amour, de confiance, effondré : au lieu de la douceur amère mais attendrie au souvenir des beaux jours écoulés côte à côte avec l'être aimé, l'inexorable ressentiment, l'indignation de l'épouse trahie, outragée[7]... »

La réalité est parfois plus romanesque que la fiction. Ainsi cette histoire vraie que relate Henry Bordeaux, dont il a été le témoin, uniquement parce qu'il habitait l'appartement où se rencontraient autrefois les amants. En 1894, il s'installe boulevard Saint-Germain. Les lieux, avant lui, étaient loués par « un jeune homme fort élégant qui recevait sa maîtresse parmi les fleurs et les plantes vertes dont je

le vis encombré à la première visite [8] ». La femme venait fréquem-
ment, puis cessa. Le jeune homme attendit, se décida enfin à donner
son congé. Un an plus tard, Bordeaux le reconnaît à un mariage
auquel il est convié, dans la personne du marié. Le soir même de la
cérémonie, on sonne chez l'écrivain, c'est une dame en noir, avec
une voilette, qui éclate en sanglots. L'ancienne maîtresse revient sur
les traces de son bonheur enfui. Elle explique : son mari a eu une
attaque, elle n'a plus voulu le laisser ni le tromper. Mais elle aime
toujours son amant et souffre de l'avoir vu se marier. Bordeaux en a
fait le sujet d'une nouvelle. On n'est pas romancier pour rien !

## LE JOURNAL DE MAGDELEINE DECORI

Déposé au département des manuscrits de la Bibliothèque
nationale, c'est un témoignage personnel précieux. Épouse de
l'avocat Félix Decori, Magdeleine fut la maîtresse de Raymond
Poincaré. Son *Journal* est intéressant parce qu'elle y évoque ses
désillusions amoureuses, ses sentiments et ressentiments vis-à-vis de
son mari, son goût pour la séduction.

Dans les années 1890-1895, Raymond Poincaré, Félix Decori,
Maurice Bernard appartiennent à une bande d'amis surnommée « la
Bombe ». Decori et Bernard se marient. A ces deux jeunes
ménages se joignent d'autres couples, les Jacquemaire, les Lafond
(les deux messieurs sont avocats également), les Chateau. On dîne
ensemble tous les mois. Un autre célibataire entre dans le groupe,
Gérald Nobel. On décide alors que chaque ménage recevra les
autres tour à tour. Poincaré et Nobel recevront ensemble. Poincaré
ne se marie qu'en 1904, avec une Italienne divorcée d'un premier
mari, puis veuve d'un second, Mme Benucci-Bazire. Il l'a rencontrée au cours d'une croisière en 1901. (Est-ce cette croisière que
Mme Decori appelle la « croisière de la peste » ?)

Je ne sais quand Magdeleine Decori est devenue la maîtresse de
Poincaré — elle le nomme Sadinet : diminutif de Sade ? —, ni
combien de temps a duré leur liaison, mais il est certain qu'en 1902,
ils avaient rompu. Le 22 octobre, elle écrit :

« Sadinet vient de revenir, il n'avait pas été reçu seul ici depuis le
11 janvier. Si je compte bien, cela fait neuf mois... une gestation.

« Il est revenu vieilli, tassé, grossi ; il est arrivé exactement, [...] il a paru ému des changements de la maison, la cuisinière, la place des meubles. Ces bouleversements sont peu de chose à côté des changements de mon cœur... »

Elle ajoute qu'elle n'a plus de haine pour lui. Il essaie de se disculper, elle lui dit qu'il est inutile de mentir. Les deux anciens amants organisent leur nouvelle existence : « Il m'a promis d'être correct d'apparence, de continuer les dîners, les soirées, les sorties ensemble. »

### 1. *Les affres de l'adultère*

Dans les pages du *Journal* qui précèdent le retour de Poincaré, datées plus vaguement « octobre 1902 », elle établit le bilan d'une liaison. Elle explique longuement et plutôt amèrement le danger qu'il y a, pour une femme honnête, à se laisser séduire. Si elle raisonnait, elle ne prendrait jamais d'amant, car l'adultère procure moins de bonheur que d'angoisse. L'angoisse naît de la dissimulation, qui se révèle nécessaire, des choses les plus simples, et de la jalousie que l'on éprouve à rencontrer son amant dans le monde. Il doit se consacrer à d'autres femmes, on le sent fort peu à soi et on est frustrée : « Un sourire échangé, à peine un serrement de main, si l'amant est tendre et s'il ne se fait pas désirer ; [un mot illisible], si c'est un artiste, un Don Juan, un Sade, il saura parler à toutes les femmes, il aura le mot complimenteur, l'air satisfait, indifférent et quand il quittera le salon [...], oubliant la promesse faite du départ simultané, la pauvre amante n'aura qu'à tâcher de dissimuler sa figure ravagée par le chagrin, d'une soirée passée si près et si loin de lui ! »

Le grand danger de l'adultère réside surtout dans la correspondance. Une femme, surtout si elle aime écrire, a tôt fait de laisser investir son intimité par l'attente des lettres de son amant et les réponses qu'elle lui adresse. Elle se met à vivre dans un état d'excitation nerveuse qui la tue à petit feu. Ce long développement traduit manifestement une expérience vécue qui a été douloureuse. Mme Decori se reproche d'être si sensible aux lettres : « [...] celui-là écrit de telles lettres et spirituelles et nourrissantes... et qui m'émeuvent et que je devrais abhorrer » (3 novembre 1902). Elle donne un conseil à une femme amoureuse : « Si elle ne veut pas se laisser trop dominer, si elle veut réagir, lutter, *exister* en dehors de son amant, qu'elle multiplie les correspondances étrangères, qu'elle force son esprit à se plier pour écrire à d'autres, qu'elle s'oblige à être spirituelle surtout pour ceux qu'elle n'aime pas... »

## 2. *La coquetterie salvatrice*

Pour oublier la rupture avec Poincaré, elle s'est jetée dans une entreprise de séduction généralisée, comme elle l'écrit le 22 juin 1903 : « Je suis devenue féroce de coquetterie et les hommes se prennent au piège avec une facilité qui n'en diminue pas le charme. Pour me prouver que je méritais autre chose que tout ce que j'ai eu, je me suis amusée depuis plus d'un an à " harponner les cœurs " pour le plaisir. » Elle a essayé de plaire de façon systématique et acharnée : « Si j'avais le temps, si Denyse [sa fille] ne sortait pas à midi, ce qui m'empêche de recevoir les visites que je désire, j'aurais au moins trois fois par semaine un ami, un camarade, un simple parleur. Beaucoup viennent m'écouter — que le mépris de Félix ne les décourage pas —, autant viennent se raconter à moi. Et dans ces joutes de mots, je deviens bavarde avec rage, heureuse de savoir — enfin — que je n'*ennuie* pas tout le monde. »

C'est à son mari qu'elle en veut. Elle l'accuse de ne pas avoir jusque-là reconnu ses mérites. Elle est ravie de l'avoir, comme les autres, pris au piège de la séduction : « Mon gros ennuyé de mari, le roi de mes ennuyés, a fini par subir le sort commun. Il ne me trouve pas d'esprit et il ne m'en trouvera jamais. Mauvaise volonté d'une part, manque de renseignements d'autre part. Mais il est arrivé à me trouver désirable et à me le dire. Les désirs incessants dont je suis entourée ont fini par lui ouvrir les yeux, ou par lui faire comprendre que les miens allaient s'ouvrir [...] Il prend donc au sérieux son rôle de courtisan [...] s'intéresse à mes maladies, me raille moins de ne pas dormir, approuve mes robes... » Elle ajoute avec humour : « L'heure que j'ai passée, hier dimanche, près de lui après le déjeuner, dans un demi-sommeil qu'il respectait en ouvrant délicatement son journal, m'a amusée comme une gravure grivoise du xviii<sup>e</sup> siècle : *le Mari et l'Ottomane*, virelai... »

Elle a flirté avec Porto-Riche qu'elle a rencontré dans un salon. Quant aux visites masculines qu'elle reçoit chez elle, elle est obligée de les limiter à cause de sa fille : « Je suis ennuyée qu'elle voie tant de gens venir me voir. En hiver je dissimule mieux. Elle rentre à 5 heures et ignore la plupart du temps si j'ai reçu des gens. Ma chambre près de la sienne est mauvaise pour cela » (8 juillet). Elle supporte mal le regard de sa fille sur sa vie privée et ses relations personnelles. Mais si elle parle de son malaise, elle ne dit pas clairement qu'elle a peur d'être jugée par Denyse. Elle met en avant une raison pédagogique, sans doute pas fausse mais à coup sûr incomplète : « Ce n'est pas une enfant qui trouve naturel de travailler à heure fixe, si je reçois elle pense qu'elle est en vacances... »

### 3. *L'épouse trompée :*
*soulagement ou amertume ?*

Le 4 novembre 1903, elle croit être une fois de plus trompée : « Il y a certainement quelque chose de pas net dans la vie de Félix, il va au théâtre sans moi et part après le premier acte, il est vu causant avec une mystérieuse femme brune dans des couloirs de théâtre, il descend fumer un cigare et reste trois heures sorti, etc., etc., il prend des soins spéciaux de sa " valuable " personne. » Et elle essaie d'analyser la « sorte d'apaisement, de repos » qu'elle ressent, différente de ce qu'elle ressentait autrefois : « Encore que je me trouve fort libre de ne point être amoureuse de mon mari, j'éprouve un sentiment bizarre qui est de la famille du remords. Quand je crains qu'il ne soit pas heureux par moi, si je peux me dire, en toute sécurité, qu'une autre le satisfait et lui donne ce que je ne peux plus lui donner spontanément je me sentirai très allégée. »

On peut parfaitement comprendre que, dispensée du devoir de rendre heureux un époux qu'elle n'aime plus, elle éprouve du soulagement. Mais ce qui suit semble paradoxal : « Il accepte mes scènes. Autrefois il suffisait que je lui parusse deviner quelque chose pour qu'il m'injuriât. » Elle lui fait des scènes de jalousie quand même : est-ce pour le principe ? Parce que cela fait partie des rites conjugaux ? Aucune explication n'est donnée, elle insiste au contraire sur son indifférence : « Quant à moi je connais l'âge heureux de la liberté. Je ne fais que ce qui me plaît, je n'obéis à personne et les gestes de personne ne peuvent influer sur mon cœur. Je ne sais plus ce que c'est que d'épier un sourire, de soupirer après un mot d'amour, d'attendre une lettre ou de déplorer de n'être pas comme telle ou telle. » Dans ces conditions, pourquoi les scènes ?

C'est en termes beaucoup plus amers qu'elle parle, six ans plus tard, des trahisons de son mari : « Il m'a mieux que trompée, il a

oublié pendant des années que j'existais ; il a oublié que j'avais un
corps à soigner — de diverses façons. Comme il a oublié que j'avais
un cœur, une âme, une vanité de femme. Il m'a ignorée et
aujourd'hui par une sorte de pénétration, de divination inconsciente, il s'occupe de moi, me fait des compliments, m'entoure, me
désire, non parce qu'il s'est rendu compte que j'étais un être rare ou
précieux pour beaucoup, mais parce qu'il sent malgré tout que le
dédain, l'indifférence sont choses qui ne me touchent plus. »
(16 janvier 1909). Elle a le cœur usé. Alors qu'en 1903, elle
s'amusait des retours de flamme de son époux, de ses efforts pour la
séduire à nouveau, elle paraît ici murée dans son ressentiment et
n'est pas prête à se laisser reconquérir. La suite du *Journal* n'en dit
pas plus.

### REPRÉSENTATIONS LITTÉRAIRES

Mettre en scène l'adultère est la chose la plus banale qui soit. Le
vaudeville en a tiré des situations comiques, de Labiche à Sacha
Guitry. Marcel Prévost et Paul Bourget en ont fait un mode
d'exploration du cœur des femmes, un sujet d'études psychologi-
ques. D'autres comme Alexandre Dumas fils en ont profité pour
lancer contre les femmes des anathèmes : haro sur ces créatures
porteuses de tous les vices ! Le ton est bien différent, de la farce au
moralisme en passant par le libertinage. Mais que l'auteur fasse rire
ou pleurer, qu'il soit léger ou sentencieux, la représentation de
l'adultère au théâtre ou dans les romans pose toujours les mêmes
questions sur la nature des femmes — innocentes ou perverses ?
victimes ou traîtresses ? —, le désir et la culpabilité, la sexualité et la
morale.

Les auteurs de vaudevilles, tout comme Paul Bourget, partent du
postulat : il n'y a pas mariage sans adultère. L'adultère est, dans la
fiction, une situation de fait. Et la fiction pousse à se demander :
qu'en était-il dans la réalité ? Les adultères étaient-ils aussi importants que le laisse entendre la littérature ? La question restera sans
réponse. Une chose est sûre, en revanche : qu'elles aient ou non
vécu l'adultère, les femmes ne pouvaient pas échapper aux images
d'elles-mêmes que véhiculait la fiction. Quoi qu'elles aient *fait*, elles
avaient à se situer par rapport à la longue théorie de femmes

fautives, souillées, inquiétantes parce qu'elles ont trahi mari, enfants et loi morale pour se donner à un amant. Une fois franchies les limites de l'interdit, où s'arrête-t-on ? Épouses vertueuses ou adultères, elles sont contraintes de s'évaluer à l'aune des héroïnes de fiction, en s'identifiant à elles ou en les refusant. Même si elles n'ont pas lu Balzac ou Flaubert, Mme de Mortsauf et Mme Bovary sont toujours à l'horizon.

## 1. *L'adultère bien tempéré*

Une chanson d'Yvette Guilbert l'a consacré, *les Boudin et les Bouton.* Deux amis, Boudin et Bouton, épousent deux amies, compagnes d'études au Sacré-Cœur. Les deux couples ne se quittent plus, ils font des « parties carrées » — l'expression n'a pas à l'époque le sens licencieux qu'elle a pris depuis —, on ne les invite pas les uns sans les autres. Ils deviennent tellement intimes que :

> *M. Boudin faisait avec Mme Bouton*
> *Ce que M. Bouton faisait avec Mme Boudin.*

Les deux dames ont le bon esprit de donner en même temps le jour à des enfants. Le petit Boudin ressemble à M. Bouton, le petit Bouton à M. Boudin. Tout cela dans la meilleure entente du monde.

Cet adultère « popote » est le sujet du vaudeville de Labiche, *Célimare le bien-aimé.* Célimare, à quarante-sept ans, épouse Emma Colombot, qui en a dix-huit. Avant le mariage, il brûle sa correspondance sentimentale et, à cette occasion, évoque ses anciennes maîtresses. Ninette Bocardon fut la dernière :

« C'est une femme qui avait de jolis détails ! D'abord elle avait un mari... J'ai toujours aimé les femmes mariées... Une femme qui a un mari... un ménage... cela vous fait un intérieur... et puis c'est rangé, et c'est honnête... et il est si difficile aujourd'hui d'avoir pour maîtresse une femme complètement honnête !

« Quant à la dépense [...] rien du tout !

« Par exemple, il y a le mari... une espèce de gêneur qui s'éprend pour vous d'une amitié furieuse... qui vous raconte ses affaires, vous demande conseil, vous charge de ses commissions... ça, c'est le revers ; moi, j'ai toujours soigné le mari... c'est mon système[9]. »

Avant Ninette, Célimare a connu cinq ans de passion avec Héloïse Vernouillet. Il se rappelle... le mari, bien entendu : « Je le mettais dans du coton... je faisais ses courses le matin... le soir sa partie de dominos. Tous les jours à 4 heures, j'allais le prendre à son bureau... Un jour, il eut mal aux reins... et... non... je l'ai frictionné... Seulement... elle me savait gré de ces petites attentions... un regard bien senti venait me payer de tous mes sacrifices [10]. » La suite de ces deux aventures est logique : Bocardon et Vernouillet assiègent Célimare parce qu'ils s'ennuient de lui. Ils le poursuivent jusqu'à la campagne où il s'est retiré avec sa jeune épouse. Il ne parvient à s'en débarrasser qu'en leur demandant de l'argent et décide, s'il a un fils, de le mettre en garde contre les maris collants : « Jeune homme, ne faites jamais la cour à une femme mariée [11] ! »

Si le vaudeville connaît tant de succès, c'est que son mécanisme est très habile. Il réalise, d'une part, un désir de liberté sexuelle qui est celui de chacun. Il transforme, d'autre part, une situation imaginaire en situation réelle, la banalise, la fait se couler dans le cadre du quotidien. En l'effectuant ainsi, il annule ce que les débordements de la passion et de la sensualité peuvent avoir d'inquiétant. Les liaisons extraconjugales sont, comme la vie conjugale, réduites à des habitudes et à des manies. Elles sont ridiculisées et dévaluées. Le vaudeville permet de se défouler. On vient voir à deux ses rêves mis en scène, on en rit ensemble, on les exorcise, et le tour est joué.

Rien, dans ces adultères, des passions ravageuses qui détruisent les couples, provoquent la souffrance, sont le ferment de tragédies. Au contraire, l'adultère garantit la paix des ménages. Les femmes sont par nature portées à la duplicité, leur tendance au mensonge et à la tromperie trouve là un terrain d'application sans danger. Elles se défoulent — « le coup de téléphone à double entente... les mots entre deux portes... les rendez-vous dans les taxis et tous les mensonges du monde... » — sans porter atteinte à l'ordre des choses et chacun des protagonistes est satisfait. L'amant a une liaison assurée, le mari est tranquille entre sa femme et son ami. L'épouse est doublement gardée, par son mari et son amant. L'amant, comme le mari, se montre possessif et jaloux. Dans *le Mari, la femme et l'amant,* de Sacha Guitry, Jacques Ménard fait une scène à Janine Audoin, sa maîtresse, parce qu'il la juge trop décolletée. Janine lui rappelle qu'au temps où il lui faisait la cour, il lui avait demandé de se décolleter.

« Tiens, pardi ! réplique Jacques, je voulais savoir comment vous étiez.

— Tandis que maintenant vous le savez...

— Et je préfère que les autres ne le sachent pas[12]. »

Le ménage à trois est le meilleur garant de la moralité. Rien de plus éloigné du vice, c'est-à-dire de l'irruption de la chair et du désir. C'est une forme de bonne gestion du sexe. Les hommes le savent, qui cherchent dans une maîtresse mariée le confort, l'honnêteté et... la santé. C'est ce que confie au médecin le héros des *Avariés,* une pièce d'Eugène Brieux. L'une des précautions qu'il a prises pour éviter la syphilis était d'avoir pour maîtresse l'épouse de son meilleur ami. Il l'avait choisie parce qu'il le savait « de mœurs pures et rigides, jaloux, surveillant sa femme[13] ». Entre un mari et un amant tous deux vigilants, il était impossible qu'elle eût d'autres liaisons. Mais l'ami est mort, et avec lui l'adultère. Plus d'époux garaien de la vertu de cette femme, à qui se fier désormais ? L'amant, dans ce cas de figure, n'est autre que le « second mari ». C'est le titre d'une des *Nouvelles Lettres de femmes* de Marcel Prévost. Mme Lemercier, qui a pour amant le meilleur ami de son mari, s'étonne : elle n'arrive pas à se sentir adultère. « Il me semble même, écrit-elle, que j'apprécie mieux Jules [son mari] aujourd'hui. » Si elle éprouve des remords, ce n'est pas parce qu'elle aime André, son amant, mais parce qu'elle trompe son mari par des mensonges nécessaires : « Mon rêve absurde [...] serait de tout avouer à l'homme excellent que nous aimons tous les deux, André et moi. Mais comment lui persuader que sa femme lui appartient autant et plus qu'avant ? »

Il s'en faut d'ailleurs de très peu que l'amant ne devienne réellement le second mari. Il s'en faut seulement d'une révélation. La seule loi du vaudeville est que la liaison de l'époux ou de l'épouse ne soit pas avouée. Toutes les précautions doivent être prises pour que soient respectés les apparences et le pacte du silence. Si ce pacte est rompu, on songe à changer les données. Dans *Faisons un rêve,* Lui — l'amant, meilleur ami du mari — et Elle — l'épouse — se sont endormis après l'amour. Elle a découché, sans l'avoir voulu. Lui envisage de l'épouser : « Tu changes de mari et voilà tout[14]. » Ils font des projets d'avenir, jusqu'au moment où arrive le mari, qui a découché, lui aussi, et demande à son ami de lui trouver un alibi. L'ami l'envoie à Orléans pour deux jours. Elle est déçue que son amant ne lui ait plus parlé de passer « toute la vie » avec elle, maintenant que les apparences sont sauves. Elle est tentée de rompre, puis revient sur sa décision, en réfléchissant aux avantages du cinq-à-sept :

« C'est la chose de tout repos... qui peut se prolonger presque indéfiniment... C'est l'ignorance des défauts de celui qu'on aime... et c'est le refuge... C'est l'endroit intime que tout le monde ignore... C'est la pudeur obligatoire [...] C'est l'ivresse infinie des minutes qu'on vole [15]... »

La liaison avec le meilleur ami du mari réunit deux éléments essentiels au bonheur et qui paraissent contradictoires : la sécurité d'une part, le secret d'autre part, qui exalte les sensations. L'adultère ainsi conçu est le fruit défendu dont on jouit en toute tranquillité. Avec notre rage de transparence, de vérité, d'aveu, nous avons tendance, de nos jours, à juger sévèrement la morale du xixᵉ siècle, à la traiter d'hypocrite, puisqu'elle préservait les apparences aux dépens de la vérité. Si l'on voulait caricaturer le schéma dominant du mariage dans nos sociétés évoluées, ce serait plutôt l'inverse : l'épouse avoue à son mari qu'elle est adultère pour se libérer d'un remords et continuer en toute bonne conscience à avoir des relations extraconjugales. Le vaudeville privilégiait les apparences sociales, nous privilégions la vérité individuelle. Mais n'est-ce pas, au bout du compte, dans le même but : renforcer le couple ?

En tout cas, dans le cadre de la morale dite « du xixᵉ siècle » (elle ne s'arrête évidemment pas en 1900), la tranquillité d'esprit du conjoint paraît un élément essentiel au bon fonctionnement du ménage. Celui qui « trompe » doit donc assumer sa « faute » tout seul. Avouer équivaut à la mort du couple. Dans la pièce des frères Margueritte, *l'Autre,* Claire a eu un amant et le regrette. Comme le sentiment de sa culpabilité lui pèse, elle se confie à son mari. C'est une erreur car elle donne ainsi corps à l' « autre », qui désormais va se trouver entre lui et elle. Ils se séparent et c'est elle la responsable de cette rupture : il fallait qu'elle gardât pour elle son passé [16]. L'aveu n'est pas bon pour les amants non plus. Dans la pièce à succès bien plus récente d'André Roussin, *la Petite Hutte,* la situation est celle du vaudeville classique : l'amant de Suzanne, Henri, est le meilleur ami de Philippe, son mari. Ils sont heureux ainsi depuis six ans. A la suite d'un naufrage, ils se retrouvent tous les trois sur une île, dans deux huttes, la grande où dort le couple, la petite où l'amant dort seul. Henri, excédé, dit la vérité à Philippe : il faut qu'ils se partagent Suzanne. Philippe, une fois passé le choc de la révélation, accepte le partage. C'est Henri le plus malheureux, il ne supporte pas le spectacle du bonheur conjugal une semaine sur deux. A la fin, il décide de rompre en apparence pour pouvoir aimer

Suzanne en cachette, comme autrefois, sans la permission de Philippe [17]. Le secret fait fonctionner l'amour.

La bonne gestion de l'adultère fait partie des devoirs d'une épouse qui comprend son rôle. Elle doit établir une juste répartition des besoins du cœur et du corps. L'adultère a une fonction : organisé, bien tempéré, il endigue les excès sentimentaux et sensuels capables de créer les pires désordres dans les familles et la société. Avoir un amant attitré, c'est — contrairement à ce qu'imaginent les puritains — le meilleur rempart contre les « démons » ou les « vertiges » de la chair. Une bonne maîtresse de maison a le sens de l'équilibre et de la distribution dans tous les domaines... L'adultère de fonction ou le triomphe de l'efficacité bourgeoise. *Le Lys rouge,* dont nous avons parlé plus haut, illustre bien les deux modalités possibles de l'adultère. La comtesse Martin-Bellème est mariée depuis six ans, elle vit en bonne entente avec son époux, mais ils jouissent tous deux de leur entière liberté. Elle l'aide dans sa carrière politique, lui organise des dîners mondains. Elle a eu, pendant trois ans, une liaison calme avec Robert Le Ménil. Elle le rejoignait trois ou quatre fois par semaine dans sa garçonnière de la rue Spontini. Chacun se trouvait bien de cette existence régulière. L'équilibre est rompu par l'irruption dans la vie de la comtesse d'un nouvel amant, exigeant et jaloux, Jacques Dechartre. Jusque-là, le mari et l'amant se ressemblaient. Tous deux avaient le même souci de la réputation et de la dignité de la comtesse. Ils lui tenaient quasiment les mêmes propos, l'incitaient à respecter les convenances, la rappelaient à l'ordre en invoquant son père qu'elle admire. Dechartre ne va songer ni au personnage social ni au repos de sa maîtresse. Très épris d'elle, il se conduit en égoïste, la poursuit de ses soupçons, la fait souffrir jusqu'au désespoir.

Il ne faut donc pas confondre adultère et passion. L'adultère bien géré aide à vivre, c'est un élément constructif. La passion ravage, détruit, mène un être à sa perte. D'où l'importance du choix de l'amant. Une femme organisée s'arrange pour ne pas se laisser déborder par une passion qu'elle ne pourra plus contrôler ensuite. Peut-être vaut-il mieux être prévoyante et ne pas mettre tous ses œufs dans le même panier : conseil de vieille dame à sa petite-nièce, imaginé par Marcel Prévost. Trois hommes font la cour à la jeune femme qui, en un an de mariage, a perdu toutes ses illusions. Lequel prendre pour amant ? demande-t-elle à sa grand-tante. Les trois ! répond celle-ci, en appliquant à chacun une stratégie appropriée [18].

Cette solution, un tantinet libertine au premier abord, apparaît, à la réflexion, pleine de sagesse.

Et le remords, dans ces adultères bien gérés ? Il guette moins l'épouse que la mère. C'est l'enfant qui provoque chez la femme un sentiment de culpabilité. Que ce soit l'enfant de l'adultère ou l'enfant légitime. André Maurois fait dire à une amie de l'héroïne du *Cercle de famille :* « On ne peut pas être à la fois une amoureuse et une mère... D'ailleurs toutes ces femmes qui prétendent avoir en même temps la sécurité du mariage et la liberté du célibat, moi je ne puis les plaindre, ni les prendre au sérieux... Il faut choisir[19]. » En fait, le choix s'impose réellement lorsque la mère sent que son enfant risque de la juger et d'en souffrir. Denise Holmann, l'héroïne de Maurois, après une première expérience malheureuse qui a failli la rendre folle, a su, pendant des années, mener de front sa vie conjugale et des liaisons bien cachées. Mais lorsqu'elle voit sa fille de neuf ans, Marie-Laure, prendre ombrage de ses amitiés masculines, elle choisit la tranquillité de sa fille. Elle renonce à rejoindre l'un de ses amis parce qu'elle découvre le déshabillé rose qu'elle devait emporter taché d'encre. Marie-Laure est responsable de ce gâchis qui est en même temps une revendication d'amour. Denise se rappelle combien, dans son enfance, elle a souffert de la liaison de sa mère avec un homme qu'elle aimait et a épousé depuis, « l'amant installé dans la famille ».

Marcel Prévost, dans l'une des *Dernières Lettres de femmes* intitulée « Premier Remords », met en scène une femme qui, depuis quatorze ans, a une liaison secrète heureuse. Elle se sent coupable seulement le jour où elle se rend compte que sa fille *sait* et a appris, à son contact, à mentir naturellement : « C'est horrible [...] ce mélange de maternité et de débauche[20]. » L'adultère, qui était jusque-là un rouage de bon fonctionnement d'un couple, peut devenir tragique quand la femme se vit non plus comme épouse et maîtresse mais comme mère. Le plaisir devient « débauche » ou « prostitution ». C'est le mot qu'emploie une autre héroïne de Prévost[21]. Au chevet de sa fille née d'un adultère commis par ennui, sans passion, elle se reproche violemment sa conduite et se jure de barder la petite de tous les principes et de toutes les surveillances, pour lui éviter les douleurs de la faute et du remords.

## 2. *L'adultère dissolvant*

Qu'une femme honnête ait un amant n'est pas forcément facteur de désordre. Mais alors, où est le danger ? Il se cache dans les forces incontrôlées qui animent la femme. Si elles ne sont pas dirigées, endiguées — et c'est à cela que servent en principe l'amant et le mari —, elles déferleront et mineront l'ordre existant. Elles peuvent prendre, ces forces, la forme d'un délire sentimental, d'une rage d'idéalisation ou d'une exaspération de la sensualité : différentes versions d'un même mouvement vers l'absolu, vers autre chose, d'un désir vague qui s'emballe en s'incarnant ici ou là.

Au début était Mme Bovary. L'héroïne de Flaubert, dès la publication du roman, en 1857, apparaît comme la figure de référence, et le reste encore. Douée d'une imagination folle, qui la destine à une insatisfaction permanente, à des déceptions sans cesse renouvelées, à la quête de sensations et de sentiments toujours plus forts, Emma est un puissant ferment de corruption lente, de destruction, de malheur. Seul Rodolphe, son premier amant, parce qu'il est un séducteur blasé, au cœur et au corps blindés, n'est pas mis en danger par ses folles exigences. Il se conduit en stratège, sait attendre le bon moment pour la cueillir, la faire à sa main, en jouir le plus possible en laissant de côté les fatras sentimentaux dont elle s'entoure. Il sait aussi, le temps venu, s'en aller sans se retourner et écrire la lettre de rupture qui convient. Il n'a aucun scrupule enfin à lui refuser de l'argent lorsque, aux abois, elle s'adresse à lui L'attendrissement n'est pas son fort.

Il s'en faut de peu, en revanche, que son second amant, Léon, ne se perde corps et biens, avec elle et pour elle. Quand commence leur liaison, ils ont un rendez-vous hebdomadaire, Emma ne vient à Rouen que le jeudi. Puis elle investit peu à peu sa vie, l'éloigne de ses amis, de son travail, de tout ce qui n'est pas elle. Elle arrive à Rouen sans crier gare, court le chercher à l'étude où il est employé et, malgré les remontrances de son patron, il la suit. Elle lui a ôté toute volonté, toute réaction : « Il ne discutait pas ses idées ; il acceptait tous ses goûts ; il devenait sa maîtresse plutôt qu'elle n'était la sienne. Elle avait des paroles tendres avec des baisers qui lui emportaient l'âme. Où donc avait-elle appris cette corruption, presque immatérielle à force d'être profonde et dissimulée[22] ? » L'emprise qu'a sur lui Emma effraie Léon : « Il se révoltait contre l'absorption, chaque jour plus grande, de sa personnalité[23] », mais il ne parvient pas à s'y arracher. Jusqu'à ce qu'elle lui demande de commettre un acte impossible : prendre dans la caisse de son étude les 8 000 francs dont elle a besoin.

La vraie corruption qu'elle fait subir à Léon se lit dans l'inversion du masculin et du féminin : « Il devenait sa maîtresse... » L'avilissement le plus profond pour un homme est la perte de sa virilité, et qu'il soit assujetti à une femme si fort qu'elle lui vole cette virilité. Ce fantasme hante le XIXᵉ siècle. Le roman de Rachilde, *Monsieur Vénus,* le porte à l'extrême. Raoule de Vénérande, héritière cynique, prend pour amant un pauvre artiste très beau, Jacques Silvert. Elle l'installe, ou plutôt elle le cloître, dans un appartement, où elle vient lui rendre visite quand elle veut prendre son plaisir : « Jacques [...] devint sa chose, une sorte d'être inerte qui se laissait aimer parce qu'il aimait lui-même d'une façon impuissante. Car Jacques aimait Raoule avec un vrai cœur de femme. Il l'aimait par reconnaissance, par soumission, par un besoin latent de voluptés inconnues[24]. » Il devient une femme de sérail, trouve son bonheur dans la passivité, finit par accueillir, déguisé en femme, Raoule qui, elle, est en homme. Horreur suprême : elle l'épouse dans cette répartition inversée des rôles sexuels. Il cherche en vain à retrouver sa virilité perdue avec les filles d'un bordel. Après l'avoir détruit dans son identité, elle le fait tuer. Le dernier chapitre passe l'imagination. Dans l'hôtel de Raoule, il y a une chambre murée. A l'intérieur, un mannequin de cire orné d'attributs enlevés au cadavre de Jacques. Raoule, en homme ou en femme, vient l'embrasser. Un ressort anime la bouche. La bouche seulement ?

Le héros de *Monsieur Vénus* est utilisé comme femme, c'est le cas limite. D'ailleurs, il éveille le sadisme des hommes vraiment virils : un ami de Raoule le cravache un jour. Le fait qu'il soit un prolétaire au pouvoir d'une aristocrate dépravée joue certainement un rôle dans son avilissement. Moins caricatural est le personnage de l'amant des *Demi-Vierges,* ils ont cependant des points communs. Julien de Suberceaux a pour son corps des attentions féminines. Prévost l'évoque dans son cabinet de toilette. Il aime les miroirs et les objets délicats, il prend de lui un soin minutieux, au milieu des limes, des brosses, des peignes, des flacons de cristal, et du linge brodé. Il est viril, sportif et courageux, il se bat volontiers au pistolet ou à l'épée, mais il emploie des moyens de séduction féminine puisqu'il s'occupe de son corps. C'est cela, au-delà du fait qu'il n'a pas d'argent, qui l'empêche d'épouser Maud de Rouvre. Elle est séduite par son charme physique : « Tous les hommes [...] me répugnent un peu [...] Il n'y a que Julien. J'aime ses mains, sa bouche, ses yeux. Je le désire, il me semble, comme les hommes nous désirent, même en nous haïssant[25]... », mais elle le méprise. Il est cantonné au personnage sensuel de l'amant. Julien s'intéresse à son corps comme une femme, c'est donc comme une femme qu'il plaît, par sa chair. Quelle humiliation pour un homme ! Dans l'imaginaire du XIXᵉ siècle, à la femme va la chair, à l'homme l'esprit. Nul ne l'a écrit plus nettement que les Goncourt : « Toutes les beautés physiques, toutes les forces et tout le développement de la femme affluant et comme coulés vers les parties moyennes et inférieures du corps : le bassin, le cul, les cuisses ; les beautés de l'homme remontées vers les parties nobles, vers les pectoraux, vers les épaules amples, le front large. Vénus a le front petit. *Les Trois Grâces* de Dürer n'ont pas de derrière de tête. Les épaules petites ; les hanches seules rayonnent et règnent chez elles. » (13 octobre 1855).

Tout vers le haut chez l'homme, tout vers le bas chez la femme. Un homme doit être désiré pour son esprit, son ambition, sa hauteur de vues... qualités abstraites. Son corps n'a pas à entrer en ligne de compte dans le jeu de la séduction. A chacun ses armes, il laissera celle-là à la femme. S'il l'utilise, c'est faute de virilité vraie, il est un perdant, condamné à être éliminé. Julien de Suberceaux finit par se suicider. Il faut distinguer amant et séducteur. Le séducteur, comme Rodolphe, le premier amant d'Emma Bovary, l'emporte par son sens de la stratégie, il assouvit son besoin de conquête, c'est encore une force abstraite. Dans la sexualité bourgeoise, il y a équation entre la chair et la femme. L'homme est en situation de puissance, mais il le paie en étant dépossédé de sa chair. S'il est pris par la chair, s'il s'intéresse à sa chair, il se féminise. Quelque chose en lui demande donc à être soumis, quelque chose de veule. Il porte en lui-même sa faiblesse. Il deviendra, un jour ou l'autre, le jouet d'une femme. Il subit un abaissement à la fois moral et sexuel. Puisqu'il a un corps, il peut, telle une femme, être piétiné, humilié, avili.

# 3

# Paul Bourget
# ou la faute des femmes

Bourget a été jusqu'à la Seconde Guerre mondiale l'auteur le plus lu par un public essentiellement féminin. Des générations de femmes, de grand-mères en petites-filles, ont rêvé sur ses romans. Je tiens de Mme L., qui avait dix ans en 1939, le récit suivant : en vacances chez sa grand-mère, elle trouve une collection de romans de Bourget, elle n'en a jamais entendu parler et se met à lire. Elle ne se rappelle ni le titre ni l'histoire, elle se rappelle seulement qu'il y était question d'une longue chevelure de femme dénouée, évoquée en des termes tels qu'elle a, dit-elle, eu la brusque révélation de la sensualité. Bouffée si troublante qu'aujourd'hui encore elle la retrouve intacte lorsqu'elle l'évoque.

Cette sensualité trouble des romans de Bourget est à l'origine des indignations qu'ils ont pu provoquer : « Autrefois, écrit Hugues Le Roux, le roman s'ouvrait à la minute où la jeune femme, rebutée par le mari, songeait à prendre un amant ; il commence, aujourd'hui, à l'instant où elle se détache du premier amant pour se donner à un second. Dans cette fiction, le premier amant apparaît avec la figure qu'aurait pu avoir le mari dans un mariage d'inclination[1]. » Il accuse Bourget de pousser ses lectrices à l'immoralité. A quoi notre auteur répond : « Le moraliste, c'est l'écrivain qui montre la vie telle qu'elle est, avec les leçons profondes d'expiation secrète qui s'y trouvent partout empreintes. Rendre visibles, comme palpables, les douleurs de la faute, l'amertume infinie du mal, la rancœur du vice, c'est avoir agi en moraliste[2]... » Et, en vérité, cette littérature ne pousse pas au dévergondage, sauf celui de l'imagination. Si elle est pernicieuse, c'est qu'elle allie sensualité et culpabilité, l'une sans cesse attisant l'autre.

Il n'y a pas, chez Bourget, d'amour heureux. Ou plutôt, l'amour heureux, légitime ou illégitime, est menacé et condamné, par l'hérédité, l'absence de sanctification, la jalousie, etc. Le bonheur n'est jamais réalisé, mais il joue comme référence symbolique permanente. La structure conjugale et familiale, le respect de la loi, des valeurs traditionnelles sont toujours à l'horizon : « Le foyer ? Toujours ce même mot qui me hante comme un refrain où se résume la nostalgie de ce que j'entrevois aujourd'hui de si doux, de si profond, de si nourrissant pour le cœur dans le mariage et dans la paternité, et qui m'est refusé[3]... » Mais cette structure supposerait des êtres désincarnés, qui se réduiraient à des rôles et qui permettraient ainsi une continuité harmonieuse. Le malheur est que c'est par les femmes que passe cette continuité et que, justement, les femmes sont incarnées. La structure est donc mise en danger par l'incarnation, la sensualité, la passion.

Etienne Malclerc ne peut goûter la douceur du foyer car il est hanté par un fantôme, celui de la mère de sa femme, Antoinette Duvernay, qu'il a aimée passionnément quelques années auparavant (elle avait trente-deux ans et lui vingt-cinq). Elle est morte dans un accident de voiture. Etienne a commis la faute de rencontrer sa fille Eveline, de la rendre amoureuse de lui et de l'épouser. Il a fait se télescoper les rôles. Antoinette devrait être l'aïeule de la lignée, comme le dit Eveline qui, enceinte, désire une fille : « Elle sera pour moi ce que j'ai été pour ma mère. Je serai pour elle ce que ma mère a été pour moi [...] Un fils, je le chérirais bien aussi, mais il me donnerait moins cette impression de la vie continuée, qui m'est si précieuse[4]. » Or, pour Etienne, Antoinette reste une amoureuse, « dont la brûlante sensibilité, qui enivra mes vingt-cinq ans, me ferait peur à retrouver chez ma fille ». Aucune conciliation possible entre la « poésie de la vie de famille », faite d'habitudes et de durée, qu'il découvre avec Eveline, et la passion, faite d' « extase suprême » et d' « extrémité d'ardeur », qu'il a connue avec Antoinette. Dans la perspective familiale, Antoinette avait pour vocation d'être mère puis grand-mère. Sa liaison avec Etienne a bouleversé l'ordre des choses, et le désir qui a fait irruption risque de déborder et de souiller jusqu'à sa petite-fille. Etienne s'est condamné à soupçonner sa propre race. Il est sauvé par la naissance d'un fils, qui garantit sa sécurité : la lignée des femmes se brise.

Il est sauvé au prix du déchirement d'Eveline. Elle apprend, par le journal d'Etienne, que sa mère a été la maîtresse de son mari. Elle apprend, plus largement, que sa mère a aimé, a désiré, a joui, qu'elle a été autre chose qu'une mère. Son estime pour elle s'éteint d'un coup. Tel est le destin des filles : apprendre que leur mère a eu un corps, et expier cette révélation de la souillure originelle.

## « LA DALILA ÉTERNELLE »

Sa chair fait de toute femme une traîtresse, qu'elle soit poussée à la trahison par ce qu'elle sait ou par ce qu'elle ignore. *Savoir,* pour une femme, c'est avoir connu la volupté. Initiez une femme au plaisir, qu'elle soit votre épouse ou votre maîtresse, vous vous exposez à être trompé tôt ou tard : « Il y a un chercheur dans tout savant, et j'en avais fait une savante[5] », dit Raymond Casal, lorsqu'il est trompé par la comtesse V. Madame de Sauve, que son mari a traitée « en courtisane », est devenue une curieuse. Rien ne réussit à la contenter, même pas l'amour absolu qu'elle trouve auprès d'Hubert Liauran. Au début de leur liaison, elle est pleine de scrupules envers son amant : « Elle tremblait toujours que ses caresses ne fussent une cause de corruption pour cet être si jeune de cœur, si jeune de corps, qu'elle voulait enivrer sans le profaner[6]. » Plus tard, en revanche, l' « amour sublime » ne résiste pas aux « sourdes tentations de luxure » et, au cours d'une brève sépara-tion, elle trompe Hubert. Un jour de grande chaleur et d'ennui à Trouville, les sens troublés par la sensualité de la nature, elle se donne « rageusement », sans se cacher, à un homme qu'elle avait sous la main, qui a eu le flair de sentir « la minute où l'on peut oser[7] ».

Elle avait été autrefois, avant d'aimer Hubert, une « créature dépravée ». Pendant une semaine, elle le redevient, « se sentant rouler dans un gouffre d'infamie et s'y précipitant plus avant encore[8] ». Corrompue, elle va contaminer son jeune amant qui, après s'être désespéré de la perfidie de sa maîtresse, la retrouve dans l'intimité de leur lieu de rendez-vous. Il reprend sa liaison dans une frénésie sensuelle qu'il n'avait jamais connue auparavant. Il éprouve un « naufrage d'âme » à comparer « la brutalité de ce plaisir, pris ainsi, sur ce divan, et la divine pudeur des anciens jours[9] ». Le roman s'intitule *Cruelle Énigme.* L'énigme est la question que se pose l'amant bouleversé : pourquoi a-t-elle fait cela ? Sa maîtresse, pas plus que lui, ne peut répondre, sinon par une mise en cause de la faiblesse féminine. La duplicité est inscrite dans la nature des femmes.

La dépravation d'une femme peut venir aussi d'une curiosité toute cérébrale. Elle a lu trop de romans, a entendu trop de conversations « qui ne rendent pas une honnête femme moins honnête, mais qui, tout de même, lui déveloutent [Marcel Prévost, on se le rappelle, employait ce verbe] un peu l'esprit, en l'initiant, ne fût-ce que par la pensée, aux coupables égarements des sens [10] ». C'est pourquoi la virginité physique ne va pas forcément de pair avec la virginité d'âme. La *Physiologie de l'amour moderne* résume ironiquement : « Des virginités sans innocence — c'est un des tours de force de notre civilisation. Les barbares qui violaient dans les villes prises laissaient derrière eux des innocences sans virginité. Il y a progrès indiscutable dans la délicatesse des procédés [11]. »

## L'IRRÉPARABLE

Noémie Hurtrel, une jeune fille de la très bonne société, se laisse séduire par Henri Taraval, libertin de trente-six ans, marié et père de famille. Il la prend quasiment par surprise, mais elle est ensuite dévorée par le sentiment de sa faute, de l'irréparable : « Elle sanglotait alors, ayant sur elle comme l'hallucination de la violence dont elle s'était sentie souillée — si profondément souillée qu'il lui aurait fallu, lui semblait-il, qu'on lui lavât tout son sang pour abolir cette souillure [12] ! » Le jour où Noémie tombe amoureuse d'un peintre anglais, Richard Wadham, elle est atterrée devant l'évidence qu'elle ne pourra jamais être sa femme. Entre elle et lui, il y a « son inexpiable, son ineffaçable souillure [13] ». Jamais elle ne pourra détruire l'image qui l'obsède, elle possédée par un autre. Elle accepte alors d'épouser un homme qu'elle n'aime pas, puis, le jour de ses noces, se tue.

L'irréparable, c'est que la femme ait un corps et s'en serve : « Que je me méprise ! dit l'héroïne d'*Un cœur de femme*. Mais se mépriser [...] c'est expier, ce n'est pas effacer [14]. » Elle aussi voudrait « se laver de la flétrissure dont elle se sentait souillée à cette pensée » (qu'elle a deux amants). Quant à Thérèse de Sauve, elle appelle de ses vœux « une eau sacrée où se laver le sang, où noyer le souvenir de toutes les fièvres mauvaises [15] ! » Mais tous les parfums de l'Arabie ne feront pas disparaître de la chair d'une femme les empreintes qu'elle a subies. Sa chair est un rappel douloureux pour l'homme qui l'aime, lorsqu'il n'est pas le premier : « La plus amère souffrance qui puisse nous venir de la femme : cette âcre sensation de retrouver salie d'une souillure ineffaçable celle que nous avons aimée, que nous aurions pu épouser vierge [16]. » Albert Darras éprouve de la douleur devant l'ex-mari de sa femme, « cet homme à qui sa femme avait appartenu vierge [17] », qui garde d'elle « des images dans sa mémoire ». Il a cette cruelle réflexion : « Même sa mort empêcherait-elle qu'il n'eût été le premier mari ? »

### LES LENDEMAINS :
### « COMME VOUS DEVEZ ME MÉPRISER [18] ! »

L'homme amoureux qui parvient à ses fins est toujours déçu. Posséder une femme, c'est commencer à la soupçonner, se donner la possibilité de la mépriser. Les femmes le sentent si bien qu'elles hésitent à se mettre dans cette situation, par peur d'être moins aimées : « Ah ! tu m'en voudras de t'aimer trop et d'avoir osé ce que j'ai osé pour toi [19]... », dit Thérèse de Sauve à Hubert Liauran et elle lui fait jurer que : « Jamais tu ne diras de mal de cette heure. » Se réveillant au milieu de sa première nuit d'amour, Hubert éprouve une « vapeur de tristesse », et lui apparaissent, fugitivement, les images de sa mère et de sa grand-mère : les intouchées. De la même manière, Bertrand d'Aydie, heureux amant d'Emmeline de Sarliève, lui renvoie l'image de son amie Alyette : « Vous savez bien comme elle est fière, comme elle est pure, comme je la respecte [20]... » Emmeline lui répond, furieuse : « Pourquoi la respectez-vous ? Parce qu'elle est incapable d'avoir le courage de ses sentiments et de tout sacrifier comme moi à quelqu'un qu'elle aime... »

Bourget écrit, dans *la Terre promise*, cette phrase stupéfiante : « L'amant ne saurait lutter contre la preuve constante d'immoralité que lui apporte sa maîtresse, par ce simple fait qu'elle est sa maîtresse [21]. » La situation de maîtresse est parfaitement intenable, puisqu'elle est, dès le départ, coupable et qu'elle devra passer son temps à se justifier. Tout est prétexte à un amant pour mépriser la femme qu'il possède, par exemple le fait qu'elle trompe son mari. A

Armand de Querne, ami d'Alfred Chazel et amant d'Hélène Chazel, vient un malaise « de penser qu'Hélène trompait cet être si confiant [22] ». Bourget commente : « L'égoïsme masculin a de ces monstrueuses naïvetés. Un séducteur qui entraîne une femme méprise cette femme de lui céder et oublie de se mépriser de la séduire », mais il ne met pas en cause pour autant le lieu commun qui veut que la tromperie soit imputable à la femme, au contraire il renforce ce lieu commun en le déclarant universel. Les femmes elles-mêmes vivent l'adultère comme « leur » faute. Hélène Chazel craint le jugement d'Armand : « J'ai trompé pour lui, mais j'ai trompé [23] », ou encore : « Ce que je fais est si mal... Il devrait comprendre que c'est pour lui et m'en excuser. » De manière plus large, la maîtresse est digne de mépris pour n'avoir pas respecté le code de la famille qui, seul, sanctifie une femme. M. de Bassigny va revoir son ancienne maîtresse, Mme Jançon, qu'il a tendrement aimée. Elle fait une allusion à la femme légitime et aux enfants qu'il vient de perdre. Il sent alors en lui « cet instinctif mépris de l'homme pour la maîtresse qui s'est donnée à lui hors du mariage, parmi tous les traits de l'égoïsme viril, le plus triste peut-être, mais le plus constant [24] ».

## « Plus d'un »
### ou « le fatal chemin [25] »

Une femme peut se permettre un amant. Au-delà, c'est la pente glissante, avec le vice à l'horizon, et le déshonneur. Berthe Planat le comprend bien. Elle est fille-mère mais chaste. C'est une intellectuelle à l'esprit gâté par de fausses théories — fruits d'une éducation sans Dieu — comme l'union libre. Elle a vécu avec un homme qui l'a trahie, dont elle a un enfant. Depuis, elle vit seule, tout entière dédiée à ses études de médecine. Elle tombe amoureuse de Lucien de Chambault, qui l'aime aussi. Mais elle se rend compte qu'il lui est impossible de se donner à lui. Elle deviendrait alors, aux yeux de Lucien et surtout à ses propres yeux, « la jeune fille qui a eu deux amants [26] ». Leur liaison ne pourrait être que la seconde, « avec tout ce qu'une semblable déchéance comporte de dégradant ». Elle est donc prête à s'enfuir, lorsque Lucien lui propose de l'épouser : « Ce mariage selon le Code, Lucien le voulait [...] pour estimer leur amour. Berthe lui en avait, sans se l'avouer non plus, une reconnaissance passionnée où réapparaissait la petite-bourgeoise française qu'elle était vraiment au fond[27]... »

Le second amant dans sa vie, c'est la fin, pour une femme, d'une certaine image de soi : « S'arrête-t-on jamais sur cette pente glissante, qui va du second amant au dixième ? Quand on a perdu l'habitude de s'honorer soi-même, principe premier de toute dignité, quelle digue opposer au flot envahissant des tentations et des curiosités[28] ? » Avoir eu plus d'un amant, c'est devoir reconnaître en soi-même des désirs multiples, contradictoires, c'est s'éloigner définitivement de la règle de l'Un à laquelle sont soumises toutes les éducations, religieuse ou laïque. Ainsi s'explique que, de toutes les liaisons d'une femme, la seconde soit la plus longue à finir : « Elles veulent bien admettre que le premier ait été une erreur, mais l'erreur du mariage et l'erreur de ce premier amour, cela fait deux ; à la troisième faute, elles se rendent compte que la cause de leur inconduite est en elles et non pas dans les circonstances, et c'est là un aveu trop cruel pour l'orgueil intérieur[29]. »

A son premier amant, une femme garde son intégrité et son innocence. Même si elle n'est pas une femme honnête, mariée, mais appartient à la race, peu estimable *a priori,* des actrices. Camille Favier, la « duchesse bleue[30] », est éperdument amoureuse de Jacques Molan. Trahie par lui, après lui avoir tout donné, elle se jette, sous le coup du dépit, dans les bras d'un homme riche et vulgaire. La petite amoureuse devient une grande actrice luxueusement entretenue, c'est alors qu'elle n'a plus d'innocence. Il est inscrit dans le destin d'une actrice qu'elle finisse en demi-mondaine et collectionne les bonnes fortunes. C'est en quelque sorte sa fonction. Mais toutes les autres femmes, celles dont le destin est d'être épouses et mères, sont coupables si elles se donnent à plus d'un amant. Il faut se demander ce qui fonde cette absolue culpabilité.

## « IL SAVAIT »

« Savoir », pour un homme, c'est savoir qu'il ne sera pas, n'a pas été, n'est pas le seul à posséder une femme. Qu'elle a déjà appartenu à quelqu'un, qu'il n'a pas été le premier, ou qu'elle appartient à un autre en même temps. C'est la porte ouverte à l'imagination, à la jalousie, au désir avilissant. L'effet de la révélation est foudroyant : tout respect disparaît, la chair apparaît. Lucien de Chambault a adoré Berthe Planat pendant plus d'un an sans avoir osé un geste. Du moment où il apprend qu'elle a eu un amant, il essaie de l'embrasser, pris de « délire sensuel[31] ». C'est comme si, d'un coup, son idole s'incarnait. Respecter une femme, c'est ne pas penser à son corps, ne pas se demander grossièrement « avec qui est-elle ? », « qui est son amant ? », c'est tenir en bride, à l'aide de ce respect, la brute qui est en soi. Mais qu'on apprenne l'infidélité passée ou présente de cette femme, et le corps revient au galop. On se vautre dans le « bestial ». Les images de l'autre aidant, la jouissance est décuplée : on jouit presque, par procuration, du plaisir qu'elle a pris avec un autre, « affreuse complaisance de l'imagination autour de l'impureté d'une femme désirée[32] ».

On parle ici de maîtresse. Quand c'est d'une épouse qu'il s'agit, le mari est perdu s'il éprouve pour elle cette passion avivée par l'avilissement. Robert Graffeteau *savait* l'inconduite de sa femme mais fermait les yeux car il l'aimait en amant, non en époux. Il désirait sa chair au lieu de voir en elle celle qui porte son nom et son honneur. Il acceptait donc « l'abominable partage plutôt que de renoncer à la plus bestiale luxure[33] ». Un des plus « hideux secrets » de sa vie conjugale avait justement été « la sensuelle ardeur des baisers de sa femme, les jours mêmes où il l'avait le plus soupçonnée de l'avoir trahi[34] ». Son père l'a rappelé à son devoir en le forçant à divorcer d' « une créature qui salissait [le] nom » de la famille Graffeteau. Robert lui-même n'a eu l'impression de s'être vraiment racheté que par la guerre. Se battre avec courage pour la France lui a rendu l'honneur et la dignité que son épouse lui avait ôtés.

Un mariage consacré peut donc, si on se laisse entraîner, se réduire à un « libertinage légal[35] », le sacrement être profané par le règne de la chair. La dichotomie entre l'épouse pudique et respectée et la maîtresse, plus audacieuse, libre dans ses désirs, est bien marquée dans *Némésis*. Hugues Courtin — encore un militaire — revient voir, après deux ans de séparation, sa maîtresse Daisy de Roanez, pour *savoir*. Par jalousie rétrospective, il veut lui demander des comptes sur son passé. Daisy se justifie, lui prouve qu'elle n'a jamais aimé que lui. Après la mort d'un mari qu'elle n'aimait pas, elle s'est défiée de l'amour. Mais elle l'a rencontré et ce fut le coup de foudre : « J'aurais pu vous dire ce que je vous dis aujourd'hui : " Épousez-moi " J'ai trouvé une suprême douceur à vous laisser libre, à tout vous sacrifier de ce que le monde appelle honneur... Je me suis dit bien souvent, depuis, que vous ne m'en aviez pas estimée. C'est une grande misère, voyez-vous, quand l'abandon d'une femme à celui qu'elle aime devient pour lui un indice de perversité, un motif de soupçon[36]... » La plus sûre garantie de sa fidélité à Hugues est qu'elle lui demande de l'épouser : « Vous êtes bien sûr que je ne voudrais pas vous faire cet affront, à vous [...] de vous exposer à rencontrer un homme qui puisse dire de votre femme : Elle a été ma maîtresse. »

A partir de là, Daisy est une épouse en puissance, la maîtresse qu'elle a été ne doit plus exister. Lorsque, émue et exaltée, elle embrasse la main de Hugues, il retire ses doigts et lui dit : « Ne compromettez pas ma femme[37] ! » La gravité du mariage s'accorde mal avec les « enivrements » que lui rappelle « cette folle caresse ». C'est la *même* femme. Maîtresse, elle dispensait la sensualité et récoltait le mépris ; future épouse, elle a droit au respect de l'homme et lui doit d'adopter immédiatement une conduite réservée et retenue.

## LA FAUTE D'UNE MÈRE

Une image revient, obsédante, dans les romans et nouvelles de Bourget : un homme se penche furtivement vers une petite fille, qui se promène avec sa nurse ou joue au jardin, il la serre dans ses bras, bouleversé. L'homme est le vrai père de la fillette née de l'adultère. Si les enfants nés de l'adultère sont presque toujours des filles, ce n'est pas un hasard : la part d'inconnu dans la maison passe par les femmes. De mère en fille, les femmes peuvent être soupçonnées et devront payer. La mère est responsable de la souillure qui atteint sa descendance : « Lorsqu'une femme qui est mère prend un amant, lit-on dans la *Physiologie de l'amour moderne,* c'est presque toujours comme si elle en donnait un à sa fille [38]. » La galanterie, comme la phtisie, serait-elle héréditaire ? On peut le craindre, à voir Clémentine de Miossens. Sa mère, une aristocrate polonaise, s'est laissé enlever par un collègue de son mari. Clémentine est élevée par son père, qui retrouve en elle avec horreur « la coquetterie la plus hardie et la plus compliquée, la plus spontanée et la plus perfide [39] » de l'infidèle. Il se montre très dur pour cette « courtisane née ». Clémentine est la fille d'une mauvaise mère, qui a laissé son foyer pour satisfaire d'irrésistibles instincts de séduction. Comme sa mère, elle est née pour faire le malheur des hommes qui tombent amoureux d'elle, « élégante tondeuse de volontés masculines [40] ».

Mais une femme peut aimer séduire et être en même temps une bonne mère ; mieux encore, elle peut avoir connu une grande passion extraconjugale dont sa fille est le fruit et adorer cette enfant. Quoi qu'il en soit, elle est coupable. Coupable d'avoir existé autrement que dans la loi, coupable d'avoir été autre chose qu'une mère. La vérité sur le sexe, c'est moins dans ses relations avec son mari ou ses amants qu'une femme la découvre que dans ce qu'elle apprend de sa mère. C'est pourquoi il est si grave de lever le voile sur celle dont la fonction est d'être voilée : « Il n'est jamais permis à un homme, quelles que soient les circonstances, de toucher à une mère dans le cœur de sa fille [41]. » M. de Bassigny, ancien amant de Mme Jançon (le premier, elle n'était pas encore une femme galante), le fait pourtant, pour sauver leur fille d'un premier faux pas et, par là même, de la « carrière » libertine de sa mère. Cette fille, Nicole, est mariée, elle a un petit garçon, et elle s'apprête à prendre un amant. Bassigny se sent responsable d'elle : « Comment oublier que cette fille, dont l'avenir moral se jouait en ce moment, avait été conçue dans ces conditions de mensonge et de mystère ? Elle était née d'une de ces rencontres où l'homme arrive inquiet, se retournant comme un voleur pour épier s'il n'est pas suivi, où la femme se rend en fiacre, rideaux baissés, en toilette sombre, une double voilette sur le visage [42]. » A cause de ce qu'ont éprouvé son père et sa mère, Nicole se sent attirée vers la « dangereuse fièvre de l'adultère », les origines troubles mènent aux « tares sentimentales ». Bassigny empêche sa fille de monter chez l'homme qui l'a tentée, elle reste fidèle à son époux, part pour l'Égypte avec lui et leur fils et en revient enceinte. En apparence, tout est bien qui finit bien. En réalité, Nicole paie sa fidélité de sa gaieté et de son insouciance, car elle *sait* que sa mère n'a pas été une honnête femme. Drame de la fille « obligée soudain de juger, de condamner sa mère, et qui doit cesser de la respecter, sans pouvoir cesser de l'aimer[43] ».

Que la mère ait aimé son amant passionnément, uniquement, qu'elle ait été payée de retour, qu'elle ait, de plus, trouvé dans cet amour une compensation à un mariage de convention ou d'intérêt ne suffit pas à la racheter aux yeux de sa fille. Quand Béatrice Nortier apprend de celui dont elle porte le nom qu'elle n'est pas sa fille mais celle de M. de San Giobbe, elle est atterrée : « Voici donc que cette idée du mensonge, avec tout ce que ce mot comportait pour sa loyauté de dégradation avilissante, commençait à s'associer à l'idée de cette mère idolâtrée jusqu'ici avec la plus aveugle, la plus fervente dévotion[44]... » Béatrice, jusque-là « absolument pure », devient, par cette révélation, complice de la faute maternelle. Même si sa liaison unique l'a rendue estimable, sa mère s'est mise hors la loi de la famille et, du même coup, fait rejaillir sur elle sa culpabilité. Béatrice doit payer pour sa mère : Firmin Nortier lui impose de renoncer à un homme qu'elle aime pour épouser un homme qui sert ses intérêts à lui. Elle accepte, avertit son futur mari qu'elle ne lui appartiendra jamais et se réfugie dans la piété et les bonnes œuvres. Renoncement au bonheur. Noémie Hurtrel, elle aussi née d'une liaison adultère, se tue — on l'a vu plus haut — le jour de son mariage. Elle a été déshonorée une nuit où sa mère, qui est devenue une femme galante, est allée rejoindre un amant de vingt ans. Une fille est prise dans la souillure de sa mère, elle ne peut y échapper.

La faute de la mère, dans les cas qui précèdent, est d'avoir remplacé celui qui aurait dû être le vrai père par un homme aimé clandestinement. Mais il est une faute quasiment aussi grave : le remplacement du vrai père par un autre mari. Gabrielle Darras, divorcée d'un époux indigne et remariée avec un homme estimable qu'elle aime, est, malgré tout, coupable d'avoir trahi son fils né du premier lit : « Le beau-père reste [...] l'étranger. La mère, de son côté, a beau envelopper son fils d'une atmosphère de tendresse, ce fils sait qu'il ne lui a pas suffi. La simple présence de son beau-père lui en est une preuve quotidienne[45]. » Si elle a un fils, le devoir d'une femme est de renoncer à son bonheur personnel, d'identifier son destin à celui de son enfant. Et si elle ne se sacrifie pas, elle doit s'attendre à ce que son fils lui reproche de l'avoir sacrifié, lui. Au contraire de Gabrielle Darras, Mme Ligier, veuve, refuse de se remarier avec un ami de son mari pour ne pas blesser ses enfants, en particulier son fils de seize ans, très attaché au souvenir de son père : « Vous me suffirez et je vous suffirai[46] », lui affirme-t-elle.

Une femme parfaite est dédiée à son fils. Elle a auprès de lui une mission à remplir : le préserver des tares héréditaires. Marie Vialis ne survit au suicide de son mari que pour empêcher son fils de se suicider comme son père, comme d'autres membres de sa famille[47]. Jeanne de Bréau, qui a été pendant huit ans la maîtresse de Louis de Mégrignies et en a eu un fils, songe à se tuer à la veille d'un scandale que prétend causer son amant déshonoré. Mais elle découvre son fils occupé à voler des friandises sur l'arbre de Noël et renonce au suicide. Son amant a joué et volé, il faut qu'elle sauve leur fils de cette pente fatale[48]. La fille paie pour une mère coupable. A son fils, au contraire, une femme doit se sacrifier. C'est elle, alors, qui paie.

Le dernier chapitre d'*Un crime d'amour* s'intitule « Lueur d'aube ». Armand de Querne revoit Hélène Chazel. Elle a été ravagée par leur séparation et se remet lentement à vivre : « Il n'y aura plus rien dans mon existence que mon devoir envers mon fils et envers son père — et il faut que vous le sachiez, je n'ai trouvé la force de cette résolution que dans ce qui me restait de ma tendresse pour vous[49]. » Si elle veut redevenir honnête femme, s'arrêter sur le « fatal chemin » qui mène du deuxième au dixième amant, c'est moins par remords que par amour. Armand l'a perdue en ne croyant pas à sa fidélité, mais elle ne veut pas que cet homme adoré se sente coupable de sa « chute ». Elle ne lui donnera pas de successeur pour qu'il puisse vivre en paix. Pauline Raffraye[50] et Juliette de Tillières[51], elles, fuient Paris, s'adonnent à une piété austère dans leurs terres de province. Elles s'effacent tandis que leurs amants incrédules et soupçonneux promènent par le monde une élégante tristesse. Casal, qu'a aimé Juliette de Tillières, disserte, à bord d'un yacht, avec son ami anglais sur « cette chose si impossible à comprendre tout à fait[52] » : un cœur de femme plus changeant que la mer, le ciel et les étoiles !

Les hommes voyagent, jouent, prennent des maîtresses, vont à la guerre. Les femmes, pendant ce temps-là, dans la prison qu'elles se sont choisie, le foyer ou le couvent, expient, avec l'aide de Dieu naturellement. Elles expient d'avoir pris corps pour un homme, quelque part, même quelques heures de leur vie. Elles meurent parfois, et parfois pour rien. Noémie Hurtrel s'est tuée par désespoir de n'être plus vierge pour Richard Wadham qui, lui,

« n'aimait que sa peinture… ». Elles meurent comme Daisy de Roanez, tuée par la machine infernale d'un affreux nain amoureux et jaloux. Un accident ? Non pas ! Un règlement de compte de la destinée. Elle n'était pas digne du grand homme qu'était Hugues Courtin. Ils s'étaient séparés deux ans plus tôt, elle était enceinte, le lui écrit mais ne reçoit aucune réponse. Elle se fait avorter. Deux ans après, il revient et veut l'épouser, mais quand il apprend l'avortement, il lui adresse de violents reproches : « Voyez ce que je suis obligé de me dire : Cet enfant que ta maîtresse a tué, c'était le tien. Si tu n'avais pas cédé à ta passion, si tu n'avais pas manqué au commandement, cet enfant n'aurait jamais existé. L'assassinat n'aurait pas été commis. Tu y es donc mêlé, à cet assassinat. Tu l'as rendu possible. Il y a un peu de ce crime sur toi[53]. » Ce qui rend irréparable l'acte de Daisy, c'est que le bébé était un garçon : « Ce n'est pas seulement un crime contre Dieu et contre la vie. C'est un crime contre la France, puisque cet enfant était de moi et que c'était un Français… » Un tel acte ne mérite-t-il pas la mort ? La justice de Dieu épargne Courtin. Il échappe à l'attentat pour aller faire son devoir de soldat. Nous sommes en juin 1914…

# 4

# L'avenir de la conjugalité

## SORTIR DE LA SERVITUDE AMOUREUSE

Les féministes se heurtent à une représentation de l'amour qui est répandue partout et trouble singulièrement leurs revendications et leur foi dans une femme nouvelle : la femme aime à être soumise à un homme, à se sentir prise, conquise. Plaisir suprême de s'en remettre à quelqu'un de sa propre existence. Rêve de « trouver son maître » que Marie Bashkirtseff exprime ainsi dans son *Journal* : « Il y a quelque chose de vraiment beau, d'antique : cet anéantissement de la femme devant la supériorité de l'homme aimé doit être la plus grande jouissance d'amour-propre que puisse éprouver une femme supérieure. » (5 novembre 1878). Cet « anéantissement », de nombreux romans le mettent en scène. Mais il ne s'agit pas forcément de la soumission à un homme parce qu'il est supérieur, mais parce qu'il est homme, simplement, et qu'une femme aime rendre les armes à la virilité.

Aucun principe féministe ne résiste à l'appel du mâle. C'est ce que prétend Marcel Prévost dans *les Vierges fortes*. Léa, au lieu de se consacrer avec les autres « apôtres » féministes de son groupe à l'école des Arts de la femme, qu'elles ont créée, est partie rejoindre Georg. Elle est, depuis qu'il l'a embrassée, invinciblement attirée vers lui : « Léa, élevée dans le mépris de l'homme, si parfaitement pure que Frédérique et Pirnitz lui avaient envié sa pureté, voilà que par un seul baiser sur ses lèvres, un homme l'avait prise et transformée [...] Comme ces lèpres mystérieuses qui rongent les prairies, l'influence masculine avait insensiblement détruit les

germes sains, vivifiants, naguère déposés dans la jeune âme[1]... »
Une autre femme du groupe, Duyvecke, a épousé Rémineau, un
artisan, sans être éprise de lui, pour sauver le fils de cet homme qui
lui est très attaché. Frédérique, l'une des « vierges fortes », rend
visite à son ancienne collaboratrice peu après son mariage. Elle
constate avec stupeur qu'elle est devenue « l'esclave amoureuse de
cet homme, le plus ordinaire des hommes — ni beau, ni spirituel, ni
distingué : brave homme seulement[2] »... Elle ressent du dégoût
devant le lit conjugal des Rémineau : c'est par le sexe que les
femmes sont tenues en esclavage. Il suffit d'un baiser, on l'a vu avec
Léa, et le lit devient tout-puissant, l'idéal féministe s'écroule en un
instant. Foi dans l'avenir, théories, bons principes, tout est balayé
par l'expérience sexuelle : « Oh ! que la tâche des libératrices est
malaisée, avec ces enchaînées jalouses de leurs chaînes[3]... »

On pourrait dire que Prévost est un homme et un misogyne, ce
qui explique qu'il mette ainsi en scène le triomphe viril. Mais des
femmes écrivent souvent la même chose. Daniel Lesueur (pseudonyme de Mme Henry Lapauze, née Jeanne Loiseau) intitule l'un de
ses romans *Nietzschéenne*. C'est l'histoire d'une militante, Jocelyne
Monnestier, qui a fondé des « cités fraternelles » pour le mieux-être
de la classe ouvrière. Elle retrouve dans un jeune patron l'idéal qui
l'anime. Elle se laisse aller à l'aimer et ce qui faisait d'elle une
militante pure et dure, bardée de lectures et de principes, disparaît.
Elle n'est plus qu'une femme amoureuse :

« J'ai accueilli les paroles de Nietzsche, je m'en suis saturée
jusqu'à l'ivresse, parce que j'avais en moi une fierté affolée et
blessée[...] Mais elles nous ont liés, Robert. Elles nous ont donné
notre amour. Et maintenant notre amour est plus fort qu'elles.
Comme leur écho diminue quand votre nom résonne en moi !

« Allez, ami trop chéri ! N'invoquez pas Nietzsche [...] Vous
l'avez réduit au silence[4]. »

Tout se passe comme si, chez une femme, les principes et les
idéaux venaient à la place de l'amour qu'elle n'a pas trouvé ou
qu'elle a perdu, pour combler un manque affectif et sensuel. Si un
homme entre dans son horizon, l'ordre des choses « naturel »
reprend ses droits. L'héroïne de *la Rebelle,* célèbre roman de
Marcelle Tinayre, souligne la contradiction inscrite au cœur même
des femmes. Elle interviewe l'élite féminine et constate que ces
femmes s'insurgent contre la morale traditionnelle, affirment un
idéal nouveau, mais qu'elles ont, au fond d'elles-mêmes, gardé « les
vieux instincts de la femme d'autrefois »... Elles travaillent à

l'extérieur de leur foyer et ne sont pas pour autant libérées : « L'homme les trouve devant lui, concurrentes et rivales, dans les écoles, dans les hôpitaux, dans les administrations ; mais au foyer, dans l'alcôve, l'ordre antique se rétablit... Avec tout son cœur, avec tous ses sens, la femme aspire à la servitude amoureuse [5]... »

Une autre femme, fille de Heredia, épouse d'Henri de Régnier et maîtresse de Pierre Louÿs, qui écrit sous le pseudonyme de Gérard d'Houville, publie en 1905 un roman qui illustre parfaitement le goût pour la « servitude amoureuse » : *Esclave*. Grace Mirbel est la femme d'un planteur de La Nouvelle-Orléans, où elle s'ennuie beaucoup. Elle avait pour amant Antoine Ferlier, qui l'avait réduite en esclavage : il lui racontait ses aventures avec ses autres maîtresses et la faisait mourir de douleur. Excédé par sa jalousie, il l'a quittée. Mais le maître n'oublie pas si facilement l'esclave et il revient pour la reconquérir. Il blesse, dans un duel, son chevalier servant. Grace se rend, esclave pour toujours, consentante et comblée. Le dénouement est assorti de commentaires sur la servitude : les esclaves d'autrefois n'étaient pas si malheureux, nous sommes tous l'esclave de quelqu'un, etc.

Amélie Gayraud, professeur de l'enseignement secondaire, est l'auteur, en 1914, d'une enquête intitulée *les Jeunes Filles d'aujourd'hui*. Elle déplore le goût qu'ont les femmes pour la soumission : « Toute sa vie, une femme est une " petite fille ". Dans le secret de leur cœur, les plus fortes ont un plaisir infini à redevenir enfants et à dire : " Mon Dieu, je me remets à vous... " Quand elles aiment, elles ont un plaisir infini à obéir [6]. » Une autre femme, professeur elle aussi et romancière, Gabrielle Réval, interrogée par Philippe Pagnat en 1907 pour l'*Enquête sur l'amour,* se déclarait pessimiste : « Pour ce qui est des femmes, je ne crois pas que l'évolution de la pensée ait changé grand-chose à leur conception de l'amour, puisqu'on voit les plus fiers cerveaux rester esclavagistes sur ce point [7]. »

Certaines féministes imaginent pour la femme un avenir débarrassé du plaisir qu'elle éprouve à se sentir soumise, brisée, éperdue devant la force virile. C'est faire bon marché de la puissance des images. Le thème de la servitude amoureuse vit encore, porté par des paroles de chansons ou des plans cinématographiques. Damia chantait : « Quand je danse avec mon grand frisé / Il a une façon d' m'embrasser / J'en perds la tête / J'en deviens bête... » Et Edith Piaf : « J'irais jusqu'au bout du monde / Je me ferais teindre en blonde / Si tu me le demandais... » Marlène Dietrich, au dernier plan de *Morocco*, ôtait ses talons pour s'enfoncer pieds nus dans le désert à la suite de son légionnaire. On a encore dans l'oreille la voix gouailleuse de Mistinguett : « Je l'ai tellement dans la peau / J'en suis marteau... »

On peut se demander si le fait même d'être représentée n'annonce pas la fin de l'équation sexualité féminine-masochisme. Ce qui ne signifie pas qu'elle disparaisse du jour au lendemain. Les mentalités en restent bien entendu imprégnées. Je voudrais rappeler ce qui constituait, dans les années soixante, le fonds du folklore des khâgneuses lyonnaises. A côté de l'hymne officiel à Varah sur l'air des trompettes d'*Aïda,* nous entonnions régulièrement cette chanson que *le Dernier Métro* a remise à la mode : « Ah ! je l'aimais tant / Je l'aimais tant / Mon amant de Saint-Jean / Je restais brisée / Sans volonté / Sous ses baisers... Comment ne pas perdre la tête / Serrée dans des bras audacieux ?... » Dérision, disions-nous, que nous soulignions par des trémolos dans la voix. La dérision a bon dos. Laquelle d'entre nous aurait reconnu qu'elle rêvait de trouver le vertige dans des « bras audacieux » ? Aucune ! On a sa dignité...

D'autres images vont se substituer à celles de la servitude amoureuse. Elles naissent à partir du changement qui s'opère, entre 1900 et 1925, dans le corps des femmes. Il mincit, se dénude, se muscle, se bronze. La chair perd son secret. Vive le muscle ! Gloire à l'hygiène ! Les filles, comme les garçons, ont droit aux promenades à vélo, à la natation, au tennis. Le règne de la sexualité hygiénique se prépare. Le maillot de bain, les robes courtes sonnent le glas des regards troublants sur une cheville entrevue. Sport, hygiène, égalité. On va bientôt faire l'amour « en copains ». Les femmes auront droit au plaisir. L'orgasme obligatoire et partagé reléguera dans les oubliettes du xIxᵉ siècle finissant les mystères de la chair et ses vertiges.

LE MARIAGE RAISONNABLE :
LÉON BLUM

Les moralistes établissent souvent une équivalence entre femme du monde et femme adultère. On a vu les griefs d'Alexandre Dumas fils ou de Jules Bois contre la mondaine futile et inutile, femme du passé que la société n'a pas pris la peine d'éduquer, qui fait le mal faute d'avoir appris à le distinguer du bien. La femme de l'avenir, au contraire, sera consciente de ses devoirs, forte et fidèle. Elle demeurera chaste parce qu'elle aura choisi son époux.

Si une femme trompe son mari, c'est une question à la fois de nature et de mœurs. Tromper est dans sa nature, écrit Paul Mantegazza dans la *Physiologie de la femme :* « Combien de femmes aiment leur mari plus que leur amant, mais il est dans leur nature d'avoir quelque chose à cacher, d'éprouver la voluptueuse terreur d'un baiser dérobé[8]. » Tromper est dans les mœurs, selon l'analyse de Bebel : « La vie indolente et luxueuse que mènent tant de femmes des classes riches, la surexcitation des nerfs par l'emploi des parfums les plus raffinés, l'abus de la musique, de la poésie, du théâtre, bref de tout ce qui porte le nom de jouissances artistiques et se cultive pour certains genres en serre chaude : toutes ces choses, le sexe féminin, qui souffre à un si haut degré d'une hypertrophie des sens et des nerfs, les considère comme le moyen le plus distingué de récréation et d'éducation ; tout cela porte à l'extrême l'excitation sexuelle et pousse nécessairement aux excès[9]. » Chez les pauvres, l'excitation vient par la machine à coudre : à chacune ses moyens...

L'éducation va redresser à la fois la nature et les mœurs, et mettre fin à l'existence même de l'adultère. Eve sera moralisée et rédemptée. De tels propos, qui relèvent de l'idéalisme pur, traînent partout à la fin du XIXe siècle. Comme si l'instruction qui se généralise allait de pair avec la moralisation. Au milieu de cette foi dans le progrès s'élève une voix plus réaliste, celle de Léon Blum. L'analyse qu'il fait dans son livre *Du mariage,* en 1907, même si elle n'est pas représentative, parce qu'isolée, mérite qu'on s'y arrête, pour son bon sens et son absence de préjugés.

Il faut, affirme-t-il, apprendre aux jeunes filles que mariage et amour sont deux réalités différentes. Le mariage est la monogamie organisée tandis que l'amour représente l'instinct polygamique. Si on veut sauver l'institution du mariage, il convient de prôner le mariage tardif. La femme, aussi bien que l'homme, aura des aventures avant de se marier. Elle y usera « son inquiétude sentimentale, son inexpérience avide et toujours en quête[10] », elle connaîtra jouissance et déceptions. Alors seulement, elle sera mûre pour une union durable. Ainsi arrivera-t-on à réduire l'adultère.

Blum ne croit pas à un monde d'où disparaîtrait tout à fait l'infidélité. Il prétend, en revanche, qu'on pourrait la rendre moins dramatique, en la dissociant du mensonge qui l'accompagne obliga-

toirement. On emploie un mot unique : « tromper », pour désigner
deux actes distincts : d'une part partager les caresses de quelqu'un
d'autre que sa femme ou son mari (sa maîtresse ou son amant),
d'autre part dissimuler ce fait. De sorte qu'un conjoint qui saurait
tout est quand même trompé, « tant cette attitude est jugée
anormale ». L'adultère doit perdre son caractère de trahison. Pour
changer de point de vue sur l'adultère, il est nécessaire de changer
de point de vue sur le mariage : « Débarrassez le mariage de tout
son appareil mystique, restituez-lui sa place exacte dans la vie, et
j'entends surtout dans la vie des femmes, envisagez-le comme un
rapport positif et déterminé [11]. »

Si les considérations pleines de bon sens de Léon Blum ne
trouvent pas d'écho, c'est que « débarrasser le mariage de tout son
appareil mystique » va à contre-courant du mouvement qui s'opère.
Il ne faut pas imaginer que la mystique du mariage est attachée au
mariage religieux et que, avec les progrès de la laïcité sous la
Troisième République, cette mystique a tendance à s'effacer. Au
contraire, dans la mesure où la religion ne cimente plus la société,
une morale laïque devra prendre sa place. Cette morale va sacraliser
le couple.

## DE « LA GARÇONNE » AU « COUPLE »

Le nom de Victor Margueritte est attaché au scandale de *la
Garçonne,* en 1922. Le malheureux auteur s'est vu accusé d'immoralité, on lui a retiré sa Légion d'honneur, mais le livre a défié tous les
records de vente pour l'époque : sept cent cinquante mille exemplai-
res. Ce roman est passé à la postérité et cité comme preuve de la
licence qui régnait dans les mœurs après la guerre. On a totalement
oublié, en revanche, qu'il n'était que le premier volet d'une trilogie.
Le second, publié en 1923, a pour titre *le Compagnon,* et le dernier,
en 1924, *le Couple.* L'ensemble des trois romans s'intitule *la Femme
en chemin.* C'est un sujet que Margueritte avait à cœur puisqu'il
avait introduit les personnages de la trilogie dans un roman publié
en novembre 1921, dans *les Œuvres libres,* recueil littéraire mensuel
ne publiant que de l'inédit. Cette première version s'appelait déjà *la
Femme en chemin.* Il convient de regarder de près la trilogie car elle

jette les bases d'une nouvelle morale sexuelle qui a marqué la première moitié du xxᵉ siècle.

Précisons tout de suite que *la Femme en chemin* a été écrit par un militant socialiste, féministe, pacifiste. Les frères Margueritte, Victor et Paul, sont des hommes de progrès qui ont mis leur plume au service d'un idéal. Ils ont fait campagne, en particulier pour l'élargissement du divorce. Mais ils ne rêvent pas pour autant de libéralisation des mœurs. Philippe Pagnat leur pose, en 1907, comme à d'autres personnalités, la question : « Qu'est-on en droit d'attendre de l'amour ? Quels espoirs autorisent ses tendances actuelles ? » Les Margueritte se disent optimistes. Il faut élargir le divorce pour permettre aux individus de rectifier des erreurs de parcours. Au lieu d'être enchaînés à des erreurs passées, ils ont ainsi la possibilité de se racheter en recommençant. En ce sens, le divorce est facteur de progrès. Mais le progrès véritable sera le fruit de l'éducation. La nouvelle génération ne se trompera plus sur le choix d'un compagnon. On n'aura plus besoin de soupapes de sécurité — expériences sexuelles de l'homme préalables au mariage et adultère —, ni de sacrement pour faire tenir le couple. L'amour triomphera et s'autodisciplinera dans l'union libre. On se garde pour l'être qu'on se choisit, on se donne à lui librement et on lui reste fidèle. La morale ne s'impose plus de l'extérieur, elle n'est plus contrôlée par les institutions. L'individu conscient et responsable devient son propre gendarme : c'est ce qu'on appelle faire de l'amour l'instrument du progrès.

Les trois volets de *la Femme en chemin* illustrent parfaitement cette perspective. *La Garçonne* est l'histoire de Monique Lerbier, idéaliste et exigeante, de sa chute dans un monde pétri de vices et de sa rédemption par l'amour. A vingt ans, elle va épouser Lucien Vigneret qu'elle aime. Elle s'est donnée à lui, vierge, un peu avant le mariage. Elle tombe de haut lorsqu'elle découvre que son fiancé lui ment, qu'il a une vieille liaison. Désespérée, elle fait l'amour avec le premier venu, rompt le projet de mariage, quitte sa famille furieuse de cet esclandre. Elle a une fortune personnelle qui lui permet d'ouvrir une boutique d'antiquités et de décoration. Elle devient une femme à la mode et mène une vie très libre. Elle renverse les rôles habituels, prend les hommes puis les laisse, au hasard de ses désirs. Elle descend tous les degrés du vice : parties de plaisir, orgies, relations homosexuelles, drogue. Et tout cela, Victor Margueritte nous le rappelle sans cesse, non par instinct naturel dépravé mais par soif de pureté déçue.

Elle sort de ce gouffre grâce à l'amour d'un professeur, Georges Blanchet, qui, comme l'indique son nom, va blanchir cette femme tombée dans la fange. Blanchet écrit une thèse sur le mariage et la polygamie. Les êtres, selon lui, sont polygames avant d'avoir trouvé l'être d'élection définitif : « Il serait équitable, et prudent, de laisser mener aux jeunes filles aussi, avant le mariage, leur vie de garçon. Elles n'en seront que de meilleures épouses, leur gourme jetée [12]. » C'est ce que développait Léon Blum. Blanchet est le premier homme qui, au lieu d'entretenir avec Monique des rapports de force, l'aime généreusement. A l'aimer Monique Lerbier éprouve de cuisants remords de sa vie passée : « Ne lui apportait-elle pas une âme flétrie ?... Un corps public [13] ? » Elle voudrait expier, retrouver pour lui une virginité qu'elle n'a plus, elle se sent à la fois coupable et rédemptée, vraie Marie-Madeleine en face du Sauveur. Elle ne va plus vivre, à partir de cette rencontre, que pour son mari et ses enfants, sacrifiant à son attachement pour Georges tout désir personnel. Elle accepte même de vendre son magasin de décoration qui périclite. Elle avait envie de le reprendre en main mais Georges craignait qu'elle n'y revécût son passé. Pour le rassurer, par amour, elle renonce. Elle meurt comme une sainte, d'une grippe attrapée en allant soigner les pauvres.

Monique Lerbier avait un handicap de départ à surmonter : le monde dans lequel elle avait été élevée ne reposait que sur l'intérêt et les compromissions. Ses parents ne s'occupaient nullement d'elle, sa mère absorbée par ses toilettes et ses rendez-vous, son père par ses affaires. Cette fille aux aspirations élevées devait être amenée à rompre avec eux un jour ou l'autre. Tout autre est l'itinéraire d'Annik Raimbert, l'amie de Monique, l'héroïne du *Compagnon*. Orpheline très jeune, elle a été éduquée par une institutrice célibataire et féministe, Mlle Hardy, qui l'a intelligemment formée. Elle est le type même de la jeune fille moderne, saine de corps et d'esprit, idéaliste, comme Monique, mais ayant les moyens de lutter pour faire progresser son idéal, puisqu'elle a étudié le droit et qu'à vingt-quatre ans elle est avocate.

Annik a un rapport simple à son corps et à la sexualité. Elle a appris à entretenir son corps et à le connaître : elle fait de la gymnastique, se douche à l'eau froide et n'ignore rien des « fonctions naturelles ». Elle est vierge et attend l'amour. Avec sa robe rouge courte et ses boucles brunes, non moins courtes, elle a un « air déluré » — « non, ajoute Margueritte, la sournoiserie des " Claudine " d'antan, mais un charme net, d'adolescente pure [14] ».

Elle est inaccessible au trouble sensuel si longuement décrit par Paul Bourget. Les vertiges de la chair, elle ne connaît pas. Elle nomme les choses et est protégée contre toute perversité par la connaissance de ce qui est naturel. Le jour où son patron journaliste, qui lui plaît pourtant beaucoup, lui laisse voir la violence de son désir, elle le quitte : « Ça, un homme ? Non, un singe en chasse [15]... »

Elle devient secrétaire du député socialiste Jacquemin, qui l'associe à ses travaux et l'aide à se faire une place au barreau. Ensemble, ils travaillent sur un projet de loi qui vise à glorifier la maternité : que l'enfant ait été conçu dans le mariage ou dans l'union libre, il porterait d'abord le nom de la mère, ensuite celui du père. Annik, de compagne de travail, devient la compagne d'existence de Jacquemin. Elle se donne à lui vierge, lui est fidèle, mais n'abandonne pas pourtant son combat. Même enceinte, elle refuse d'épouser son amant et, logique avec elle-même, pour avoir la puissance paternelle, donne à leur fils son propre nom, avant qu'il soit reconnu par son père. Annik rêve de « persuader à la foule des mères, des filles-mères — comme moi ! dit-elle — que non seulement il n'y a pas de naissances honteuses, mais que, dans quelque condition que ce soit, le ventre ennoblit, la vie est sacrée [16] ». Elle plaide pour les femmes exploitées par les hommes, par exemple une femme de chambre engrossée par son patron, renvoyée et coupable d'infanticide. Sa lutte pour le droit de la femme passe par l'exaltation de la maternité. Elle-même vit en union libre comme une épouse pure et fidèle et une mère épanouie.

Annik est l'apôtre du monde nouveau, celui que projette de peindre Jean Roussot, son ami. Ce sera, comme dans la trilogie de Victor Margueritte, le dernier volet d'un triptyque sur l'après-guerre : « La bamboula des mercantis... la femme, la jeune fille même dans les dancings, au sortir des hôpitaux et des usines... le mensonge des salons, le besoin général de crapule et de noce, à côté du véritable idéal féminin. Idéal de bonheur, de tendresse... Vous verrez ! Et, pour finir, au dernier panneau, Adam et Ève réconciliés nus dans la simplicité primitive, s'en allant la main dans la main, vers la cité future [17]... » *Le Couple,* dernier panneau de *la Femme en chemin,* nous mène un pas plus loin dans la direction du monde nouveau. La répartition des hommes en méchants et en bons, comme au Jugement dernier, s'opère de manière quasi automatique. Les premiers sont capitalistes et dépravés, pervertis à la fois par le goût de l'argent et la débauche sexuelle. Ils deviennent tous laids tant leurs vices s'inscrivent dans leurs corps. Les seconds sont

socialistes et vertueux. A eux la beauté et la santé, les corps bronzés
et la sexualité heureuse, qui vont forcément de pair avec un idéal de
justice et de paix... Bien entendu, les méchants ratent leurs enfants,
les bons les réussissent, au point qu'ils arrivent toujours à retrouver
le chemin de la vertu.

Les héros du *Couple* sont les enfants des Blanchet et des
Jacquemin-Raimbert. Deux garçons et deux filles faits les uns pour
les autres, puisqu'ils ont reçu la même éducation et ont le même
idéal. Mais Georgi Blanchet et Gine Jacquemin-Raimbert —
polytechnicien et sévrienne — ont immédiatement reconnu ce qui
les liait. Claude Jacquemin-Raimbert, au contraire, va errer avant
de comprendre que sa place est auprès de Sylvestre Blanchet, qui
n'a cessé de l'aimer et de l'attendre. Il a été follement séduit par une
aviatrice blonde, fille d'un banquier, jeune fille moderne, qui croit
que les filles comme les garçons doivent vivre librement avant de se
marier, pour rétablir l'égalité des sexes. Claude, déjà très déçu par
la différence de leurs principes, est définitivement guéri de cette
passion lorsque, par une nuit d'orgie, il voit sa bien-aimée dans les
bras d'un nègre. Il avait failli devenir son amant !

Amédée Jacquemin, devenu ministre, meurt victime d'un attentat
politique. Annik Raimbert est tuée en s'opposant au départ d'un
train de soldats, écrasée avec d'autres femmes qui croient de leur
devoir d'empêcher la guerre et la tuerie. (De la génération des
parents, seul survit Georges Blanchet. Il est professeur au Collège
de France. Symbole de la pédagogie qui nous guide vers le paradis ?)
Claude reprend le flambeau de sa mère, se convertit à la non-
violence et, avec l'aide de Sylvestre, part prêcher la paix. Tel est le
couple de l'avenir : vierge, fidèle, plein de foi, il sauvera le monde.
Les « faux pas » de la garçonne sont rachetés par ses enfants qui
marchent tout droit dans la lumière du couple. Ainsi, pour l'enquête
de Philippe Pagnat, Paul Adam, auteur de *la Morale de l'amour*,
évoquait-il l'avenir : à la place de la « tentation » régnera « le libre
instinct d'Éros, encadré des attributs d'hygiène et de bienséance qui
en légitiment le culte dans la nature, dans la société [18] ». Pour en
arriver là, il faut rendre son prix à la virginité et encourager les
mariages jeunes. Voilà comment le socialisme, tenant compte des
« désirs de la femme », prépare des lendemains qui chantent...

Le discours laïque cherche à remplacer le sacrement du mariage
par la morale laïque du couple. Il veut en finir avec l'hypocrisie du
mariage — l'oie blanche livrée au blasé, à condition, en plus, qu'elle
ait une dot suffisante —, il réclame l'éducation sexuelle et morale

des garçons et des filles, prône le couple fondé sur l'amour. Il a foi dans la pédagogie pour épurer ce que la sexualité peut avoir de trouble. L'éducation mixte, déclare Séverine, au Congrès international de la condition et des droits des femmes, mettra fin à la « basse préoccupation du sexe », qui est « la plaie que nous portons au flanc [19] ». A l'éducateur de refermer cette plaie, de faire place nette. L'hygiène et la science aidant, finis les vertiges de la chair, les rêveries malsaines, les dégoûtantes compromissions. Du moment que la liberté préside au choix d'un compagnon, c'en est fini aussi de l'infidélité. En effet, pour que la sexualité ne soit pas réduite à une fonction hygiénique, il faut que l'amour soit présent, et la fidélité. On peut se demander si le contrat moral passé entre les deux partenaires n'est pas plus contraignant que le mariage traditionnel. N'y a-t-il pas davantage d'accommodements avec le Ciel qu'avec l'impératif catégorique intériorisé ?

Le lit conjugal est l'autel de la messe laïque, dont Robert Brasillach, dans *Comme le temps passe,* donne une célébration littéraire qui dure vingt pages. Apothéose de la nuit d'amour de Tolède : « Ils se sont enfoncés au fond même du symbole du mariage, ils ont été les mariés de la nuit, car ils ont compris que le moindre de leurs gestes signifiait quelque chose de précieux, et qu'ils s'unissaient pour le passé et pour l'avenir, et qu'ils ne pourraient jamais oublier qu'ils avaient été unis. Anneau, alliance, un petit cercle d'or luisait à leurs doigts d'enfants, et elle l'avait senti contre son épaule, et il l'avait senti contre sa hanche, mais ils n'en avaient pas besoin pour comprendre le mythe immense de l'union de l'homme et de la femme, et son sens de plante et de planète, et ce monde résumé qu'ils créent tous deux [20]... »

Puisque l'acte sexuel vaut comme sacrement, l'union libre est aussi forte que le mariage et la virginité n'est plus une valeur. Aujourd'hui, l'idéologie dominante pousse les jeunes gens à avoir des expériences préconjugales. Quoique... il faut voir avec qui on a ces expériences. Un collectif de femmes écrivait, en 1975 : « Il n'est plus obligatoire d'arriver vierge au mariage. Peut-être, mais c'est avec le futur mari qu'on a des rapports avant le mariage (selon le rapport Simon, c'est le cas de 67 p. 100 des rapports préconjugaux), et c'est toujours le mariage qu'on garde en vue et comme but final. Même dans les rares cas où une femme mène sa vie, elle finit par se ranger dans le mariage. Des réflexions comme celles-ci sont révélatrices : " On s'est essayés dix ans avant de se marier. " [21] »

La virginité a perdu son statut officiel dans les années soixante, où

triomphait la « société de consommation ». En même temps a
changé la notion de « devoir conjugal ». Car le couple a remplacé la
famille et il a besoin d'un moteur. Le patrimoine était le moteur de
la famille, la jouissance sera celui du couple. C'est alors que des
magazines féminins à grande diffusion comme *Marie-Claire* se sont
mis à publier des articles sur le thème : « Soyez la maîtresse de votre
mari », ou : « Apprenez à votre mari à vous donner des orgas-
mes. » Le devoir conjugal, qui, depuis si longtemps, supposait que
l'épouse subît en silence et que l'époux s'en tînt aux gestes
strictement nécessaires, devient quasiment synonyme de recherche
du plaisir sexuel. Ainsi le droit de la femme au plaisir n'est-il pas
seulement une revendication du mouvement féministe ou une
conséquence du travail des femmes à l'extérieur de leur foyer, il est
aussi un élément essentiel au fonctionnement du couple, finalité de
notre société[22]. Dans cette perspective, être vierge n'a plus de
valeur, apprendre à faire l'amour est un devoir.

# III

## Femme de foyer

# La famille Bellelli
## et Mme Charpentier

Debout, très droite, toute vêtue de noir, elle a une stature et un maintien imposants. Elle est sans doute en deuil car ses bijoux même sont noirs, trois bracelets de jais et une boucle d'oreille en forme de poire (on n'en voit qu'une, son visage est de trois quarts). Ses cheveux châtain foncé sur lesquels on distingue une gaze noire sont tirés en arrière par un chignon. Elle pose sa main gauche sur un bureau et la droite sur l'épaule de l'une de ses filles. Elle s'appelle Mme Bellelli. Elle était cousine du peintre Degas, dont le tableau, qui la représente avec sa famille, se trouve actuellement au musée du Jeu de Paume. M. Bellelli était banquier.

Les deux petites filles sont aussi en noir, avec des tabliers blancs sobres, des cols blancs, des bas blancs et des boucles d'oreilles blanches. L'une, debout, porte comme sa mère un foulard noir autour du cou. Elle a les yeux bleus et regarde le spectateur. Ses jambes sont croisées, ses mains également, sur son ventre. Sa sœur est assise sur une chaise bleue, au milieu du tableau, une jambe repliée sous elle. Seul dépasse le bout de son soulier. Son visage est tourné vers son père, mais elle ne le regarde peut-être pas. Elle a les yeux bruns et les traits de sa mère, avec quelque chose de plus vif.

La mère et les filles forment une pyramide féminine, dont Mme Bellelli constitue la pointe. En face, le père, assis dans un fauteuil, devant la cheminée. Il est de profil, le visage tourné vers la fillette assise, mais son regard semble plutôt dirigé vers sa femme. Il porte une veste d'intérieur brun clair. Son fauteuil est vaste, confortable, à roulettes. A ses pieds, un coussin bordé de rouge. Derrière le fauteuil, on distingue un chien. Sur le bureau, à côté de Bellelli, quelques lettres.

Le décor est celui d'un appartement bourgeois du Second Empire :

*papier peint verdâtre imprimé aux murs, tapis de sol à motifs, coussins bariolés sur le canapé derrière la mère. A gauche de la cheminée, le cordon pour sonner les domestiques. Sur la cheminée surmontée d'un miroir, une pendule avec statuette de Victoire, encadrée d'assiettes décorées, un chandelier.*

*Les femmes sont en représentation sous le regard du maître de maison. L'attitude de Mme Bellelli est pleine de dignité et de froideur. Sa puissance est d'autant plus impressionnante qu'elle se dédouble dans ses filles. Le tableau de Degas exprime parfaitement la position qu'occupe la mère bourgeoise dans son intérieur : elle règne, mais elle règne pour lui. La pyramide est érigée, majestueuse, pour l'époux et père, c'est lui qui la suscite. Adèle Esquiros, à la même date (1860), dans la conclusion de l'Amour, écrivait : « Pour le bourgeois, le travail, c'est la fatigue ; mais le repos, le bonheur, c'est la famille. Le bourgeois respecte et choye sa famille ; il veut que sa femme soit parée, qu'elle lui fasse honneur. »*

*Vingt ans plus tard, Renoir peint Mme Charpentier, l'épouse de l'éditeur et collectionneur, et ses deux filles. Le tableau est à New York, au Metropolitan Museum of Art. Scène d'intérieur également, mais de tonalité différente. A la raideur austère de Mme Bellelli s'oppose la souplesse souriante de Mme Charpentier, aux couleurs sombres de Degas les couleurs chaudes de Renoir, au puritanisme le charme discret de la bourgeoisie.*

*La maîtresse de maison est assise sur un canapé, vêtue d'une robe noire, longue et mousseuse, décolletée. De la gaze blanche transparente couvre la gorge. Le long drapé de la robe, disposé sur le tapis, laisse dépasser un bouillonné de dentelle blanche. Mme Charpentier a le visage plein et sourit. Ses cheveux aux reflets roux sont relevés mais non tirés, ils ont du volume et retombent en boucles sur le front. Son bras droit, allongé sur le dossier du canapé, décrit comme une ouverture sur les deux fillettes. La plus petite, assise aux côtés de sa mère, regarde, la tête un peu penchée, sa sœur qui, elle, est assise sur un gros chien noir et blanc, assoupi, le museau entre les pattes. Les fillettes sont toutes charmantes : teint rose, bras nus, longs cheveux ondulés, d'un blond vénitien. Elles portent des robes courtes, bleu ciel à parements blancs, des chaussettes blanches et des sandales. Derrière le canapé, des panneaux muraux rouge et or où sont peints deux paons. Au fond, devant une tenture, un fauteuil et une table avec un bouquet. Le groupe de la mère, des petites filles et du chien est plein de courbes, de grâce, de moelleux.*

*Un absent dans le tableau : M. Charpentier. Mais le spectacle se donne tout de même pour lui. Degas était plus explicite, puisqu'il représentait, comme autrefois on représentait le donateur, l'homme devant lequel se déploie la mise en scène. Renoir ne montre plus que la mise en scène, ce que voit le maître de maison quand il rentre chez lui, ce que voient les visiteurs : l'agencement de la féminité dans l'intérieur bourgeois, pour le plaisir des yeux et du cœur. La trinité féminine s'est assouplie, elle ne trône plus, raide, au centre du salon, les femmes et le décor se sont harmonisés, dans la douceur. Un peu plus tard, Bonnard et Vuillard vont au bout de cette fusion entre les femmes et l'intérieur, tissent les silhouettes de femmes avec les tentures et les papiers peints, au point que l'on ne sait plus qui est quoi, des personnages et du fond.*

*Si, en apparence, hommage est rendu, chez Degas à la dignité féminine, chez Renoir au charme de la femme, en réalité les deux tableaux reproduisent la représentation que s'offre le maître de maison, la représentation donnée par les femmes en son honneur.*

# 1

# Le décor au féminin

## Achat des meubles

C'est le marié ou sa belle-mère qui s'occupent de meubler l'appartement du nouveau ménage. Camille Marbo et Edmée Renaudin racontent chacune comment leur mère, pendant leur voyage de noces, s'est chargée d'organiser l'endroit où elles allaient vivre au retour avec leur époux. La mère de Renaudin a mis en route des travaux, celle de Marbo a aménagé pour le couple l'intérieur où son gendre avait vécu célibataire, et, d'accord avec lui, a choisi des meubles au faubourg Saint-Antoine.

Si l'on n'a pas de meubles de famille, on commande un « complet », c'est-à-dire un mobilier de chambre à coucher et de salle à manger considéré comme une base. A la campagne, on demandait à un artisan de l'exécuter, à Paris, on l'achetait dans les fabriques de meubles du faubourg Saint-Antoine, ou d'occasion, aux Saisies-Warrants. Colette a décrit les meubles achetés d'occasion par son mari : « Une chambre à coucher " complète ", si complète en effet que le cannage de rotin y rencontrait le laqué blanc et les médaillons en faux Wedgwood, ovales distribués par les panneaux du lit, de l'armoire, les dossiers des fauteuils, la coiffeuse-triptyque... Celle-ci, à mi-corps, s'affublait de tiroirs à bijoux dans lesquels je serrais, n'ayant point de bijoux, une collection de billes en verre [1]... » Elle subit cette laideur en se disant parfois : « Ce n'est pas possible, ce n'est pas *vrai*, je n'habite pas ici. »

Même laideur hétéroclite des meubles achetés par le mari dans un roman de Camille Marbo : « Il rangea lui-même la vaisselle dans le dressoir breton, pendit au mur des flèches et des sagaies, rapportées par un ami colonial. Puis après l'achat d'une vitrine Art nouveau qu'il offrit à Hélène en surprise, il déclara l'installation terminée[2]. » Voilà pour la salle à manger. Pour le salon, où il veut que son épouse reçoive ses collègues professeurs, « il avait acheté aux Saisies-Warrants un meuble de salon d'occasion, style Empire, qu'il jugeait avantageux et qu'Hélène trouvait affreux, sans trop oser le dire[3] ».

On donne aux jeunes mariés le conseil d'acheter peu à peu et de choisir des meubles qui pourront changer de destination. La baronne Staffe propose d'acquérir, pour la chambre à coucher, du mobilier qui, plus tard, passera dans la chambre d'amis, « quand on se recomposerait une chambre plus riche et plus sérieuse, en rapport avec la fortune augmentée et l'âge auquel on serait parvenu[4] ». Henri de Noussanne indique qu'une chambre à coucher en pitchpin deviendra facilement par la suite une chambre d'enfants. Il donne des prix pour l'ameublement de « jeunes époux modestes[5] » : la chambre 250 francs, le cabinet de travail 600 francs, le salon-salle à manger 1 000 francs (dont 500 consacrés au bahut « artistique »). L'installation de départ revient donc à 1 850 francs. Mme de Graffigny, de son côté, chiffre à 2 700 francs le mobilier « pour gens aisés » et à 776,95 francs celui « pour gens modestes[6] ».

Si l'on consulte des catalogues de meubles, on constate que la chambre moderne en pitchpin est effectivement la moins chère : 250 francs, alors qu'il faut compter, par exemple, pour une chambre de style Louis XV en noyer ciré, 2 650 francs et pour la même en bois de violette avec bronzes dorés, 6 250 francs. Le buffet Henri II en chêne ciré vaut 350 francs, en noyer 370[7]. Selon le bois, il peut valoir jusqu'à 700 francs. Théodore Zeldin signale que la meilleure affaire des Galeries nancéiennes en 1898 est le buffet Henri II laissé à 180 francs à peine[8].

Si le logement est assez spacieux, il comprend le grand salon et la salle à manger, qui sont des pièces de réception, une chambre à coucher pour Madame, une pour Monsieur, un petit salon (ou boudoir) pour Madame et un cabinet de travail pour Monsieur. Lorsqu'il se rétrécit, c'est à la femme qu'on retire de l'espace — ou à l'homme qu'on en donne davantage. Noussanne répartit ainsi les trois pièces d' « époux modestes » : un salon-salle à manger, une chambre à coucher, un cabinet de travail (pour Monsieur, évidemment, une femme n'y entre jamais que pour faire le ménage). La comtesse de Ségur, proposant à sa fille Olga et à son gendre l'entresol de son appartement à Paris, imagine déjà un espace supplémentaire pour le mari d'Olga. Il y aurait, écrit-elle le 5 octobre 1856, trois chambres, une pour chacun des époux et une pour le bébé qu'attend Olga, un cabinet de toilette et un fumoir pour Émile [9]. L'espace masculin est plus respectable que l'espace féminin. Henry Havard, critique d'art et inspecteur des Beaux-Arts, compare le bureau-bibliothèque du maître de maison au boudoir de son épouse : « Un sanctuaire considéré à un point de vue plus élevé, pris dans une acception plus haute, avec une acception plus noble, et surtout avec une destination moins futile [10]. » Le boudoir, en effet, n'a jamais « secoué tout à fait le poids de ses origines douteuses » !

## L'ameublement au XIXᵉ siècle

Au XIXᵉ siècle, l'appartement est compartimenté, chaque pièce et chaque meuble ont une destination bien définie. C'est sous Louis XV que se transforme l'occupation de l'espace intérieur. Un espace privé — petits salons, boudoirs — se dessine à côté de l'espace public — grands salons et galeries — réservé à l'apparat. Jusque-là les pièces et les meubles n'ont pas eu d'emploi spécifique. Dans les comédies de Molière, par exemple, on dresse les tables sur des tréteaux au moment des repas. On serre dans les coffres aussi bien les vêtements que la vaisselle. La salle à manger comme pièce destinée aux repas date de 1750 environ. Dans le dernier quart du XVIIIᵉ siècle, on crée un mobilier de salle à manger (en particulier la desserte, petite table sur laquelle on pose les plats et la vaisselle, appelée « servante » ou « serviteur muet »).

Avec Louis-Philippe apparaissent trois éléments importants de l'ameublement bourgeois : l'armoire à glace, le tabouret de piano, le fauteuil à roulettes. On fabrique des meubles en série et les composantes du mobilier deviennent fixes pour chaque pièce. Dans la chambre à coucher, le lit conjugal, l'armoire à glace, la table de nuit, la commode. Dans la salle à manger, le buffet à corps unique surmonté d'un gradin à étagères, et la suspension, que Barbey d'Aurevilly nomme avec humour l' « araignée de Damoclès [11] ». Dans le salon, enfin, fermé sauf aux heures de réception, des sièges recouverts de velours frappé ou de reps rouge à rayures, un fauteuil Voltaire rembourré, à haut dossier sinueux cambré à hauteur des reins, une chauffeuse capitonnée, un piano droit avec son tabouret à vis et une pendule sous globe. Des débauches de draperies évoquées par Mme de Girardin : « Les cheminées ont des housses de velours avec des franges d'or, les fauteuils ont des manchettes de dentelles, les lambris sont cachés sous des étoffes merveilleuses, brochées, brodées, lamées... Les rideaux sont fabuleusement beaux ; on les met doubles, triples, et l'on en met partout [12]. »

Le Second Empire voit le triomphe du capiton. L'ossature de bois des meubles disparaît totalement, même le chevet des lits. Les sièges à la mode sont le fauteuil crapaud capitonné de satin et le pouf. Des pompons, des galons, des glands, à profusion, et jusque sur la main courante des rampes d'escalier. Pour les meubles, on copie tous les styles et on les mélange. Ainsi, dans un appartement, chaque pièce peut-elle avoir son siècle [13] : du Louis XVI dans la chambre à coucher, du gothique ou Renaissance dans la salle à manger, du Louis XIV dans le grand salon, du Louis XV ou XVI dans le petit. L'ameublement devient, jusqu'en 1900, une sorte de pot-pourri.

Les numéros d'une revue mensuelle, *la Décoration intérieure,* qui paraît de 1893 à 1895, donnent une idée du capharnaüm qui règne dans les maisons. Aux salles à manger gothiques et aux chambres à coucher Louis XVI se mêlent les éléments les plus exotiques : lit japonais, salle de jeu assyrienne, billard mauresque, salle de bains orientale. De son côté, Henri de Noussanne, littérateur intéressé par l'art, décrit la « maison rêvée [14] ». Pêle-mêle fou des époques et des civilisations. La maison d'architecture romaine, avec atrium, est meublée dans le style Louis XIV, pour la commodité, dit l'auteur, et ornée de japonaiseries. Au cœur de cette demeure, il disposerait d'une « retraite » qu'il diviserait en deux : dans le coin profane, il recréerait l'Égypte, à l'aide d'un sphinx en granit et d'un palmier, dans le coin religieux, il mettrait des stalles, un Christ, etc. ! La demeure rêvée est un condensé de l'univers et du passé.

Le style « nouille », en 1900, essaie de réagir contre les mélanges de styles, cherche à désencombrer et à donner une unité. Mais il n'aura aucun succès auprès des petits-bourgeois, qui se raccrochent au buffet Henri II et à l'armoire à glace. En revanche, les bibelots copiés ou inspirés de Guimard, Gallé ou Majorelle, ont été fabriqués en grande série et vendus à bas prix. On les trouve sur les buffets Henri II, en décoration...

### L' « *Art intime* »
### ou « *Art de la curiosité* »

Edmond Bonnaffé, collaborateur de la *Gazette des Beaux-Arts*, dit, en 1878, qu'il y a à Paris deux ou trois mille collectionneurs, « sauveteurs des épaves de l'Ancien Temps[15] ». Il rappelle la révélation qu'a été l'ouverture du musée de Cluny : en 1843, le comte Duchâtel a fait acheter par l'État le Cabinet du Sommerard, qui a ensuite constitué le musée de Cluny. Autre grande collection versée à un musée : celle de Charles Sauvageot, qu'il a donnée au Louvre en 1856.

Se constituer un musée chez soi semble être une ambition répandue vingt ou trente ans plus tard : « Le grand marché parisien de la rue Drouot, affirme l'architecte Ernest Bosc en 1883, permet à quiconque a de l'argent et un peu de goût de pouvoir en quelques jours se monter un *musée*. Du reste, nos collectionneurs sont si divers dans leurs préférences que des industriels, toujours à l'affût de bonnes affaires, n'ont pas hésité à dépecer des châteaux pour en revendre les morceaux[16]. » On collectionne tout, les meubles, les tableaux, les vases antiques, et même les lettres d'assassins et les têtes de mort[17]...

Edmond de Goncourt, dans le Préambule de *la Maison d'un artiste*, ouvrage en deux tomes où il décrit sa maison d'Auteuil du haut en bas, avec toutes les collections qui s'y trouvent, explique que le bibelot a remplacé la femme : « Pour notre génération, la bricabracomanie n'est qu'un bouche-trou de la femme qui ne possède plus l'imagination de l'homme, et j'ai fait à mon égard cette remarque, que, lorsque par hasard mon cœur s'est trouvé occupé, l'objet d'art ne m'était de rien[18]. » Ce texte est à rapprocher d'un passage du *Journal* des Goncourt : « C'est vraiment curieux, cette sorte de bonheur sensuel que des gens à la rétine comme la mienne éprouvent à faire jouir leurs yeux de la contemplation des taches porphyrisées dans la larme de l'émail colorié d'une poterie japonaise... Oui, bien certainement ; la passion de l'objet d'art — et de l'objet d'art industriel — a tué chez moi la séduction de la femme. » (3 novembre 1888).

Collectionner, pour un homme, est une activité véritablement amoureuse et créatrice : « De toutes les distractions propres à faire oublier les côtés matériels de l'existence, celles que procure l'Art

intime offrent les plus réels, les plus précieux avantages. L'Art
intime, en effet, réconforte notre âme et nous attache au foyer
domestique ; il nous crée un milieu dans lequel la pensée travaille,
où le rêve se développe, où les heures s'écoulent en paix[19]. » Être
collectionneur correspond à une philosophie : il s'agit de mettre en
scène son espace quotidien, et, pour cela, de convoquer l'extérieur
dans son « home ».

Les femmes, au contraire, ne sont pas des collectionneuses
sérieuses. Si elles achètent des bibelots, c'est pour s'amuser, comme
elles achètent des vêtements, des chapeaux, des colifichets. Elles
acquièrent dans les grands magasins des bibelots orientaux, « frian-
des d'occasions et de rabais déclarés, femmes de bric-à-brac et de
provisions, mues par le plaisir de l'achat et les bavardages qui
l'accompagnent[20] ». C'est ainsi qu'elles « enjolivent leur nid avec
une joie enfantine ». L'esprit ne préside pas à leur choix. Elles
suivent, dans ce domaine aussi, la mode. *L'Art de la mode,* revue à
laquelle ont collaboré Edmond de Goncourt, Jules Claretie, Philippe Burty, Aurélien Scholl — des lettrés connaisseurs en matière
artistique —, montre bien la différence entre les collectionneurs
hommes et femmes. Les collections masculines sont décrites avec
précision et sérieux, celle de Léopold Double[21], par exemple, qui,
probablement, était l'époux de la rédactrice en chef, la baronne
Double, alias Étincelle. Aux femmes, on donne de bonnes adresses : elles ne sont que des consommatrices d'objets. Jacques
Vetheuil a été chargé par la revue de recenser les coins de Paris où
les lectrices trouveront des richesses artistiques. Il indique la
boutique de M. Récappé, rue Paul-Louis-Courier[22]. La comtesse de
Vénasques, dans la rubrique « Un conseil pratique », parle du
bibelot qu'on décrète à la mode chaque année à l'ouverture du
Salon. En 1881, c'est la terre cuite. Elle suggère de se procurer des
statues chez Mme Salvatore, passage Choiseul.

Si les femmes collectionnent, elles ne font pas œuvre créatrice,
elles ne conçoivent pas une collection dans son ensemble. Elles
achètent pour acheter et pour décorer. La passion de la curiosité,
écrit Marius Vachon en 1893, « est devenue une mode féminine
impérieuse. Toute grande dame ou simple bourgeoise considère
comme une obligation d'orner ses appartements de vieux meubles,
de tableaux anciens et de bibelots variés séculaires. Aussi les
marchands qui alimentent ces fantaisies ruineuses se sont-ils multipliés à l'infini, donnant à cette industrie un développement prodi-
gieux[23] ».

Quant aux femmes qui possèdent des collections, elles les tiennent de leurs maris, elles ne sont que les gardiennes du patrimoine. Dans la revue *la Mode pratique,* Étincelle rend compte en ces termes d'une visite chez Mme Octave Feuillet : « Je n'ai jamais vu plus artistique compréhension de l'arrangement intérieur. Le petit salon où elle se tient et le grand salon des réceptions sont des musées, mais des musées bien féminins, sans vanité de collectionneurs, pleins de souvenirs du XVIII^e siècle et même du XVII^e, disposés pour le plaisir des yeux et le confortable des visiteurs [24]. » Justice est rendue, se dit le lecteur, au talent de la maîtresse de maison. La conclusion de l'article vient le détromper : « Mme Octave Feuillet était à bonne école : les livres de son mari ne sont-ils pas des objets d'art sortis d'une main de grand maître ? Elle mérite pourtant d'être nommée la première parmi les femmes de goût. » Le goût de Mme Feuillet est donc le résultat du génie de son époux ?

Élisabeth de Gramont intitule un chapitre de ses *Mémoires* « Collectionneurs » et cite, parmi eux, Mme Édouard André, née Nelly Jacquemart, qui « hérita de son mari une collection immense qu'elle ne cessa d'augmenter [25] » (cette collection est devenue le musée Jacquemart-André). Elle rapporte un propos d'elle sur ses trésors : « Si vous croyez que j'ai le temps de les regarder, entre tous mes procès, mes régisseurs et mes domestiques ! » Boutade, peut-être, mais qui n'en est pas moins intéressante. Parmi ses collections, Nelly Jacquemart-André se présente d'abord comme une maîtresse de maison. Les seules femmes qu'Élisabeth de Gramont désigne comme de véritables connaisseuses, capables de découvrir des objets d'art, sont des aristocrates : la comtesse de Béarn, la comtesse de La Béraudière.

## Les « *Arts de la Femme* [26] »

Deux expositions ont été organisées, la première en 1892, la seconde en 1895, par l'Union centrale des arts décoratifs, sous le nom d' « Expositions des arts de la femme ». En 1892, l'affiche est de J.-L. Forain. Une femme debout, en robe du soir de soie grise, dos et bras nus, longs gants blancs, chignon, taille très mince, soulève, d'un geste théâtral, une tenture rose : veut-on suggérer une femme qui arrange un drapé ? En 1895, une affiche de Moreau-Nélaton : une femme assise, sur la gauche, en jaune, tient un napperon qu'elle semble broder ; à droite, une femme debout, en brun, a dans la main une palette et un pinceau, elle est en train de peindre le *m* de « femme ». En tête du guide-livret illustré [27], une autre affiche encore, pour l'exposition de 1895 : une femme debout, en robe noire, une baguette dans la main droite, montre le *m* de « femme » ; elle tient dans la main gauche un livre ouvert. Assise, une autre femme en robe blanche, un ouvrage de couture dans les mains, regarde sa compagne.

Le guide de la seconde exposition, conservé à la bibliothèque du musée des Arts décoratifs, nous permet de savoir précisément ce qui était exposé et ce qu'on entendait par « arts de la femme ». C'étaient des travaux d'art décoratif exécutés à la main par des femmes. Travaux à l'aiguille, encore appelés « ouvrages de dames » : broderie, crochet, tricot, tapisserie, dentelle, passementerie. Travaux de peinture et dessin : peintures sur faïence, sur étoffe, sur éventail, panneaux décoratifs, papiers décorés, pyrogravure, enluminures. Travaux de sculpture et gravure : sculpture d'ornement, en pierre, en bois, en ivoire, en matières plastiques, ciselure, repoussé sur métal, lithographie. Ajoutons à ce qui précède les « travaux divers » : fleurs artificielles, plumes, vannerie, maroquinerie, reliure.

L'exposition, en 1895, occupe trois salles du musée des Arts décoratifs. Dans la première sont réunis les travaux présentés par les industriels, les associations féminines, quelques dames artistes. La seconde est réservée aux écoles de dessin et écoles professionnelles de jeunes filles, la troisième aux dames du monde, qui sont cent vingt-cinq à avoir envoyé des travaux. On y trouve les plus grands noms : la princesse de Broglie, la princesse de Beauvau, la duchesse d'Uzès, la comtesse Pierre de Cossé-Brissac, la comtesse Greffulhe née La Rochefoucauld, la marquise de Nadaillac (présidente, en 1902, du Concours des Arts de la Femme), la duchesse d'Estissac, Mme Waldeck-Rousseau, etc. On peut d'ailleurs, en ce qui concerne les dames du monde, se poser la question : tenaient-elles l'aiguille en temps ordinaire ? Ou l'ont-elles prise pour réaliser les chasubles, paravents ou mules brodées de l'exposition ? La comtesse de Pange raconte qu'une jeune fille venait le matin finir les « travaux de dames » que commençait sans cesse sa mère, sans jamais les achever [28]...

D'après le guide-livret, l'exposition a deux buts : d'une part, « développer chez les femmes du monde le goût de ces travaux élégants qui, sous leurs doigts habiles, deviennent la parure de la personne et du logis » ; de l'autre, « procurer à la femme qui cherche des ressources dans le travail rémunéré la facilité de se faire connaître et de faire apprécier ses œuvres ». Ces expositions s'intègrent dans le mouvement de promotion de la femme à la fin du XIXᵉ siècle. On veut montrer qu'on lui reconnaît officiellement une dignité. Le journal *la Mode pratique,* annonçant l'exposition de 1892, déclare : « Elle sera l'attestation visible et frappante du mérite des femmes [29]. » Il s'agit de rendre hommage non plus seulement à leurs charmes mais à leurs œuvres : « La femme, qui pourrait se croire bien déchue si elle se regardait dans le miroir souillé de la basse littérature, s'admirera dans ses travaux et se sentira rehaussée à ses propres yeux. » De la même manière, Marceline Hennequin, lorsqu'elle rend compte de l'exposition de 1895, écrit : « Grandes dames et ouvrières se sont réunies un jour dans un commun désir de prouver que l'art féminin français est plein de vie et n'aspire qu'à progresser. Autrefois on eût déclaré tout uniment que la femme du monde qui daignait s'en servir faisait à l'aiguille ou au pinceau beaucoup d'honneur. Aujourd'hui, et c'est un signe des temps, l'art a pris une place si élevée dans l'esprit de tous que seulement d'y toucher en quelque façon nous honore. A plus forte raison quand s'y mêle un brin d'orgueil patriotique [30]. »

Ainsi l'image de la femme gagnerait à ces expositions des « arts » féminins ? Mais il faut voir ce que signifie en l'occurrence le mot « art ». Qu'est-ce qu'être artiste pour une femme ? Dans la revue *Mon chez moi,* à propos du Salon des femmes peintres et sculpteurs, Louis-Richard Mounet dit des productions féminines qu'elles « ont le même caractère d'application soignée, d'effort laborieux qui en font quelque chose comme des espèces de devoirs, honnêtement accomplis [31] ». L'art n'est, pour les femmes, qu'une « occupation délicate et un moyen d'orner gentiment sa demeure ». Plus loin, il parle du goût féminin « qui préside à l'exquis arrangement des petites choses de la vie » et s'épanouit dans les ouvrages d'ornementation, cuirs repoussés, étains, cuivres ciselés, bijoux.

Rien de créateur dans les activités artistiques de la femme. Elle n'invente rien, elle décore. Henri Nocq, dans un article de l'*Almanach féministe* de 1899, intitulé « les Arts de la femme » affirme : « Le goût attentif, les soins minutieux d'une femme dans chaque détail de décoration, c'est la marque artistique de son autorité morale dans la maison. » Il exhorte les femmes, qu'elles soient ouvrières ou femmes du monde : « Ah ! mesdames ! Soyez artistes... » Et être artistes, ce n'est pas faire montre de génie dans l'invention et la création d'un monde, mais « approprier la décoration de leur appartement à leur image ». Les femmes sont cantonnées à l' « Art de l'intérieur ». Plus généralement, lorsqu'on analyse l'intelligence des femmes, on les déclare capables d'imiter, pas d'inventer[32]. « Inventer » vient du latin *invenire,* dont le sens premier est « trouver ». Les hommes « trouvent » des objets à l'extérieur, les réunissent dans leur intérieur, ce sont des collectionneurs. Les femmes, au contraire, ornent leur espace en fabriquant des « petits riens », comme elles fabriquent des enfants ou des gâteaux. Elles reproduisent. Tandis que l'activité masculine, la collection, suppose le savoir, l'activité féminine, le petit rien, suppose le savoir-faire.

Le rôle de la femme est de féminiser l'appartement, de le faire à son image : « Il faut, écrit Mme de Lys, qu'elle communique aux objets qui l'entourent un peu de son âme[33]. » Et cela dans un seul but : « Enserrer le mari dans les chaînes [...]_ le captiver dans l'intimité. » Filant la métaphore du nid et du prisonnier, elle conseille de « dorer la cage, pour que l'oiseau s'y plaise et ne la délaisse pas » ! Le lieu d'habitation devient ainsi représentation du corps féminin. Mais le corps féminin est ambigu, il est à la fois maternel et voluptueux. Dans l'espace familial, il convient d'exorciser le voluptueux et de ne garder que le maternel. D'où le triomphe du mot « nid » pour désigner le logis. On comprend donc la raison d'être du capiton et des drapés : ils sont destinés à donner à l'appartement une douceur maternelle et, en même temps, à cacher. Comme le corps de la mère doit être décent, ne peut être donné à voir, on le recouvre. Le Second Empire cache les pieds des fauteuils comme les jambes des dames.

Remplir exactement sa mission en matière d'aménagement de l'espace domestique est très délicat. Car une femme honnête doit faire régner la douceur en se défiant aussi bien de la nudité virile que de la mollesse, qui est l'apanage des femmes faciles et sensuelles. Le juste équilibre est difficile à trouver, le risque est grand des deux côtés. Le nu dans la décoration, l'austère, est réservé aux hommes. Il est recommandé de ne pas mettre de drapés dans le bureau-bibliothèque de Monsieur. Mais si l'on est vraiment femme, on possède « naturellement » l'amour et le sens du drapé. Seules les intellectuelles ou les féministes échappent à cette loi. Sont-elles des femmes ? On peut en douter ! Le professeur d'histoire des *Cervelines,* Marceline de Rhonans, est suspecte parce que, dans son appartement, il y a quelque chose de masculin : « Cette cheminée en était un exemple, avec la grâce froide de sa pendule posant à même le marbre nu de l'entablement, deux chandeliers blanc et or achevant seuls de la parer[34]. » Dans son bureau, tout est sacrifié à la vie de l'esprit. On n'y trouve que des étagères en sapin, de simples rideaux de mousseline et... le buste de Michelet : « Tout ce qui était encore en elle intimité, mystère et femme, se refoulait, se remisait comme accessoires encombrants dans sa chambre. »

L'intérieur d'une femme exprime nécessairement douceur et tendresse. S'il est froid, il inquiète. Celle qui l'habite est coupable. Jean d'Agrève, héros d'un roman d'Eugène Melchior de Vogüé, est choqué par les pièces impersonnelles de la villa où vit Hélène, qu'il aime : « J'en avais pris une prévention défavorable contre la femme moralement absente de son logis [...]— l'œil cherche vainement le livre, l'ouvrage, l'agencement de meubles, l'ordre ou le désordre des bibelots familiers, tous ces prolongements de la personnalité qui marquent sur un lieu l'empreinte de la femme, qui révèlent ses goûts, son caractère[35]. » Hélène lui explique qu'elle ne s'est jamais sentie chez elle, parce qu'elle n'a jamais été aimée dans cette maison. Soulagement ! Elle est vraiment femme, il suffit que Jean la révèle à elle-même pour être rassuré sur les flots de tendresse qu'elle est capable de dispenser.

C'est un véritable péché contre le couple que de ne pas aimer son intérieur, de lui rester indifférente. Thérèse Herlinge, médecin, accepte d'épouser un collègue médecin. Elle vient habiter la maison où il vivait célibataire. En ce temps-là — c'est ainsi que Colette Yver ouvre le roman, *Princesses de science* —, il rêvait d'une épouse qui draperait les fenêtres de mousseline et rangerait son linge dans des armoires bretonnes. Mais Thérèse se désintéresse de l'installation et ne se sent chez elle que dans son cabinet de travail. Un mauvais rapport s'établit entre elle et sa maison. Comme elle n'y investit ni temps ni attention, le logis la rejette : « Elle était un peu chez elle comme en " garni " : les choses n'avaient point commerce avec elle, lui demeuraient étrangères[36]. » Même la chambre conjugale ne lui parle pas, Thérèse est incapable de voir « le mystère muet, immense et troublant que certaines femmes découvrent dans l'incomparable solitude de la chambre ». Elle comprend sa faute alors qu'il est déjà presque trop tard, mais sauve son ménage en abandonnant son métier et en rentrant au foyer.

Changement significatif dans l'attitude féminine : qu'une intellectuelle ou une féministe prenne un amant, et elle se met à draper des étoffes. Comme si les gestes de l'amour la rendaient à son vrai destin. Dans un roman d'une féministe qui a pour titre *Tu es femme...*, lorsque Clarice Érié qui a, jusque-là, vécu seule, en gagnant sa vie, comme un homme, devient la maîtresse de son fiancé, elle essaie de se féminiser : elle change les meubles de place chez lui, drape des étoffes, se laque les ongles[37]. On pense aux romans de Paul Bourget : toutes les maîtresses apportent, dans les garçonnières où elles rejoignent leurs amants, des étoffes pour en draper les cheminées ou les meubles. Mais attention, si une femme doit manifester sa douceur en maniant le drapé, elle ne doit pas tomber dans la mollesse. Une femme qui se respecte n'aura, par exemple, jamais l'idée de mettre une fourrure sur un lit, ce serait du dévergondage.

Dans cet appartement transformé en nid par la maîtresse de maison, l'Art nouveau a représenté une effraction. Il a déshabillé les meubles et a fait passer le féminin du revêtement et du drapé au matériau : le corps de la femme, les fleurs, les lianes se sont inscrits dans les meubles et les bibelots. Il y a, dans cet Art 1900, quelque chose d'impudique et de voluptueux, qui choque. Une sorte de dévoilement de l'imaginaire, du non-dit. Les surréalistes, ensuite, l'indiqueront clairement : pensons à ce tableau de Victor Brauner où figure une table en forme de chien, avec des organes génitaux.

### Les « mille riens »

« Que votre nid soit douillet, qu'on vous sente dans tous ces mille riens. Mettez un peu de vous-mêmes dans l'arrangement de toute chose. Soyez artistes, délicates et fines[38]... », conseille Gustave Droz. En quoi consistent les « mille riens » dont la femme est créatrice ? C'est, dit Noussanne, « le détail fait à la maison ». Cadres en peluche, coussins, abat-jour en dentelle, objets pyrogravés, marquetés, enluminés, cache-pot, porte-parapluies, jardinières, porte-clefs, vide-poches... Les journaux ou les livres qui donnent des conseils de décoration publient parfois des croquis de petits meubles et de bibelots à réaliser soi-même, avec leur prix de revient. 8 francs 10 centimes, par exemple, pour un vide-poches en croissant ! Des ouvrages comme *la Photo-Peinture sans maître*[39] connaissent un grand succès. Il en est, en 1904, à son cinquantième mille. On y explique comment se servir de l'épreuve photographique ou du timbre-poste pour orner des bibelots.

L'idée omniprésente est la récupération. Avec du vieux, on peut faire du neuf. Prenez le tissu de votre robe de mariée, vous le peignez, vous y cousez des rubans, puis vous en habillez une colonne sur laquelle vous poserez un biscuit de Sèvres. Des trésors dorment au fond des armoires, il suffit de faire preuve d'imagination. Témoin cette délirante suggestion de Noussanne : « Que faire, direz-vous, de ce lambeau de tapisserie où l'on reconnaît vaguement Renaud aux pieds d'Armide ? Encadrez-le d'une bande de peluche plus pâle que la teinte dominante du morceau ou beaucoup plus foncée, si vous préférez les contrastes bien tranchés. Découpez des chimères, des griffons, des fleurs bizarres et des rinceaux vieillots dans des étoffes imitant l'ancien et que l'on trouve partout. Appliquez ces découpures à l'aide d'un point de soie sur vos bandes, et vous aurez ainsi un entourage superbe. Rien ne vous empêchera plus de mettre Renaud et Armide au milieu d'un panneau [40]... »

Le risque, avec les « mille riens », c'est que la femme se sente cantonnée dans un rôle inférieur. Il importe donc de lui proposer une justification morale et sociale de son rôle. Il faut la convaincre du sérieux de sa mission, de son importance pour la famille et la société. Remplir cette mission est un devoir, et un devoir commun aux mondaines et aux ouvrières. Car décorer son foyer, c'est l'aimer, aimer son mari et ses enfants, se dévouer à leur bonheur. Et ce n'est ni une affaire de classe sociale ni une affaire d'argent. Celles qui s'imaginent qu'orner leur foyer réclame des moyens financiers sont rappelées à l'ordre : « Un nid de pourpre et de soie vaut rarement un nid de mousse. A peu de frais, avec des doigts de fée, un brin d'humour, beaucoup de grâce, il n'est aucune de mes lectrices qui ne puisse vivre dans un palais [41]. » Rappelées à l'ordre aussi les frivoles et les inconscientes : « Si, jusqu'ici, la femme a surtout occupé ses loisirs à se parer, il ne faut pas trop lui en vouloir [...] C'est en s'occupant à des travaux dont son mari pourra devenir le collaborateur que la femme évitera le sourire un peu méprisant dont il l'accueillait lorsqu'elle consacrait tous ses loisirs au chiffonnage [42]. »

Il est aussi nécessaire de convaincre la femme que l'art de l'intérieur est bien de l'art. Mais la notion d'art se pervertit lorsqu'elle s'applique à la femme : « art de l'intérieur » et « ordre » sont toujours cités ensemble. Joseph Périer, s'adressant aux élèves d'une école normale d'institutrices, définit la femme comme « au foyer la prêtresse de l'ordre et du goût [43] ». Les manuels d'éducation ménagère tiennent tous le même langage. La ménagère a des idées pour décorer son foyer à peu de frais, tout comme elle nettoie sa cuisine, repasse son linge, entretient les vêtements de la famille. Chacune de ces activités doit être élevée à la hauteur d'une création artistique. S'il ne faut pas faire de différence entre ornementation et propreté de la maison, c'est que les deux éléments participent de l'harmonie familiale que la ménagère est appelée à créer : « Après les fonctions d'épouse et de mère, un autre titre investit la femme d'une réelle royauté. C'est le titre de maîtresse de maison, disons mieux de femme de ménage : de la femme de ménage dépendent la prospérité intérieure, la santé des enfants, le bien-être du mari. Elle s'occupe du beau comme du bon, car l'arrangement de sa maison est comme une œuvre d'art qu'elle crée et renouvelle chaque jour [44]. »

Avoir l' « esprit ménager » implique que l'on soit sensible à la poésie du ménage : « Nulle plus que la ménagère ne peut éprouver la joie intense qui naît de toute création, le bonheur que procure une œuvre accomplie et perfectionnée par d'incessants efforts. Elle peut se complaire à l'idée que les siens jouiront de la soupe odorante qui bout, du rôti succulent qu'elle prépare. Elle peut voir dans le linge blanc et parfumé de lavande, dans la coquette dentelle qui sort de ses mains, dans les fleurs qui ornent sa table, dans les gâteaux qu'elle apporte au dessert, les preuves de son pouvoir créateur [...] Ainsi la maison familiale nous apparaît comme un centre d'activité poétique [45]. » En 1886, Nelly Lieutier intitule la septième des *Visites à grand-mère* « l'Art de vivre chez soi ». Ce chapitre contient tous les clichés qui, mis bout à bout, fondent une véritable mystique de l'intérieur. Une jeune femme qui se met en ménage est « le pivot autour duquel devront se mouvoir les intérêts matériels et moraux de sa maison ». Le rôle central qui lui est dévolu entraîne pour elle une obligation : « Le bien-être de sa maison doit être la question prédominante dans son existence. » Mais cette obligation n'est pas rebutante, au contraire, car l'intérieur « captive ». La maîtresse de maison est ensorcelée par l'intimité qu'elle a avec l'espace même de la maison : « On connaît tous les recoins de son domaine et on les aime, on sait les utiliser et les rendre agréables. Quel bonheur d'avoir *sa* place auprès de la croisée ou au coin du feu ! » Ensorcelée, elle ensorcellera, retiendra sans peine mari et enfants dans l'intérieur sur lequel elle règne. Elle sait en effet, lit-on à la dixième visite, « donner à ce petit coin de feu ce je-ne-sais-quoi de féminin qui en fait le paradis de la famille ».

Amélie Gayraud conclut la première partie de son enquête sur les jeunes filles en 1914 par le « charme » que crée la femme à l'intérieur, et qu'elle subit en même temps, à la fois devoir et plaisir pour elle : « Il y a un charme dans les heures perdues autour d'une tenture qui n'est pas la tenture du tapissier. Il y a un charme dans toutes les inutilités puissantes qui attachent notre âme à un logis plus qu'à un autre. Il y a un charme — dans la confiture ! Voilà ce que les femmes, leurs devoirs rigoureux de ménagères achevés, ont à faire dans la maison : elles ont à créer le charme ! C'est une occupation... Et le charme est nécessaire à la vie. C'est là ce besoin du cœur qui ne relève pas de la raison. C'est là ce qui fait la poésie tendre autour de la tâche quotidienne. Enfin, c'est ce qui *retient*. »

La femme qui s'occupe d'embellir son foyer y retient mari et enfants, elle est donc un agent de moralisation. En plus, en moralisant sa famille et la société, elle se moralise elle-même. En effet, « l'activité des mains est la meilleure gardienne des cœurs [46] », écrit Charles Wagner dans *Auprès du foyer*. Il développe l'idée que la femme, d'instinct, a l'art de « mettre de l'âme dans les choses matérielles ». Le journal *la Jeune Fille du xxᵉ siècle* affirme aussi que « l'habitude du travail manuel est nécessaire [47] » : les jeunes filles apprendront à créer les « mille riens charmants » qui conviennent à tous les intérieurs.

Ces hymnes à la gloire de l'aiguille se rattachent à une tradition très ancienne. Une femme qui ne manie pas l'aiguille n'est pas une femme. C'est pourquoi Madeleine Pelletier s'insurge nettement contre un assujettissement séculaire. Que la mère féministe n'enseigne plus à sa fille que les travaux ménagers indispensables : « On se gardera d'enseigner le tricot, le crochet, la dentelle et la broderie. Si on a de l'argent, on peut facilement se procurer tout faits ces objets à la confection desquels les femmes passent durant leur vie des milliers d'heures à s'abêtir. Si on est par trop pauvre pour les acheter, on peut parfaitement s'en passer [48]. »

## Au secours !
### Les bibelots nous submergent

La laideur vient des bibelots industriels. Edmond Bonnaffé dénonce, en 1878, le règne du simili, du pseudo, du mino : « Point de quartier pour le faux bois en cuir, la fausse porcelaine en verre, les faux vitraux en papier [...] tout le faux luxe à bon marché [49]. » Mme Hennequin, de son côté, indique comme cause de la déchéance du goût populaire l'essor de l'industrie mécanique au xixᵉ siècle : les imitations grossières sont à la portée de toutes les bourses [50]. Le grand magasin est responsable, il propage l'amour du toc, c'est un « élément de démoralisation artistique et sociale [51] ».

La laideur vient aussi des « arts dits féminins ». Georges de Montenach, suisse, préoccupé d'action sociale, propose d'établir un « musée à rebours », un « palais des Vilains Arts ». On y exposerait les tableaux des peintres cubistes, les statues de saints en carton-pâte, les fleurs en zinc colorié et les travaux de dames. L'idée lui est venue de Milan, où la « Famiglia Artistica » a organisé une Exposition du mauvais goût : « On y trouvait des tableaux en timbres-poste, des rideaux, des tapis, des dessus-de-lit faits d'échantillons cousus ensemble, des services de table, des statuettes et surtout une immense quantité d'ouvrages de dames : coussins et nappes brodés, liens de serviette, milieux de table, vide-poches, suspensions en perles, etc. [52]. » Le critique d'art Arsène Alexandre dit avec humour que, malgré leur côté touchant, il vaut mieux se défier des « souvenirs de voyage » ou des « petits travaux d'intimité » et les mettre dans une armoire... pour les honorer et les préserver de la poussière [53] !

Les travaux d'aiguille pouvaient provoquer des dissensions conjugales. Juliette Gide, la mère d'André, était une parfaite maîtresse de maison bourgeoise, elle faisait régner l'ordre, contrôlait les dépenses, brodait des tapisseries pour recouvrir les sièges et les tables de l'appartement. Paul Gide, son mari, s'impatientait de la laideur qu'elle créait ainsi. Et en particulier un jour où, pour sa fête, il découvre dans son bureau un écran de tapisserie que Juliette a brodé. André Gide a décrit cet écran dans *Si le grain ne meurt* : « Sous des églantines, une espèce de pont chinois dont les bleus me sont restés dans l'œil ; des pendeloques agrémentaient la monture de bambou, balançant de droite et de gauche des glands de soie, du même azur que celui de la tapisserie, suspendus par deux à la tête et à la queue de poissons de nacre et retenus par des fils d'or. » Réaction de l'époux : « Non, Juliette, s'était-il écrié ; non, je vous en prie. Ici, je suis chez moi. Cette pièce au moins, laissez-moi l'arranger moi-même, tout seul, à ma façon [54]. »

Les hommes auraient donc bon goût et les femmes mauvais ? Ce n'est pas une question de sexe et d'éducation seulement, mais aussi d'origine sociale. Témoin cette scène pathétique d'un roman de Jacques Chardonne. Berthe, petite provinciale, épouse Albert Pacaris, fils d'un avocat parisien réputé. Elle a installé sur la cheminée de sa chambre des bibelots qui viennent de sa chambre de jeune fille, son mari décrète qu'ils sont affreux. Elle proteste : « Je trouve qu'ils réchauffent[55]. » Albert, dont le goût a été formé par une tradition familiale d'achats d'objets d'art, évoque, à propos du chien en porcelaine, du bouddha et des petits chevaux aux pattes tordues de son épouse, l' « abjection des maisons françaises ». Pour Berthe, ces bibelots n'ont qu'une valeur sentimentale, elle n'a pas un regard d'esthète.

Point n'est besoin d'être le mari, d'ailleurs, pour être exaspéré par les « travaux de dames ». Judith Gautier raconte comment, avec sa complicité à elle, Alexandre Dumas fils a subtilisé les horreurs fabriquées par Mme Gautier pour orner son salon : « D'innocentes tapisseries, aux couleurs crues et criardes[56] », sur les tables, et, par terre, à côté d'un tapis d'Orient, « un carré d'herbe, nuancé, en laine frisée, piqué de coquelicots et de marguerites faits au crochet ! ». Dumas fils ne supportait plus... et préfère affronter la fureur de la maîtresse des lieux. Précisons que Judith s'est toujours sentie fille de son père, intellectuelle et artiste — elle était sculpteur —, et marque souvent à sa mère du mépris.

Que peut-on faire pour lutter contre le mauvais goût envahissant ? Il faut désencombrer les appartements. Et d'abord ne pas s'acheter trop de meubles et de bibelots. Mme Hennequin attribue au trop-plein la laideur des logis de la classe ouvrière aisée et de la bourgeoisie moyenne[57]. Marcel Prévost conseille à Françoise qui se marie de ne pas acquérir d'affreux mobiliers complets et vulgaires, de proscrire le luxe à bas prix et de n'acheter un objet que s'il est « adaptable à l'accroissement progressif du ménage[58]. » Arsène Alexandre engage ses lectrices à choisir les objets les plus simples, et, si elles se sont trompées dans l'achat, à les casser lorsqu'elles s'en aperçoivent. Mais si la chose est incassable ? Dans ce cas, l'offrir à une amie !

En général, on se débarrasse plutôt des bibelots dans les ventes de charité. Lieux de propagation de la laideur dont André Lichtenberger fait la caricature. L'une de ses jeunes héroïnes décrit le comptoir qu'elle tient : « Le plus laid de tous. Tu sais, un tas de petites ordures en verre ou en porcelaine : menus vases, vide-poches, flambeaux, etc., qu'on reçoit je ne sais comment et qu'on n'ose pas mettre dans son salon ou dans sa chambre ; quand vient une vente de charité, on saisit l'occasion de s'en débarrasser et de faire d'une pierre deux coups. Et il se trouve toujours des gens pour les acheter. Sans doute ils les remettent en vente une autre fois. Ça fait une espèce de roulement[59]. »

Mais la meilleure arme contre la laideur est l'éducation du goût.

Montenach pense qu'il faudrait fonder, sur le modèle de la Ligue sociale des acheteurs, une Ligue esthétique des acheteurs, dont on éveillerait l'esprit critique. Former le goût, pour lui, c'est sortir des arts d'agrément et remettre en honneur les traditions rurales. Les pensionnats de filles sont coupables, ils ne produisent que des pimbêches. Mme Hennequin parle aussi de réveiller les arts régionaux et l'artisanat d'autrefois. Arsène Alexandre, lui, croit à la nécessité de l'observation : celle de la nature [60] et celle des œuvres d'art. Le pédagogue des *Arts de la jeune fille* emmène au Louvre ses deux élèves, âgées de quatorze et quinze ans. Il leur fait admirer les chefs-d'œuvre, de l'Antiquité jusqu'à Courbet, puis, avec des reproductions, les engage à créer chez elles leur musée intime. Tel est aussi le but que se propose la revue *l'Intérieur,* en décrivant à ses lecteurs les châteaux de France, pour leur faire retrouver les « traditions de notre génie national [61] ». Dans le même ordre d'idées, une suggestion délirante du journal *la Femme française* : organiser l'apothéose de la Vénus de Milo ! On la mettrait sur un piédestal, en plein air, on lui construirait une coupole et on l'entourerait de jets d'eau et de lumière. Exemple d'idéal du beau pour tous les regards car « au milieu des étalages malsains et des obscénités de la rue, elle serait la revanche de la pudeur, de la dignité. La foule, auprès d'elle, apprendrait à différencier le laid du beau, et elle serait fort utile à l'éducation générale [62] ». On veut donc lutter contre le mauvais goût avec des armes pédagogiques. Et tous les auteurs d'affirmer que l'éducation des filles doit comporter un cours d'esthétique. Le Progrès féminin, par exemple, qui a pris la suite du Cours normal d'institutrices, dirigé par Anna Lampérière, présente un programme en trois parties : hygiène, économie familiale et sociale, esthétique de la personne et du milieu familial.

On peut s'étonner que tout ce qui se passe de nouveau en peinture à la fin du XIX$^e$ siècle (les impressionnistes, Cézanne...) n'ait pas affecté la décoration des appartements. Abel Hermant, décrivant le salon de l'éditeur et amateur d'art Georges Charpentier, insiste sur son aspect très bourgeois : « Le buffet, le luminaire, les extras, tout cela avait le même aspect simple et cossu, parfaitement comme il faut, qu'à la maison quand mon père recevait [63]. » Plus loin, il parle du « genre classe moyenne ». Et, sur les murs de ce salon, une véritable exposition de tableaux : à la place d'honneur, des *Glaçons* de Monet... Étrange juxtaposition de styles. Il est vrai que, des années plus tard, Picasso, à la demande d'Alice B. Toklas, compagne de Gertrude Stein, lui dessinera des modèles de tapisserie qu'elle brodera pour recouvrir des fauteuils Louis XV [64] : triomphe des arts d'agrément !

## LA TOILETTE

Edmée Renaudin, parmi les charges qui incombaient à sa mère, classe, après le gouvernement des domestiques, la confection des vêtements. Non que sa mère fît elle-même ses vêtements, mais il fallait « acheter les tissus, faire venir les couturières ou commander à l'extérieur les tenues d'été, d'hiver et de demi-saison [65] ». Tous les vêtements d'Edmée et de sa sœur étaient fabriqués au-dehors, sauf les dessous, les robes de tous les jours et les tabliers, faits à domicile. Quant à sa mère, comme toutes les dames, elle ne pouvait « remettre deux années de suite la même tenue pour la même circonstance ». Et les circonstances étaient multiples : « dîners, visites, baptêmes, mariages, enterrements, thés, ventes de charité, concerts ». On a vu plus haut, avec Mme Mabille et sa fille Zaza, le temps que prenait le choix des tissus, si on voulait comparer les prix et les qualités. Mme Mabille faisait tout fabriquer à la maison : lingerie, robes et manteaux, non par besoin d'économiser, mais par principe. Il lui aurait semblé immoral d'acheter à l'extérieur, toutes prêtes, les toilettes que l'on pouvait fabriquer chez soi à meilleur compte.

En général, c'est par nécessité économique et non morale qu'une femme adopte le système de confection à la maison. Octave Uzanne, en 1910, cite les budgets des Parisiennes élégantes qu'un journaliste mondain vient d'établir. Laissons de côté la milliardaire qui dispose de 175 000 francs et l'élégante fortunée qui peut mettre 40 000 francs à sa parure. Le troisième type de femme, en revanche, nous intéresse : la « femme habile », qu'on désigne comme le « type de la bourgeoise parisienne [66] ». Comme elle ne peut se permettre d'acheter ses robes chez les couturiers, elle doit avoir une femme de chambre adroite, capable de copier leurs modèles. Capable aussi de retailler : une robe de bal usagée ou démodée deviendra ainsi un beau jupon. Cette bourgeoise ne s'offre pas de vêtements fantaisie, qui passent de mode, elle préfère une fourrure

tous les deux ou trois ans. Elle fait fabriquer sa lingerie dans les
couvents parce que c'est moins cher. Mais elle ne lésine ni sur le
corset ni sur les chaussures. Son budget se situe entre 9 000 et
12 000 francs, ce qui est considérable. La dernière catégorie des
Parisiennes élégantes a de « très petites ressources », 1 800 à
2 000 francs. Ces femmes-là n'ont ni couturière ni modiste, confec-
tionnent elles-mêmes leurs chapeaux et font fabriquer leurs robes
chez elles par des ouvrières à la journée. Elles achètent leurs
vêtements (manteaux, etc.) aux expositions des grands magasins.

Hugues Le Roux analyse, en 1898, le changement de clientèle des
couturiers. Autrefois, à chaque saison, les couturiers présentaient
trois modèles : la robe de ville, la robe d'intérieur, la robe du soir.
Les clientes commandaient la série. Maintenant, une nouvelle
clientèle, nombreuse, ne demande que la « toilette de rue [67] ». Ces
nouvelles venues, qui cherchent à entrer dans le monde, commencent à se montrer dans les endroits élégants, concours hippiques,
sermons, ventes de charité, expositions, etc. On peut s'étonner du
mélange du religieux et du profane, mais il faut rappeler que
certains prédicateurs comme le père Didon étaient à la mode parmi
les mondaines et qu'elles se retrouvaient aux sermons du temps de
carême à Saint-Roch ou à Notre-Dame aussi bien qu'aux bals de
l'Opéra [68]. Plus tard, lorsque les nouvelles mondaines sont invitées
au bal, elles se commandent une « toilette du soir ». Le jour où elles
acquièrent une « toilette d'après-midi » spécifique, c'est qu'elles
ont conquis le monde. Mais la clientèle des couturiers reste de toute
façon restreinte. Le changement qui touche un grand nombre de
femmes, dans les années 1900, est la publication par les journaux de
mode de « patrons », qui permettent de « faire soi-même, sans
avoir appris le métier de couturière, les vêtements des enfants et les
robes des dames ». Adeline Daumard ajoute : « La coupe des
vêtements, leur type et les commentaires indiquent que cela
s'adressait à une bourgeoisie qui voulait tenir son rang sans en avoir
les moyens [69] » (il y a même des patrons d'amazones, destinés aux
femmes d'officiers). En mettant la main à l'aiguille, la mère
contribue à préserver le « standing » familial.

La toilette d'une femme dans son intérieur prend une importance
croissante. Car si une dame doit être « respectable », elle doit être
aussi « gracieuse et séduisante » et rester « charmante même à ses
heures de travail, quand elle contrôle les notes de classe de ses
enfants ou les comptes de sa cuisinière [70] ». Il lui faut se rappeler
qu'elle est « l'imagination, la sensibilité, la poésie et l'art ». Ce

souci de la tenue chez soi va de pair avec la représentation du foyer comme « nid », « home », refuge où la femme est chargée d'organiser le bonheur. La comtesse de Pange montre bien que la notion de « home » et de confort appartient à la fin du siècle — génération de sa mère — alors qu'elle était inconnue à la génération de sa grand-mère [71]. Dans son enfance (elle a douze ans en 1900), elle voit souvent sa mère étendue sur sa chaise longue, entourée de châles, de coussins, de chancelières doublées de fourrure. Sa mère employait souvent l'expression « être confortable », que sa grand-mère semblait ignorer.

A cette époque, il devient à la mode d'harmoniser les robes de la maîtresse de maison et les draperies. On rend ainsi évidente la continuité entre la femme et sa demeure. Les journaux proposent des tenues d'intérieur, différentes naturellement selon le public auquel ils s'adressent. *Mon chez-moi* parle, le 10 février 1909, des « robes de maison ou robes d'intérieur ». Il y a vingt ans, les femmes portaient *at home* des jupes défraîchies. Elles avaient tort, car : « C'est une sage coquetterie de se " faire belle " pour son mari, pour ses enfants, surtout quand on le peut sans faire de brèche à son budget de toilette. » Ces « robes de maison » ne sont pas des robes de chambre, que l'on réserve seulement au saut du lit. On les enfile pour déjeuner et dîner, et quelquefois l'après-midi quand on reste chez soi. Ce sont des robes à petite veste ou à tunique, la tunique convenant davantage aux femmes un peu fortes. La meilleure étoffe pour les confectionner est le cachemire.

La femme bourgeoise porte du cachemire chez elle. A la femme de condition plus modeste, on conseille d'être plutôt « propre et avenante [72] » que parée, avec la vieille métaphore : propreté et sourire sont la plus belle des toilettes. Vive donc le tablier ! On lui accorde de multiples avantages, il protège les robes tout en vous gardant séduisante : « Nous n'hésitons pas à déclarer qu'une femme nous semble plus " chez elle " quand elle porte un tablier dans sa maison [73] », écrivent en 1896 Mmes Schefer et Amis. Le tablier va étendre son empire. De bleu marine ou gris qu'il était, il va prendre des couleurs et être adopté, dans l'entre-deux-guerres, par toute la génération de jeunes ménagères qui, chansons aux lèvres et amour au cœur, se lancent à l'assaut de la poussière qui pourrait envahir leur « nid ».

La toilette d'une femme dans son intérieur dépend évidemment de son train de vie et de la manière dont elle est servie. La marquise d'Harcourt ne quittait jamais son chapeau, même dans son salon [74].

Elle est en représentation constante et il n'est pas question qu'elle
touche à quoi que ce soit dans la maison. Une bourgeoise qui doit
mettre la main à la pâte ne peut être tirée à quatre épingles de la
même manière. Si l'on voulait avoir une idée exacte du train de vie
d'une famille, sans doute faudrait-il aller sonner chez la maîtresse de
maison le matin — ce qui est de la dernière incorrection. On l'y
découvrirait peut-être, comme Mme Rabourdin dans *les Employés*
de Balzac, aidant la femme de chambre à faire les appartements le
vendredi matin, puisque ce soir-là des invités viennent dîner. En
robe de chambre et vieilles pantoufles, mal coiffée, elle arrange ses
lampes pour la soirée, dispose ses jardinières ou se cuisine « à la
hâte un déjeuner peu poétique [75] ».

De ces différences sociales, le discours du début du XXe siècle sur
la ménagère ne veut rien savoir. Il s'adresse à la petite-bourgeoise
qui n'a qu'une bonne et partage avec elle les tâches. Mais il fait
comme si cette petite-bourgeoise, aux prises avec la poussière et les
travaux ingrats, était en représentation permanente. Non plus,
comme la marquise d'Harcourt, pour le monde : ses domestiques,
ses invités, sa famille, mais exclusivement pour son mari. La
ménagère se voit rappelée à l'ordre. Même lorsqu'on parle chiffons,
il ne s'agit pas de badiner. Mme Adal, dans sa chronique « le
Domaine féminin », de *Mon chez-moi,* se désole que les Françaises,
en matière de toilette, préfèrent le ministère des Affaires étrangères
à celui de l'Intérieur. Il faut, pour garder son époux, éviter « les
désillusions de l'intimité [76] », et, à cet effet, prendre soin chez soi de
sa personne, de la table, de la conversation et de la pudeur : « Notre
maison, c'est notre royaume, la sphère privilégiée de notre action,
celle où l'initiative s'impose et comporte de graves responsabili-
tés. » Et vous passez, stupéfaite, de la toilette à des avertissements
dignes de Cassandre sur le sombre avenir conjugal qui vous attend si
vous ne veillez pas à votre tenue dans votre « home ».

Dans l'intimité conjugale, il y a la lingerie. En 1898, Octave
Uzanne écrit que depuis quinze ans, en raison de la sobriété des
robes du dehors, le luxe des dessous s'est développé : « Les
valenciennes, les guipures d'Irlande, les malines, les chantilly, les
points de Venise, les dentelles de Saxe, d'Alençon, sont employés
comme entremets de la toilette, en des fouillis crémeux, mous-
seux [77]... » C'est le règne du « froufroutage ». Mais ce qu'il raconte
là s'applique aux femmes qui ont le « chic parisien », aussi bien
mondaines que demi-mondaines. Le « froufroutage » concerne-t-il
notre honnête épouse bourgeoise ? La baronne Staffe le nie

fermement. Elle ne peut admettre que la lingerie toute blanche et pratique, qui supporte la lessive. La soie est à écarter, qui dit luxe dit bientôt luxure. Pas de lingerie « trop ornée, trop garnie, trop élaborée [78] », la débauche de broderie est du plus mauvais goût et risque bien de vous faire confondre avec une débauchée... Les dessous d'une femme « sérieuse » seront donc en batiste ou en toile fine, garnis d'une valenciennes ou d'une légère broderie mate. Laissons les froufrous aux cocottes : « On juge de la vertu d'une femme à ses dessous [79]. »

Mais dans les années vingt, à l'heure où la femme est « en chemin » vers le couple, où le désir envahit peu à peu la sphère conjugale, les épouses s'emparent des « dessous de cocotte ». Mme Rv., qui avait trente-trois ans en 1924, me raconte que, cette année-là, les chemises de jour roses devinrent à la mode. On disait de ces dessous de couleur qu'ils étaient indignes d'une femme honnête. Elle les adopta cependant tout de suite, car « les maris étaient contents d'avoir à la maison des femmes attrayantes ».

# 2

# L'intendance,
## les activités des femmes oisives

« Prendre un amant ?... Et le temps... avec les visites, les essayages, les dîners... les enfants[2] !... », s'écrie une dame en visite chez une amie, sur un dessin de Cappiello publié dans *l'Assiette au beurre* du 8 novembre 1902. Cette caricature énonce une vérité première : personne n'est plus occupé qu'une bourgeoise oisive. Mme Decori, dans son *Journal,* nous fait revivre le rythme haletant d'une de ses journées : « Hier une journée très fatigante après une nuit blanche. Je suis sortie à 11 heures et rentrée à 5 h 15. Il y avait eu dans ma journée de tout ; du plaisir, des devoirs familiaux et mondains. J'ai pris des voitures, des tramways. J'ai même sous le vent effroyable que nous avons depuis huit jours marché quelque temps. Rentrée j'ai trouvé dépêches, lettres, cartes, messages : il m'a fallu écrire. Accepter certains dîners ; en refuser d'autres que la providence faisait tomber des jours déjà donnés. Autant de fatigue évitée, autant d'ennui supprimé. Ma fille est rentrée du lycée d'une humeur voisine de l'orage. Ma bonne humeur ne l'a pas apaisée. J'ai passé une robe ouverte, très ouverte, après une toilette raffinée et un parfumage soigné. Je suis arrivée à 7 h 20 [on dînait beaucoup plus tôt qu'aujourd'hui à Paris, et la mode était d'arriver à l'heure, ou même cinq minutes *avant*] chez des bourgeois que Balzac n'eût jamais osé rêver si petits. » (4 mars 1909).

Si on veut imaginer, avec plus de détails encore, les activités d'une femme oisive, lisons le portrait de la bourgeoise moyenne que trace en 1910 Octave Uzanne. Il souligne l'importance dans sa vie des

visites dans les grands magasins, de la toilette, de ses enfants et du
théâtre (elle lit peu mais va voir les pièces nouvelles). Elle reçoit fort
bien, donne une grande réception une ou deux fois par saison, mais
est surtout parfaite pour organiser des dîners intimes de six à huit
couverts. Son emploi du temps est très chargé : « Après avoir, le
matin, consacré son temps à son ménage, à ses fournisseurs, à ses
enfants, à sa toilette, il lui faut, l'après-midi, comme pour de graves
affaires, passer chez sa couturière, sa lingère, prendre jour chez son
coiffeur, faire une visite à quelques amies, s'arrêter chez le pâtissier
à l'heure du lunch, aller bibeloter à droite et à gauche, faire des
commandes chez le grand épicier, acheter des fleurs au marché du
jour, aller essayer une veste chez le tailleur, un chapeau chez la
modiste, et, toujours courant, regardant sa montre, agitée et
turbulente, se précipiter au Louvre ou au Bon Marché, refuge
quotidien de tant de Parisiennes toujours en quête de soldes
extraordinaires et d'occasions renaissantes [3]. »

Une existence éparpillée entre des occupations qu'on ne peut pas
vraiment prendre au sérieux ? Non pas ! rectifie Uzanne, car la
Parisienne est avant tout une mère. La voilà sauvée du soupçon de
légèreté qui pesait sur elle. La plaisanterie mâtinée de moralisme est
dosée pour ne déranger personne. Recette éculée. Mais ce n'est pas,
en général, sur le ton du badinage que l'on parle de l'emploi du
temps d'une maîtresse de maison. On procède plutôt par exhorta-
tions et rappels à l'ordre, en s'adressant directement aux femmes. Il
importe qu'elles prennent conscience de la gravité de leur tâche.
Diriger une maison, c'est exercer un pouvoir. A l'homme la scène
publique, à la femme la scène privée. Il est aux postes de commande
de l'État et des affaires, elle gouverne l'Intérieur, son État à elle. A
l'article « Ménage », le *Larousse du XIXᵉ siècle* cite Proudhon :
« Les femmes n'aspirent à se marier que pour devenir souveraines
d'un petit État qu'elles appellent leur Ménage. » C'est pourquoi on
donne à la maîtresse de maison le titre de « ministre de l'Intérieur ».

Un bon souverain fait régner l'ordre dans son royaume et, pour
cela, s'impose à lui-même une discipline, un travail régulier. Marcel
Prévost donne à Françoise des conseils sur la répartition de son
temps quand elle sera mariée. Il faut, dit-il, doser les soins de
l'intérieur et le souci du perfectionnement personnel. Le « métier
de femme [4] » occupera huit heures par jour : deux heures de travail
domestique, y compris la couture, la confection des blouses et des
chapeaux, une heure de toilette, cinq heures pour les courses et les

repas. A Paris, les soirées permettent de profiter des avantages intellectuels et sociaux. Il vaut donc mieux se coucher à minuit et se lever à 8 heures que dormir comme les paysans de 21 heures à 5 heures (lorsqu'on ne sort pas, on peut utiliser ses soirées pour son « progrès personnel », lire et s'instruire). Ce lever et ce coucher tardifs, qui semblent pleins de bon sens, en accord avec les ressources de la vie parisienne, sont cependant très étonnants si on les compare à ce que proposent les livres normatifs sur la ménagère-maîtresse de maison. On y trouve une espèce de rage du lever matinal.

« Se lever tôt, c'est la santé ; mais c'est aussi la satisfaction du devoir accompli car, en se levant de grand matin, on a le temps de faire tout son travail dans la journée [5]... » Riche ou pauvre, poursuit Mme Sage, la maîtresse de maison doit se lever la première. On ne peut s'empêcher de penser à la définition que donne Flaubert de « Matinal », dans le *Dictionnaire des idées reçues* : « L'être, preuve de moralité. Si l'on se couche à 4 heures du matin et qu'on se lève à 8, on est paresseux, mais si on se met au lit à 9 heures du soir pour en sortir le lendemain à 5, on est actif. » Le principe du lever matinal correspond moins à une réalité pratique qu'à une représentation du temps. Au matin équivalent la bonne santé et la moralité, à la nuit la débauche. Bien sûr, cette représentation découle d'une comparaison entre le mode de vie rural et le mode de vie citadin, celui-ci apparaissant toujours comme le négatif de celui-là. Les mères mythiques dont nous berçaient les manuels scolaires il y a encore trente ans étaient de vaillantes lève-tôt : celle de Péguy, celle de Colette... La petite casserole dans laquelle Sido préparait le chocolat, un matin, restait accrochée au mur, inutile désormais, et cela signifiait que la gardienne du foyer était morte.

La maîtresse de maison doit se lever tôt pour tout contrôler. Les enfants d'abord, avant qu'ils partent pour l'école. Même si la bonne les débarbouille, les habille, prépare leur petit déjeuner, il est important qu'ils sentent le regard de leur mère, qui veille et surveille. Elle contrôle la bonne marche de la maison ensuite. Elle y consacre en principe ses matinées, l'après-midi est réservé à l'extérieur, courses et visites. C'est si peu l'habitude qu'une dame sorte le matin que, si on la rencontre, la politesse veut qu'on ne la salue pas : « On peut supposer qu'elle se livre à des pratiques de charité ou religieuses et que ces démarches matinales, quoique ayant un but honorable, doivent demeurer secrètes [6]. »

## DOMESTIQUES

Il faut témoigner avec eux d'une vigilance particulière. Leur travail et leur conduite dépendent, la plupart du temps, de l'attitude de la maîtresse de maison. Si elle sait donner des ordres, se faire obéir et respecter, elle sera bien servie. L'autorité requiert du tact, de la fermeté et de l'attention. Une femme organisée donne chaque matin à sa bonne ou à sa cuisinière le menu qu'elle a mis au point, puis répartit avec précision les tâches pour la journée. Il vaudrait mieux que les mêmes tâches reviennent régulièrement, chaque jour, chaque semaine, chaque saison. La régularité crée la discipline. Elle vérifie tout : les livres de comptes, le linge envoyé chez la blanchisseuse et celui qui est rapporté, le niveau des provisions. De cette façon, les domestiques ne seront pas tentés de « faire danser l'anse du panier » quand ils vont au marché, ni de pratiquer le « coulage[7] » — de gaspiller sans scrupules les biens des maîtres.

Tels sont les conseils que l'on rabâche aux jeunes filles et aux dames à la fin du XIXe siècle, pour tenter de répondre à ce qu'on a appelé la « crise du service domestique ». On trouve moins de bonnes à tout faire, parce que la demande s'accroît plus vite que l'offre, celles qui entrent en place ne savent plus rien faire, elles sont paresseuses, malhonnêtes, etc. Pour sortir de la crise, que la maîtresse de maison reconnaisse ses insuffisances et y remédie. Qu'elle exige d'abord d'elle-même ce qu'elle veut exiger de ses domestiques. Qu'elle ait des connaissances ménagères, qu'elle se montre active, sérieuse, qu'elle ne ménage pas sa peine. C'est par elle que se propage le sens du devoir[8].

Edmée Renaudin évoque les problèmes que posait à sa mère le personnel de la maison : « Il fallait le chercher, le trouver, l'appareiller même, le commander, répartir les tâches, mettre de l'huile dans tous les rouages. Il y avait toujours plus ou moins de mécontents[9]. » Il y a quatre enfants dans la famille, sa sœur aînée et elle sont servies par des bonnes allemandes, sa sœur cadette et son petit frère par une nourrice. Sa mère a une femme de chambre et, bien qu'elle ne précise pas quels sont les autres domestiques (on peut, de toute façon, ajouter une cuisinière), on sait qu'il y en avait une demi-douzaine. Car, lorsque la famille déménage, un peu avant la guerre, ils sont douze dans l'appartement. La mère gère donc une véritable entreprise et, comme le fait remarquer sa fille, elle a, avec les domestiques, les mêmes problèmes que son mari avec ses secrétaires. Il n'est pas de tout repos d'avoir à assurer la bonne marche d'un groupe.

Le nombre des domestiques employés dans une famille variait selon la situation du mari, le nombre des enfants et leur âge, et enfin selon l'époque. Beaucoup de femmes qui, avant la guerre, étaient aidées, ne pouvaient plus se le permettre après parce que les salaires des domestiques avaient augmenté. La mère de Simone de Beauvoir, par exemple, décide de se débrouiller seule, malgré son horreur pour le ménage : les affaires de son mari ont périclité, elle n'a plus de quoi rémunérer une bonne. Les moyens bourgeois s'arrangeaient pour garder malgré tout une bonne à tout faire, comme le suggère le titre du livre qu'Augusta Moll-Weiss écrit en 1925, *Madame et sa bonne*. Avant 1914, un couple bourgeois se passe difficilement d'une bonne, car être servi prouve que l'on est bourgeois. Or, avec moins de 3 000 francs par an de revenus, une famille, à Paris, ne pouvait guère payer les gages d'une domestique — environ 500 francs pour l'année [10]. Sont éliminés du groupe des bourgeois une partie des fonctionnaires moyens, comme les commis des postes, qui gagnent entre 1 000 et 4 500 francs par an, ou les sous-agents des administrations civiles, dont le salaire n'atteint pas 3 000 francs, à moins qu'ils n'aient par ailleurs d'autres ressources. Un haut fonctionnaire débutant qui se marie est obligé d'avoir recours à la dot de son épouse pour assurer à son ménage un train de vie convenable. En effet, un ingénieur des postes, polytechnicien souvent, ne reçoit que 3 000 francs, un auditeur au Conseil d'État 2 000 francs [11].

Dès qu'il avait un enfant, un couple aisé engageait une nourrice. Ce qui explique l'augmentation du poste « domestiques » dans les budgets au cours des premières années du mariage. Il y avait une nourrice chez Camille Marbo (née en 1883), comme chez Edmée Renaudin (née en 1900). Camille habitait un petit hôtel particulier rue Le Verrier, avec ses parents, trois frères et sœurs dont un bébé, une vieille bonne, une cuisinière alsacienne, des petites bonnes qui se succèdent. Train de maison qui ne semble guère différer de celui d'Edmée Renaudin. Si la mère de Marbo paraît beaucoup plus libre, elle le doit sans doute à sa belle-mère qui vivait avec eux et se chargeait de l'intendance. Elle pouvait se lever tard, passer longtemps dans son cabinet de toilette, sortir après le déjeuner et rentrer pour le thé, auquel elle conviait souvent un ou une ami(e). Elle s'occupait peu des enfants, confiés aux soins de la grand-mère et de la vieille bonne, sauf lorsqu'ils étaient malades.

Toutes les dames qui m'ont accordé un entretien étaient servies. Au moins par une bonne. En général par deux ou trois domestiques, cuisinière, femme de chambre, bonne d'enfants. Elles ont souvent, à la naissance d'un enfant, engagé une nourrice ou une nurse qui, ensuite, est restée dans la famille comme bonne d'enfants. Les mères, grand-mères ou tantes dont elles m'ont parlé étaient servies elles aussi. Ce qui donne de surprenantes évocations. Lors de l'exode de septembre 1914, au milieu de la foule qui a envahi la gare de Lyon, un groupe de vingt-cinq personnes part pour les Hautes-Alpes : Grand-mère, mère, tante de Mme Gv., quelques enfants, mais surtout plusieurs domestiques par famille et même... une sage-femme car la mère est sur le point d'accoucher. Le clan tout entier se déplace dans la débâcle.

Un cas unique, assez étonnant pour être commenté par Mme C. : sa mère, femme d'un ingénieur des Arts et Métiers, mère de deux filles, n'a jamais eu de bonne. Et cela alors que chez la grand-mère de Mme C., il y a toujours eu une domestique, même après la faillite de son mari qui dirigeait une fabrique. Mme C. elle-même, épouse d'ingénieur comme sa mère, a gardé une bonne jusqu'au mariage de sa fille. Comment expliquer alors que la mère ait tout fait seule ? Par sens de l'économie, répond sa fille, doublé d'une conscience de classe. Il semble également qu'elle ait pris plaisir à cuisiner et à étendre sa lessive sur son balcon ensoleillé.

J'ai demandé à ces dames si elles avaient reçu l'éducation ménagère qu'on proclamait indispensable à chaque maîtresse de maison en herbe. Plusieurs n'en ont jamais entendu parler et cela n'a pas l'air de leur avoir posé problème ! Mme D. précise que sa mère ne savait pas faire cuire un œuf. Pourquoi l'aurait-elle appris, ajoute-t-elle, puisqu'elle a toujours été servie par deux domestiques ? — comme elle, d'ailleurs. Mme Bl. allait à la cuisine une fois par semaine, pour apprendre en regardant travailler la cuisinière. Ce qui énervait la cuisinière mais contentait son père, qui craignait qu'elle ne devînt un bas-bleu. Sa mère, cuisinant pourtant très bien, ne mettait pas ses talents en application, trop occupée par ses œuvres et l'intérim qu'elle assurait dans le bureau d'assurances pendant les voyages de son mari. Quant à Mme B., elle ne savait pas cuisiner lorsqu'elle s'est mariée. Sa mère, avant tout femme d'œuvres, avait trouvé inutile que sa fille passât du temps à cet apprentissage, elle pensait qu'une femme intelligente se débrouillait en cas de besoin. Et c'est ce qui arriva : la jeune femme s'est acheté un livre de cuisine et s'est formée pour former sa bonne.

De l'entente entre la maîtresse de maison et ses domestiques dépend la bonne marche de la maison. La maîtresse doit faire preuve à la fois de fermeté et de souplesse, de manière à ce que tout fonctionne sans que l'on sente aucun labeur. C'est alors du grand art. Colette Yver campe, dans *Princesses de science,* un personnage de femme parfaite, qui a effacé sa personnalité pour devenir totalement maîtresse de maison. Elle organise pour le professeur Herlinge des dîners célèbres dans Paris, dont il est très fier. A ces repas elle reste silencieuse mais elle échange avec ses domestiques des regards qui règlent le déroulement harmonieux de la réception[12]. De toute façon, il faut épargner au mari les tracasseries domestiques. Une dame consciente de son rôle assure le filtrage entre ceux qui doivent être préservés — conjoint et enfants — et les domestiques. Elle tient lieu de sas entre les deux. Elle doit être comme la fée dont on devine l'action mais qu'on ne voit jamais impliquée matériellement dans une affaire : « Il semble qu'elle n'ait qu'à toucher les choses d'une baguette magique pour faire des miracles. Légère, souriante, elle expédie les besognes désagréables, sans qu'on sache même qu'elle y prenne part[13]. »

## SOCIABILITÉ

Les Parisiennes du grand monde, écrit la baronne Staffe en 1896, sont comme « une locomotive sous pression[14] », elles sont occupées par « les sports, les " œuvres ", les arts, le monde, les déplacements, les fêtes, le couturier », à quoi s'ajoutent la direction du ménage, le soin des enfants, et même parfois l'administration de la fortune. Point n'est besoin d'avoir des activités multiples pour être très occupée. Il suffit d'être pourvue d' « une famille très étendue, avec des ramifications sans fin », qui vous prend dans un « mouvement perpétuel[15] » : c'est Edmée Renaudin qui décrit ainsi la vie de sa mère. Bien que souvent au lit avec la migraine, elle rendait visite à sa mère, sa belle-mère, ses tantes, ses cousines, « autant que ses forces le lui permettaient ». C'est par la femme que passe la sociabilité de la famille. Elle assure les relations avec la famille proche et lointaine, les amis et les connaissances. Elle écrit les mots nécessaires dans toutes les occasions de la vie — des vœux de bonheur pour un mariage jusqu'aux condoléances en passant par les souhaits de nouvel an —, elle rend les visites adéquates, elle reçoit les collègues de son époux.

La sociabilité tournait autour de plusieurs pôles : la famille, la profession du mari, le quartier, l'appartenance confessionnelle. Le milieu de travail du mari détermine souvent les fréquentations de la famille, mais la maîtresse de maison peut apporter une touche personnelle importante. La mère de Jacques Chastenet présidait de grands déjeuners d'hommes, amis de son époux, avocat et journaliste économique. Elle y était la seule femme. La mère d'André Siegfried faisait la même chose avec des parlementaires, collègues de son mari député : « Elle présidait, se rappelle son fils, avec une aisance et une maestria qui m'émerveillent encore, dirigeant la conversation, dont elle tenait le dé, avec une bonne grâce parfaite, mêlée d'esprit et même de malice [16]. » Et cela même si, par ailleurs, les Siegfried invitaient des gens de milieux très différents : banquiers, ministres ou instituteurs. Les dames que j'ai interrogées entretenaient toutes un réseau de relations avec le milieu professionnel de leurs époux. Mme Gv., femme d'un ingénieur polytechnicien, recevait à dîner des ingénieurs étrangers homologues de son mari, Mmes D. ou S., femmes de professeurs de médecine connus, invitaient le milieu médical, Mme Rv., dont l'époux dirigeait une succursale industrielle, des commerçants en gros et des fonctionnaires. Mme B. organisait le samedi soir des « dîners de tennis », pour des messieurs que son mari avait connus au tennis et qui étaient devenus leurs amis.

Plus on descend vers la petite bourgeoisie, plus l'éventail des relations se resserre. Surtout si, en plus, il s'agit de provinciaux « montés » à Paris et par là coupés de leur famille. Dans ce cas, le quartier joue un rôle pour établir des relations. Mme C. me raconte que ses parents qui habitaient avenue Ledru-Rollin (son père était ingénieur, mais d'origine modeste) recevaient tous les dimanches soir des gens du quartier avec lesquels ils s'étaient liés : un médecin, un dentiste, etc. Le dentiste, dreyfusard, a changé l'opinion de ses parents sur l' « Affaire ». Ils étaient, jusque-là, « antidreyfusards, comme tout le monde ». L'appartenance confessionnelle est déterminante, au même titre que le quartier, dans les relations des gens qui arrivent à Paris. Ainsi, à travers le Journal de Marie Roux-Poujol, on se rend compte que cette famille nîmoise protestante, quatre ou cinq ans après son installation à Paris, rue de l'Estrapade, ne fréquente que des protestants du quartier Latin, originaires de la région de Nîmes pour la plupart [17]. Le regroupement entre personnes de même obédience religieuse était quasiment instinctif, surtout si elles appartenaient à des Églises minoritaires comme les protestants ou les israélites. Clara Malraux dit que sa mère ne voyait que des juives exilées, comme elle. Quand je demande à Mme B., issue d'une vieille famille catholique de la paroisse Saint-Sulpice, si ses parents ou elle-même avaient des relations avec des gens d'une obédience religieuse différente, elle me répond que, sans ostracisme aucun de la part de ses parents, leurs amis étaient presque tous des catholiques du quartier ; quelques protestants, dont un chirurgien célèbre ; pas de juifs. Elle se rappelle avoir eu une amie protestante rencontrée aux eaux.

De manière plus générale, à Paris, la rive gauche et la rive droite sont irréductibles l'une à l'autre. L'air qu'on y respire est différent, la sociabilité aussi. Telle femme née rive droite, comme la sœur de la comtesse de Pange, et mariée rive gauche se sentira toujours exilée [18]. A l'inverse, on trouve dans *les Français peints par eux-mêmes* une délimitation du faubourg Saint-Germain [19]. Aux habitantes de ce faubourg-là, les visites au faubourg Saint-Honoré apparaissent comme de véritables expéditions en pays étranger. De l'autre côté de la Seine, *sunt bestiae...* Il faut affiner, car, dans une même rue, il y a le « bon côté » et le mauvais. L'un de mes amis se souvient du ton définitif de sa grand-mère, qui vivait 195 boulevard Saint-Germain, pour affirmer : « Le boulevard n'est habitable qu'à partir du 150. »

Une publication annuelle, qui paraît pour la première fois en 1888, nous renseigne sur l'identité et l'adresse des « personnes de la société » : le *Livre d'or des salons, adresses à Paris et dans les châteaux,* édité par Bender. A partir de 1890, il comporte deux volumes. Le premier dresse la liste des souverains régnants, du corps diplomatique, des personnes du « monde », des mariages et des décès survenus au cours de l'année. Le second classe les noms des « personnes de la société » par rues et indique après le nom le jour de réception. Ce second volume est pourvu d'un cordon élastique et d'un crayon, afin que la maîtresse de maison puisse noter ses obligations en matière de visites.

Les visites que doit faire une femme d'après les manuels de savoir-vivre sont légions. D'abord les visites de Nouvel An : la première semaine de l'année est réservée à la famille, la première quinzaine aux amis, le premier mois aux relations. Ensuite les visites

dites « de digestion [20] », dues dans les huit jours qui suivent un dîner
ou un bal auquel on a été convié, qu'on ait pu ou non s'y rendre.
Puis les visites « de convenances », que l'on rend trois ou quatre fois
par an à des personnes avec lesquelles on désire garder quelques
relations sans toutefois aller au-delà. Il suffit de se présenter à leur
jour de réception et d'y rester une douzaine de minutes pour que ce
soit convenable. Ces visites doivent être rendues. A cela s'ajoutent
les visites de félicitations (pour un mariage, un poste important, une
décoration), de condoléances, de cérémonie (dues aux supérieurs,
une fois par an, la dame se doit d'y accompagner son mari). Enfin
les visites de congé et de retour, avant et après un voyage, pour
éviter un dérangement aux relations qui risqueraient de venir
pendant son absence.

Si vous allez voir quelqu'un et que vous ne le trouvez pas chez lui,
vous déposez une carte cornée du côté droit. La personne en
question vous doit une visite en retour, et il faut l'attendre pour en
faire une seconde. Carte cornée signifie que le propriétaire de cette
carte s'est déplacé. S'il a chargé son domestique de déposer la carte,
elle n'est pas cornée. On pouvait louer les services d'un « poseur de
cartes » au High-Life — « ancêtre de notre *Bottin mondain* [21] » —
pour faire porter ses cartes par tous les temps.

## Le jour

Jusqu'en 1914, les dames de la bonne société avaient un « jour ».
Elles recevaient un après-midi par semaine, ou à la rigueur par
quinzaine. Ce jour de réception était indiqué sur les cartes de visite,
alors que l'adresse ne l'était pas, c'eût été indécent. On reçoit en
général de 15 à 19 heures. Mais *la Grande Dame* de mai 1894, dans
la chronique « le Code de l'élégance et du bon ton », est catégorique : une femme ne reçoit à son jour qu'après 16 heures. Attendre
les visiteurs plus tôt est « souverainement bourgeois ».

La maîtresse de maison est assise au coin de la cheminée, à
contrejour, précise la baronne d'Orval. Elle se lève pour accueillir
les femmes, les vieillards et les prêtres, mais reste assise pour les
hommes. Une table a été dressée avec gâteaux, petits fours,
sandwiches et on apporte le thé. Les filles de la maison font le
service. Edmée Renaudin se rappelle que sa sœur et elle, au jour de

leur mère, le vendredi, jouaient les « vestales du thé en argent, sous les armes à l'heure dite [22] ». C'était l'occasion de faire leur apprentissage de futures mondaines. On n'avait un jour qu'après son mariage. Si Caroline Brame en avait un à l'âge de dix-sept ans, encore jeune fille, c'est qu'elle était orpheline de mère et jouissait ainsi d'un passe-droit.

On se rappelle la tarte aux fraises appréciée par Oriane de Guermantes chez Mme de Villeparisis. Le narrateur regrette alors de rencontrer la duchesse « à un des " jours " de la marquise, à un de ces thés qui ne sont pour les femmes qu'une courte halte au milieu de leur sortie et où, gardant le chapeau avec lequel elles viennent de faire leurs courses, elles apportent dans l'enfilade des salons la qualité de l'air du dehors et donnent plus jour sur Paris à la fin de l'après-midi que ne font les hautes fenêtres ouvertes dans lesquelles on entend les roulements des victorias [23]... ». Les dames avaient tout juste le temps de faire une « courte halte » au jour de chacune de leurs relations, car elles visitaient plusieurs maisons dans l'après-midi. Quatre ou cinq, selon l'ancien cocher de la marquise d'Harcourt. Jacques Chastenet raconte que sa mère recevait chez elle le jeudi, mais que « les cinq autres jours ouvrables » elle faisait courageusement « une tournée de visites ». On recevait même le samedi après-midi. La fille d'un directeur de l'École normale supérieure se rappelle que sa mère accueillait à ses samedis les collègues de son mari à la Sorbonne. Il y avait beaucoup de monde et, pendant ce temps-là, la petite fille invitait ses amies à elle dans le jardin. Sa meilleure amie était la fille d'Octave Gréard, le vice-recteur.

Les dames que j'ai interrogées sur le jour m'ont parlé du leur, de ceux de leurs mères, grand-mères et même belles-mères. Madame Gv. était « de service » aux vendredis bimensuels de sa belle-mère, de novembre au carême, jusqu'à la Seconde Guerre mondiale. Elle se rendait également chaque semaine aux mardis de sa grand-mère qui habitait la banlieue. Quant à elle, elle n'avait pas de jour, mais recevait de temps en temps trois jours à la suite : les 29, 30, 31 janvier, par exemple. Mme B. était « de corvée » aux lundis de sa mère dès l'âge de six ou sept ans, et jusqu'en 1914. Ces lundis, hebdomadaires d'abord, n'ont eu lieu ensuite que deux fois par mois, car « de décembre à mars, les dames étaient terriblement occupées ». Son frère, au retour de ses cours, baisait la main des amies de sa mère. Pour taquiner sa petite sœur, il lui faisait croire qu'elles étaient méchantes, lui donnaient des coups avec leurs

bagues. Les hommes venaient parfois, en fin de journée. Avoir un
jour était un rite qui ne s'accompagnait pas forcément de relations
sociales très étendues. La mère de Mme C. (qui n'avait pas de
domestique, nous en avons parlé plus haut) avait pris un jour à une
époque. Elle recevait pourtant peu de monde, principalement des
personnes de son quartier avec lesquelles elle s'était liée d'amitié.
Mme C., elle aussi, avait un jour, plus récemment, dans les années
trente. Le jeudi, ses enfants recevaient leurs camarades, leurs mères
les accompagnaient et elle leur offrait le thé.

Prendre un jour, pour une petite-bourgeoise, légitime sa condition de bourgeoise, au même titre qu'engager une bonne. Jules et
Gustave Simon expliquent fort bien le rôle que joue le salon dans la
vie d'une petite-bourgeoise : « [...] c'est ce salon qui fait d'elle *une
dame*. Elle se rattache, par ce salon, au monde civilisé où les
femmes sont l'objet d'un culte. Il n'est pas bon que les étrangers ou
même les membres de sa famille la voient toujours occupée aux
travaux du ménage. Il lui faut ce recoin, où on lui parle avec quelque
cérémonie, pour établir ses droits à la déférence et au respect. Ce
respect-là n'est pas la même chose que le respect inspiré par la
vertu ; c'est un respect plus superficiel, et en même temps plus
formaliste, dont une femme a besoin de s'entourer. Elle doit parer
sa vie comme elle pare sa personne [24] ! » Une bourgeoise met en
scène sa vie. Il est intéressant que les frères Simon affirment cette
mise en scène comme valorisante pour une femme. Elle lui permet
d'être autre chose qu'une ménagère confinée aux soins du ménage,
elle marque son accès à un espace social où elle peut avoir une autre
dimension. Leur analyse s'inscrit dans une perspective nostalgique
(regret du XVIII$^e$ siècle où les femmes brillaient dans les conversations) et moralisatrice (le paragraphe se termine sur un appel aux
femmes : servez-vous de votre force, luttez contre les romans
immoraux comme... *la Chartreuse de Parme !*). Mais elle comporte
un élément d'appréciation sympathique, elle rend justice à l'ambition des petites-bourgeoises. Cette ambition est aussi souci de sa
dignité et pas seulement singerie, comme on dit pour la ridiculiser.

Notre vision des choses est plus volontiers celle de Zola dans *Pot-
Bouille :* il se moque férocement des ambitions petites-bourgeoises
de Mme Josserand, épingle sans pitié leur médiocrité, les réduit à
une caricature des vraies manières bourgeoises et mondaines. Il est
vrai que le jour de Mme Josserand n'est qu'une parodie. Ce qui,
dans un salon digne de ce nom, est dépense ostentatoire de temps,
d'argent, de paroles, nécessaire à la représentation que le monde se

donne à lui-même, devient, chez ces petits-bourgeois, placement. Mme Josserand, comme toutes les mères de ce milieu-là, cherche désespérément à « caser » ses filles ; les invités sont vulgaires et ne songent qu'à se jeter sur le minable buffet, sans laisser une miette — excepté la tête de la brioche, qui est brûlée. Quant à ce qui fait le charme des vrais salons, conversation brillante et manifestation artistique (piano, poésie, etc.), il est ici réduit à néant. La conversation se perd dans des ragots sur les domestiques, le morceau de piano n'est joué que pour exhiber les « talents » de la fille à marier. Tout ce que le code mondain peut avoir de fascinant lorsqu'il se déploie dans un milieu où il y a suffisamment d'argent et de culture se rejoue ici dans une société tout entière médiocre, où l'on singe l'argent, l'art, le chic, et devient, par là même, tout à fait dérisoire.

La femme du monde est un modèle pour les petites-bourgeoises. Mais alors que Zola se montre sans pitié pour les imitatrices, les frères Simon mettent en lumière l'aspect positif de l'imitation. Elle peut traduire une aspiration estimable, le désir de transformer une condition trop mesquine et renfermée.

La guerre de 1914 a porté un coup fatal à la pratique du jour. Mais juste avant la guerre, le déclin de cette pratique était déjà dans l'air. Les mœurs du « Monde » changent, affirme le numéro des *Annales* de Noël 1913, qui s'intitule « le Monde d'aujourd'hui ». On ne reçoit plus régulièrement, les femmes n'ont plus de jour. Le temps n'est plus où l'on trouvait une dame chez elle avant le dîner « tous les soirs d'Opéra », c'est-à-dire trois fois par semaine, comme Paul Bourget le faisait dire à l'une de ses héroïnes. Maintenant, écrit avec humour Albert Flament : « Elles donnent un thé, de temps en temps, dans un grand air d'improvisation et d'" intimité ", les invitations se font par téléphone ou par un mot sur une carte, avec *intimité* souligné — ce qui n'empêchera point que l'on soit plus de cinquante. » Les femmes défilent dans ces « cinq à sept » à une allure insensée : « On entre, on s'assoit, on refuse de prendre du thé disant qu'on avait *cinq thés,* qu'on en a déjà " expédié " deux, etc. » La différence entre ces « five o'clock » ou « petits 5 heures » — comme les appelle le journal *la Grande Dame* — et les jours, c'est la tenue des dames. A son jour, dans la haute société, on accueillait ses invités en robe de réception. On est plus simple à ces thés plus intimes où l'on porte un costume de promenade ou un « coquet déshabillé[25] ». Pour les hommes — ils sont bien peu nombreux dans les deux cas —, la redingote ou la jaquette habillée est de rigueur.

Parmi les invités d'honneur, les hommes de lettres. Émile Henriot, dans le numéro des *Annales,* parle de la mode des « thés poétiques » et des « chocolats poétiques », où poètes et romanciers viennent lire leurs œuvres. Paul Bourget est un familier des salons de la comtesse de Brigode et de la comtesse Robert de Fitz-James. Les *Arts de la femme* du 5 juin 1894 citent la célébrité de Bourget comme preuve de la puissance occulte des femmes : les lectures en conclave féminin avant publication l'ont mené à l'Académie...

Le jour tombe en désuétude avec la guerre. Dans les années vingt, les femmes, à l'heure du thé, préfèrent se retrouver à l'extérieur : « Les pâtisseries à la mode, écrit Jacques Chastenet, sont chaque jour remplies vers 5 heures, remplies de clientes venues participer à un thé dansant[26]. »

## ENFANTS

Zola, dans *Fécondité,* accuse les mondaines de ne consacrer que deux heures par jour à leurs enfants. Pour l'un des couples qu'il met en scène, les enfants ne sont qu'un empêchement au plaisir, on les abandonne aux mains des domestiques. Les mères ne jouent pas leur rôle, au lieu de veiller sur leurs enfants, elles les laissent corrompre par les bonnes : c'est non seulement une obsession de Zola mais aussi un thème développé par les moralistes pour rappeler à l'ordre les femmes. Mais à écouter les dames bourgeoises nées à la fin du XIXe siècle parler du rapport qu'elles avaient, étant enfants, à leurs mères, puis, plus tard, à leurs propres enfants, à lire aussi des Mémoires, on est plutôt frappé par l'importance de la mère, présente, dévouée, éducatrice[27]. Il est vrai que les femmes que j'ai interviewées ou la mère de Jacques Chastenet n'étaient pas ce qu'on appelle des mondaines, mais des femmes de la bonne bourgeoisie qui avaient des relations. Ce qui apparaît, en tout cas, c'est que, à partir du moment où elles étaient mères, les enfants devenaient leur préoccupation centrale.

Dans l'ensemble, elles ont nourri leurs enfants comme leurs mères les avaient nourries. Deux d'entre elles ont été allaitées par des nourrices au sein, des « nourrices sur lieu[28] », parce que leurs mères n'avaient pas de lait. Si les mères allaitaient, dans toute la mesure du possible, c'était pour préserver les nourrissons de la mortalité infantile, encore importante à l'époque. Mme B., née en 1899, a été nourrie par sa mère, contrairement à ses aînés qui avaient eu une nourrice au sein. Le premier enfant était mort et la mère avait toujours tenu la nourrice pour responsable. Aussi, quand elle sèvre sa fille, se montre-t-elle particulièrement vigilante avec la nourrice sèche qu'elle engage pour s'occuper d'elle. Qu'elles aient ou non allaité leurs bébés, ces dames précisent qu'elles en prenaient soin personnellement. Les domestiques étaient là seulement pour les aider, pas pour les remplacer.

Nourrices de leurs enfants, les mères étaient également les « institutrices du premier âge », elles leur apprenaient à lire, écrire et compter. Henri Lavedan raconte : « Jusqu'à sept ans [il est né en 1859], je n'avais eu qu'à me laisser caresser et gâter. Ma mère m'avait bien appris à lire, et aussi à écrire en me servant de ces affreux porte-plume [...] Et je savais aussi compter jusqu'à mille et au-delà, et à peu près " mes " quatre règles, quoique la division me fût assez pénible. Enfin, on m'avait conduit, de temps en temps, à une pension maternelle du quartier, l'institution Poupon, qui prenait des petits pour l'après-midi ou toute la matinée [29]. » Jacques Chastenet, fils de journaliste comme Lavedan, a eu, trente ans plus tard, la même expérience : « Les premiers rudiments (lecture, écriture, quatre règles) me furent enseignés par ma mère s'aidant de sa patience et de quelques gifles car elle avait la main leste [30]. » Les dames que j'ai rencontrées se sont beaucoup occupées des études de leurs enfants. L'une, mère de sept enfants, a appris à lire à six d'entre eux, sa dernière fille a appris avec sa grand-mère. Elle a suivi de près leur travail lorsqu'ils étaient au cours Maupré, puis à Bossuet. Son mari ne s'intéressait pas aux enfants petits et elle rapporte à ce sujet la réflexion d'une de ses filles : « Jusqu'à douze ans, papa, tu n'as pas existé. » Quand ils avaient onze ou douze ans, il les découvrait, leur parlait, avait avec eux des rapports d'adulte. Mme B. a-t-elle souffert de cette répartition des choses ? Elle en parle en tout cas comme d'un processus naturel. Mme T. a été l'institutrice et la répétitrice de ses cinq enfants. Jusqu'à leur entrée en sixième, ils ne fréquentaient qu'une fois par semaine le cours Hattemer. Quant à M^me Bl., veuve à trente-six ans avec trois enfants, elle s'est entièrement consacrée à leur éducation. Elle aurait mieux aimé, dit-elle, reprendre le métier d'avocate qu'elle avait exercé trois ans avant de se marier, elle y aurait gagné des relations, une ouverture. Mais les études des enfants passaient avant tout. Elle était à la maison pour les accueillir à leur retour de l'école, les faire goûter, surveiller leurs devoirs. Elle est très fière de la brillante carrière de chacun d'eux. Nous verrons plus loin jusqu'où peut aller la passion éducative des mères.

Un demi-siècle sépare ces femmes de la jeunesse de leurs enfants, ce qui explique la teinte un peu idyllique de leurs souvenirs. Le *Journal* de Mme Decori nous fournit un témoignage plus mêlé, plus vivant, sur le rapport difficile qu'elle a à sa fille. Le 8 juillet 1903, elle regrette de n'avoir pas accompagné son mari et sa fille à l'Opéra. C'est la première fois que Denyse, âgée de treize ans, assiste à une soirée d'opéra. Ce regret est, pour la mère, l'occasion d'en exprimer d'autres, en même temps que des déceptions, des rancœurs, des angoisses : « Elle me quittera bientôt. Je ne l'aurai pas eue à moi. Elle n'y tient pas et ne regrettera pas de m'avoir si peu entourée. Elle sera heureuse par son indifférence ; je ne m'en plains pas [...] mais elle pourrait m'aimer mieux. Je n'obtiens rien d'elle, ni ordre ni travail. Si je lui propose un livre je suis certaine de le vouer à l'oubli volontaire. » Elle projette de la reprendre en main pendant les vacances : « Je vais m'astreindre à la faire travailler tous les matins, à heures réglées, si elle est par trop intolérable ; je la mettrai *interne* l'hiver prochain, il faut qu'elle se modifie ; je n'en ferai pas une femme travailleuse et ordonnée, mais elle acquerra peut-être une certaine discipline... » Elle s'interroge sur les sautes d'humeur de sa fille, qui l'embrasse lorsqu'elle veut dormir et lui fait des grimaces quand elle attend des témoignages de tendresse. D'où vient le manque absolu d'harmonie entre elles ? Et la mère de se reprocher l'incohérence de sa propre conduite : « Je l'ai trop gâtée ; et puis menée parfois violemment quand j'étais agacée ou malade [...] Pauvre petite elle paie bien des choses et je suis responsable d'une grande partie. »

Elle craint pour l'avenir de Denyse, mais à cette crainte se mêle toujours l'amertume du présent : « Pourvu que cette éducation si peu ferme, si saccadée, si inégale, ne lui coûte pas du bonheur plus tard. Je m'en veux violemment. Et je ne peux rien changer à l'heure actuelle. Elle est paresseuse et me refuse la joie de l'instruire par des lectures, des conversations, etc. C'est une tristesse qui m'est douloureuse et pesante ! » Trois mois plus tard, le 7 octobre, Mme Decori quitte sa campagne pour la rentrée des classes de sa fille : « Elle n'est pas parfaite mais je n'ose l'interner. » Elle a pris le parti de la faire déjeuner chez son oncle, Denyse reviendra chez elle à 16 h 30, après la fin des cours. On aimerait en savoir plus, mais cette échappée sur le mécontentement d'une mère est déjà fort intéressante. Mécontente d'elle-même, mécontente de sa fille, déçue et culpabilisée. On a vu précédemment que Mme Decori était insatisfaite de ses relations conjugales et extra-conjugales. On imagine cette femme qui accumule les rancœurs sentimentales, qui en veut à la terre entière de ne pas recevoir ce qu'elle attend et qui, dans le même moment, se sent responsable de n'avoir pas éduqué sa fille comme il l'aurait fallu. Quoi de plus pesant pour une femme mal à l'aise dans sa vie que l'image de la bonne mère qu'elle n'est pas ? Toutes proportions gardées, ne pense-t-on pas à *Madame Bovary* ? Emma qui, de manière générale, s'occupe très peu de sa fille, a parfois des accès de sentiment maternel : elle embrasse l'enfant à l'étouffer, s'amuse à l'habiller, au grand étonnement de la bonne, à qui d'ailleurs elle la renverra rapidement, car elle se lasse vite.

## VACANCES

Les vacances scolaires d'été duraient alors trois mois et, dans les familles bourgeoises, mères et enfants émigraient, de juillet à octobre, au bord de la mer ou à la campagne. Les pères les rejoignaient en fin de semaine, si la villégiature n'était pas trop éloignée, ou, en général, passaient avec eux un mois de vacances. On allait parfois dans des propriétés de famille. Mais posséder une résidence secondaire était moins répandu que de nos jours, le plus souvent on louait une maison pour l'été. Mme R., dont l'enfance se passait à Paris, se rappelle que, de 1899 (elle avait deux ans) à 1910, ses parents louaient une villa au bord de la mer, à Langrune, à quinze kilomètres de Caen. Ils envoyaient une lettre à Pâques pour retenir la villa, dont le prix de location était, pour les trois mois, de 400 francs. A cela s'ajoutait la location d'une cabine de bains (50 francs) et d'un piano (50 francs également). On engageait sur place comme bonne une jeune fille qui « faisait la saison », que l'on payait environ 15 francs par mois.

Ils partaient, sa mère, ses deux frères et elle, dès le 1er juillet, sans attendre la distribution des prix : « Vous les retrouverez à la rentrée, vos prix », affirmait leur mère. Les enfants jouaient au tennis et au croquet, ils montaient à bicyclette avec leur père lorsqu'il venait les voir — quelques jours vers le 15 juillet et le

15 septembre et tout le mois d'août. En 1909 et les années suivantes, l'adolescente prend des cours de danse au casino de Luc-sur-mer, avec des copains. A ma question : « On vous laissait aller seule au casino ? », elle répond qu'on faisait confiance aux enfants. Ces plages étaient des « plages de famille », tout le monde se connaissait.

Ces longs étés laissaient aux enfants des souvenirs idylliques. A écouter les récits de plusieurs de ces dames, on se croirait dans un roman de la comtesse de Ségur. Pendant son adolescence, raconte Mme B., ses parents louaient pour les trois mois de vacances des propriétés avec châteaux et grands parcs en Normandie et en Bretagne — environ trois ans chacune. Il n'y avait aucun confort dans les châteaux, pas d'eau courante, même pas d'électricité partout, mais c'était le rêve... Même témoignage de Mme D. qui, un été, a habité un château de dix-sept pièces dans le Morbihan. Mais elle ne retournait pas deux ans de suite au même endroit, car son père aimait changer. La location de ces grandes propriétés était de 500 francs par saison, pas beaucoup plus cher qu'une villa.

Je parle là de Parisiennes, mais les provinciales avaient les mêmes habitudes. Mme Bl. qui habitait Caen passait deux mois au bord de la mer dans des villas louées. Mme A., qui vivait à Toulouse, allait en vacances à Biarritz pour un mois environ, soit en appartement loué, soit en pension de famille. Elle se baignait mais ne nageait pas. Elle aussi allait danser au casino. Jacques Chastenet évoque les bains qu'il prenait, en villégiature à Pontaillac, à côté de Royan : il portait un maillot assez flottant à courtes manches et, au sortir de l'eau, se précipitait dans une cabine pour prendre un bain de pieds chaud et éviter de contracter « un de ces " refroidissements ", terreurs des mères de famille[31] » !

Le mari d'Élisabeth Leseur reconstitue les vacances de sa femme lorsqu'elle était enfant. Le père d'Élisabeth, Antoine Arrighi, était docteur en droit et avocat à la cour de Napoléon III. La famille passait l'hiver à Paris, rue de Rennes, et l'été, de mai à octobre, à Auteuil, où Mme Arrighi louait, avec sa sœur, Mme Villetard de Prunières, une maison avec jardin. Au milieu de l'été, on faisait des séjours au bord de la mer (à Langrune en 1876 et 1877, à Saint-Aubin de 1878 à 1884, à Mers en 1885, à Beuzeval en 1888) ou dans des villes d'eau (Challes en 1882, La Bourboule en 1886, le lac de Genève en 1887)[32]. Jean-Lambert Dansette, au cours de son étude sur le patronat textile de Lille-Armentières, signale l'habitude des voyages en famille, même à l'étranger (Allemagne, Afrique du

Nord), des séjours aux eaux (Vittel, Bourbonne, Contrexéville — on trouve trace de jeunes Armentiérois dans la catastrophe de Saint-Gervais en 1892 : une coulée de boue, en quelques minutes, recouvrit les bains). Il signale surtout le succès, au début du xxe siècle, des villégiatures dans les stations balnéaires comme Le Touquet, Hardelot.

Témoigne de ce succès la publication annuelle, à partir de 1895, du *Guide pratique des familles aux bains de mer, Plages du Nord, de Normandie, de Bretagne et de Vendée*. En 1896, le *Guide...* est sous-titré : « 350 plages de la Manche et de l'Océan, avec trente cartes des côtes de France ». On annonce, en préparation, les guides des villes d'eaux et stations thermales, de la Côte d'Azur, des environs de Paris, de la montagne, etc. Ce *Guide...* est plein de descriptions pittoresques. Celle de Trouville, par exemple : « Autrefois, il y a une quarantaine d'années, Trouville était un " petit trou " ; aujourd'hui c'est la station balnéaire la plus réputée et la plus fréquentée de tout le littoral normand. Pendant les mois de juillet et d'août, Paris semble s'y être donné rendez-vous ; c'est la même animation, le même mélange de tous les mondes, le même luxe. L'après-midi, sur les planches qui longent toute la plage, on croirait être sur le boulevard, avec le bruit des voitures en moins et les doux déferlements de la mer en plus. Mais aussi quel merveilleux décor et combien cette vogue constante est justifiée [33]... » Suivent les indications de prix. Si certaines villas se louent 10 000 francs pour la saison, on trouve de petites maisons à 275 francs. Pour vanter les bains de mer, on use de l'argument hygiénique : « Pendant dix grands mois, à Paris, tout conspire contre notre santé. » Il faut émigrer pour avoir air pur, eau de mer et repos.

Les journaux féminins prennent l'habitude, pendant l'été, de consacrer des rubriques à la vie dans les stations balnéaires. *La Grande Dame* fait, en 1893, un reportage sur les « Parisiennes au Léman ». *Fémina* le 15 août 1901 décrit « Trouville le matin, Trouville le soir ». Le 1er septembre, May de Witt signe un article intitulé « la Saison à Dinard ». Elle parle du Tennis Club et du New Club, appelé aussi Ladies' Club : « Un cercle familial patronné par un comité de dames. C'est là que se donnent la plupart des grands bals, que des amateurs jouent la comédie, que des concerts, des thés et des réceptions de toutes sortes réunissent une société élégante, pleine d'entrain et de gaieté. » Comme c'est le premier club de ce genre créé en France, on en explique le fonctionnement. A l'origine, il y avait une salle de bal construite par un riche Anglais pour la jeunesse de Dinard. Puis s'y sont jointes une bibliothèque, des salles de lecture et de travail. Un comité de neuf dames (trois Françaises, trois Anglaises, trois Américaines) organise fêtes, bals, conférences, leçons de danse, cours de couture, de cuisine, etc. Les jeunes mondaines préparent et servent les « déjeuners du Ladies' Club » : même pratique qu'au Foyer ou dans d'autres cours ménagers pour jeunes filles du monde.

## SPORTIVE ?

Les journaux féminins du début du siècle font régulièrement paraître des articles sur les femmes et le sport. On lit, par exemple, dans *la Femme française* du 8 décembre 1902, sous la plume de Dianette, un article sur l'équitation, la chasse, le cyclisme, l'automobilisme et les tenues vestimentaires appropriées à chacune de ces activités. Le 22 février 1903, nouvel article, sur le yachting cette fois-ci. *La Femme d'aujourd'hui,* dans chaque numéro de 1904, présente une rubrique concernant les sportives : celles qui pratiquent la course automobile, le yachting, l'escrime, etc. Dans *les Modes* de mai 1901, Gaston Jollivet, sous le titre « la Parisienne au Bois », évoque, photos à l'appui, les promenades de printemps des dames. Si elles marchent, ce n'est pas pour le plaisir de flâner, mais pour garder la ligne. Certaines se munissent même, dit-il, d'un podomètre, « afin de savoir exactement le nombre de kilomètres arpentés » ! Oriane de Guermantes faisait chaque matin une heure de marche à pied.

Qu'en était-il dans la réalité ? Marcel Prévost, en 1924, pose la question : « La Française moderne est-elle sportive [34] ? » et répond que, si les jeunes filles sont effectivement sportives, les femmes, après trente ans, renoncent au sport. Les hommes, au contraire, continuent à s'entretenir dans des clubs. Que le sport concerne les jeunes filles plutôt que les femmes mariées et mères de famille est aussi ce qui ressort des entretiens que j'ai eus. Les dames pratiquaient éventuellement des sports lorsqu'elles étaient petites filles ou jeunes filles. Ensuite, leur vie était suffisamment remplie sans cela. L'une faisait du patin à roulettes, du tennis, et était championne de diabolo, deux autres montaient à cheval, comme leurs mères. Toutes m'ont parlé de bicyclette. L'une n'a jamais tenu en équilibre dessus, une autre n'a pas eu, jusqu'en 1914, la permission de monter, car ce n'était pas féminin. Pendant la guerre, ses parents ont fini par lui acheter un vélo parce que c'était commode. Deux autres me racontent les sorties qu'elles faisaient à bicyclette avec des amies. Le père d'une des filles chaperonnait le groupe : « Les pères se régalaient d'escorter les jeunes filles. »

Il y a en France, en 1897, deux cent mille bicyclettes, dont vingt-cinq mille à Paris, sans compter celles qu'on loue. C'est pour la femme, écrit Gabriel Aubray, un symbole d'émancipation : « Les féministes l'ont bien senti : la bicyclette vaut plus pour ce qu'on nomme l'affranchissement de la femme que tous les congrès où l'on réclame pour elle des droits nouveaux[35]. » Elle a, d'une part, légitimé pour la femme le port du costume masculin ; elle l'a, d'autre part, virilisée, « en lui communiquant je ne sais quelle audace résolue ». La bicyclette est d'ailleurs à cette époque un véritable sujet de polémique, on l'accuse d'abolir la différence entre les sexes. Elle est à l'origine d'un rapport nouveau entre garçons et filles, la camaraderie, une sorte de « bon garçonisme[36] ». Un nouveau sexe naît, ni masculin, ni féminin, qui est le « sexe sportif ». La baronne Staffe part en guerre contre la bicyclette. Elle se déclare de toute façon hostile aux sports pour les femmes : mieux vaut les remplacer par les soins du ménage ! Celles qui « nagent, rament, conduisent[37] » n'ont qu'une excuse, c'est si elles font tout cela par amour, pour ne pas quitter leurs époux. Elles sont coupables, en revanche, quand elles « ont voulu ajouter à leurs plaisirs et trouver une occasion de plus de déserter la maison ».

# 3

# Courbées vers le peuple

Les femmes de la bourgeoisie et de l'aristocratie sont présentes dans les comités directeurs des Œuvres, les Congrès sur la bienfaisance, les ventes de charité. Les journaux rendent compte des fêtes de charité, commentent les toilettes des dames, tout comme s'il s'agissait de bals ou de réunions mondaines. Stéphane Mallarmé, dans *la Dernière Mode* du 18 octobre 1874, décrit, à la rubrique « Bonnes Œuvres », la fête organisée le dimanche précédent au jardin d'hiver du Tivoli Vauxhall pour réunir des fonds destinés à l'ouverture d'une crèche dans le quartier de l'hôpital Saint-Louis (Xe arrondissement). Mme Richaud a récité des vers, la fanfare et des sociétés chorales ont joué de la musique et chanté, on a donné une comédie de salon. « Prétexte à venir et à s'habiller », commente Mallarmé, qui signale au passage la beauté du costume de Mme Ratazzi. Mais ce n'est pas qu'un prétexte, puisque la collecte a rapporté 400 francs : « Toilettes et aumônes, il y a entre ces deux choses un mystérieux point de contact... »

La revue *le Grand Monde, chronique hebdomadaire de la vie élégante. Arts. Littérature. Mode. Théâtre. Sport* s'intéresse également aux manifestations charitables. Le 19 mai 1895, un journaliste, sous le pseudonyme de « Violette », parle des Amis de l'enfance, de l'Hospitalité de nuit et surtout du Bazar de la Charité. Fondé en 1885 par Henry Blount, il est « le rendez-vous de toutes les aristocraties et de toutes les élégances ». Le 2 juin 1895, « Miss Snob » signe la chronique et poursuit : « En moins d'un mois, un million presque vient d'être réalisé au Bazar de la Charité par les soins de ces mondaines si souvent critiquées qui tournoient le soir dans les salons enveloppées de gaze [...] Ce sont leurs petites mains qui ont constitué pour leurs amis déshérités, pour les pauvres qu'elles aiment, cette royale offrande. Durant toute une année, elles y ont songé. Leurs loisirs ont été consacrés à d'ingénieux ou d'utiles travaux destinés à devenir " le clou " de chaque comptoir... »

Les ventes de charité font si bien partie des habitudes mondaines qu'elles sont répertoriées dans les manuels de savoir-vivre. Par exemple dans *les Usages mondains* de la baronne d'Orval : « Il faut avouer, commence-t-elle, que souvent une vente de charité est non seulement un prétexte de bienfaisance, mais encore une occasion de toilette, de petite satisfaction d'amour-propre, de vanité, de calcul mondain ; ces sentiments se pardonnent puisqu'ils procurent aux malheureux une obole parfois considérable[1]. » Puis elle explique le fonctionnement des ventes. La dame vendeuse envoie des lettres imprimées : « Mme X. sera reconnaissante de la plus petite offrande », à ses amies et relations, qui, en retour, déposent ou font porter une offrande : dans une toute petite enveloppe une piécette de 10 francs, collée sur le coin d'une carte de visite. La dame vendeuse envoie alors un des objets de son comptoir, qui a à peu près la valeur de la somme reçue. La baronne ajoute que la dame d'œuvres doit préparer elle-même un grand nombre d'objets de vente : pelotes, vide-poches, couvre-théières, chemins de table, petits objets de bois peint, etc.

Il est d'usage qu'une dame mette ses relations à contribution pour ses entreprises philanthropiques. Marthe de Noaillat (1865-1926) fut une militante catholique, conférencière de la Ligue patriotique des Françaises. Dans les années 1895, elle réside à Nevers où elle est en rapport avec le meilleur monde : « Elle accorde au monde les quelques concessions qui lui assurent une influence, et telle journée qui a commencé par la visite d'une cancéreuse ou d'un alcoolique endurci dans son vice, qui a continué par un catéchisme d'adultes, finira par une soirée chez le comte et la comtesse de Courson, où elle a accepté de déclamer des vers afin de se sentir autorisée à revenir bientôt tendre la main pour ses pauvres[2]. » Elle est secrétaire de plusieurs œuvres paroissiales ou diocésaines, catéchise à tour de bras. Cela ne l'empêche pas d'avoir un « jour », le mardi. En 1920, à Tours, elle poursuit son apostolat auprès des dames du monde : « Elle continue de convier pendant les mois d'hiver l'élite féminine groupée par son petit cercle[3]... » Le mélange entre charité et mondanité devient caricatural avec une manifestation comme le « thé des prostituées », organisé par l'Armée du Salut. Le journaliste Jean Bernard le signale dans sa chronique *la Vie de Paris* en

1899 : « Oui, des femmes du monde, de grandes dames, des mères de famille irréprochables avaient endossé le sarrau des salutistes et avaient préparé dans une de leurs salles de l'avenue de Clichy une réunion où étaient convoquées les dernières des dernières[4]... »

La bienfaisance n'est pas seulement occasion de frivolité, elle peut être aussi une manière de la dépasser, de la transcender. Les bonnes œuvres ont été pour certaines une activité sérieuse et parfois exigeante, en remplacement ou en supplément des rôles d'épouse et de mère (sans doute y a-t-il lieu de juger sévèrement le paternalisme qui inspirait ces activités, mais ce n'est pas ici la question). Élisabeth Leseur, mariée en 1889, et sans enfant, mène pendant une dizaine d'années une existence de Parisienne cultivée. Elle sort beaucoup avec son mari, journaliste, puis directeur d'une compagnie d'assurances sur la vie. Elle voyage. Elle apprend le latin et le russe. A la suite d'une « crise d'âme », en 1898, elle se tourne vers l'apostolat. En 1902, elle entre en relation avec l'abbé Viollet, vicaire à Notre-Dame-du-Rosaire de Plaisance. Elle l'aide pour le patronage, lui apporte le concours de musiciens et d'artistes. L'année suivante, elle loue une maison au Vésinet où elle ouvre un « Foyer de la jeune fille » pour ouvrières, employées et apprenties. Mais le Foyer doit fermer en 1905 : il est trop loin de Paris et Élisabeth manquait de compétence pour gérer une entreprise. A partir de 1903, elle enseigne le catéchisme aux petites filles de l'Union familiale de Charonne, dirigée par Mlle Gahéry — jusqu'en 1909 ou 1910. Elle est ensuite bénévole à l'Union populaire catholique, jusqu'à sa mort en 1914[5].

Les dames que j'ai rencontrées m'ont parlé des activités philantropiques de leurs grand-mères ou de leurs mères[6]. Mme El. m'a montré un émouvant livre d'or composé en l'honneur du départ de sa mère par les jeunes filles de l'Œuvre du trousseau à Caen. Le livre d'or rappelle les étapes de la fondation de l'Œuvre par Mme Lion et fait le point en 1913. Il évoque en particulier les promenades au bord de la mer en 1911. Il contient les compliments des élèves ornés de dessins. Mme Bl., qui avait alors dix-neuf ans, n'est pas oubliée : on la remercie d'être venue faire chanter les adolescentes. La mère de Mme Gv., femme de notaire dans la banlieue parisienne, allait visiter des familles pauvres et faisait partie de la Ligue patriotique des Françaises. Sa grand-mère, qui habitait la même banlieue, s'occupait d'un dispensaire ouvert un jour par semaine. Pendant la guerre de 1914, elle a été membre de la Croix-Rouge, a dirigé la lingerie et distribué aux familles nécessiteuses des bons de pain et de charbon. Mme Gv., alors jeune fille, venait à Paris le mercredi. Elle prenait le matin une leçon de piano, déjeunait chez sa grand-mère paternelle rue de Grenelle, puis passait l'après-midi à l'ouvroir de la rue Saint-Guillaume, à coudre et broder pour la vente annuelle de charité qui avait lieu rue de Vaugirard.

Mme D. s'est occupée de l'Abri, à la suite de sa mère qui en était la fondatrice dans le V<sup>e</sup> arrondissement. C'était une œuvre laïque d'origine israélite. Il s'agissait de visiter les familles pauvres et de distribuer à celles qui risquaient l'expulsion, faute de pouvoir payer leur loyer, des sommes d'argent. Les dames d'œuvres travaillaient avec des assistantes sociales qui leur indiquaient les gens en situation difficile. Mme D. a continué « jusqu'à ce qu'existe la Sécurité sociale ». Elle dit : « Les femmes payaient beaucoup de leur personne dans la bourgeoisie. » Elles remplissaient une fonction sociale précise, pratiquant la philanthropie au lieu de faire des études supérieures. Du jour où l'État a institué un système d'assistance et de sécurité pour tous, les femmes des classes aisées, déchargées de leur rôle social, ont poursuivi leurs études et exercé un métier. Ce qui permettait, selon elle, à ces femmes de donner leur temps à la bienfaisance, c'était la facilité qu'on avait alors pour se faire servir : « La question domestique a tout changé. » Une dame pouvait avoir des activités sociales — vie mondaine et philanthropie — parce qu'elle trouvait facilement « des personnes très bien pour s'occuper des enfants ».

Mlle Marie Maugeret, directrice de la revue *le Féminisme chrétien*[7], fonde, en 1899, le Cercle catholique de dames. De ce cercle jaillit l'idée d'un congrès réunissant toutes les œuvres sociales. C'est ainsi que se tient, en 1904, à l'Institut catholique de Paris, le premier Congrès Jeanne d'Arc. Cette expérience connaît un grand succès et sera renouvelée les années suivantes. L'Institut catholique a conservé les actes imprimés de six de ces congrès (1904, 1905, 1906, 1907, 1908, 1911), dont les pages n'ont même pas été coupées... Publications extrêmement intéressantes car elles montrent avec force le développement de l'action sociale de la femme du monde au début du siècle. Ces chrétiennes viennent là pour témoigner de la vitalité de leur foi, de leur engagement dans la lutte contre les francs-maçons, de la conscience qu'elles ont de leur devoir social — et tout cela pas du tout de manière théorique : elles racontent ce qu'elles ont *fait*. Les bulletins que la paroisse Saint-Sulpice fait paraître à partir de 1905 complètent les actes des Congrès Jeanne d'Arc pour l'étude de la philanthropie.

Mme Gautier-Lacaze, secrétaire internationale de l'Action sociale de la femme, parle, le 25 mai 1904, du « Devoir social et Rôle moral de la femme du monde envers la femme ouvrière ». Elle stigmatise, pour commencer, les femmes qui s'imaginent remplir leur devoir « en participant à une vente pour un orphelinat, en exhibant une toilette inédite à une vente de charité, en faisant confectionner, quelquefois par leur femme de chambre, des vêtements pour les pauvres de leur quartier... ». Heureusement, ajoute-t-elle, nombreuses sont celles qui comprennent la nécessité d'*agir*. Agir, c'est s'approcher de l'ouvrière, « s'intéresser à sa vie de tous les jours [...], la visiter dans l'atelier », mais aussi « pénétrer au foyer familial de l'ouvrier ».

Pour atteindre le foyer, un moyen facile : l'enfant, l'école. Afin d'illustrer cette affirmation, elle décrit son expérience personnelle. A vingt-cinq ans, elle avait déjà subi de très grands malheurs familiaux et s'est jetée dans l'action charitable. Trente ans durant, elle s'est consacrée à la femme ouvrière. Elle habite un village près de Bordeaux, avec ses vieux parents infirmes : rien ne manque au tableau... Chez elle est établie l'école dirigée par les sœurs de l'Immaculée-Conception. Elle y fait la classe et, le soir, dirige des cours d'adultes : « C'est ainsi que, par l'enfant, j'ai atteint la mère ; je l'ai visitée, consolée, soignée ; j'ai pénétré dans son intimité, reçu ses confidences et j'ai pu lui prouver que la femme du monde l'aime réellement et que, fille, épouse, mère comme elle, son cœur bat à l'unisson du sien. » Elle a organisé un patronage de jeunes filles, un ouvroir auquel elle a joint des cours de coupe et d'économie domestique (la tentative a dû être abandonnée au bout de trois ans, par la faute des préjugés des femmes du monde, dit-elle, sans préciser de quels préjugés il s'agit), une bibliothèque à côté de l'école, centre de propagande contre les publications immorales, une mutualité d'enfants — dont elle n'indique malheureusement pas le fonctionnement. Elle a créé des cours pour la femme ouvrière : soins en cas d'accident, conseils pour les enfants du premier âge.

Elle s'occupe maintenant de l'ouvrière des villes, mutualité pour les travailleuses et bureau de placement gratuit. Elle espère former à Bordeaux des syndicats professionnels et fonder une école professionnelle d'apprentissage. Un comité, composé de femmes du

monde et d'ouvrières, a lancé une campagne de conférences dans les
quartiers populeux de la ville. Depuis un an, en tant qu'infirmière
de la Croix-Rouge française, elle dirige une œuvre de pansement à
domicile, et elle insiste sur le rôle social de cette œuvre : « Les
femmes du monde, celles que le peuple est accoutumé à rencontrer
en riche équipage, en toilettes coûteuses, vont, dépouillées de ce
luxe, panser chez l'ouvrier les plaies les plus répugnantes, avec un si
aimable empressement, une persévérance si touchante, que les
cœurs endurcis par la haine des classes supérieures sont bientôt
vaincus en présence de tant de dévouement, et que les mères, hier
encore révoltées contre les " riches ", vont demander à la garde-
malade volontaire de venir soigner leurs enfants malades. »

### « FEMMES DU MONDE
QUI SE COURBENT VERS LE PEUPLE[8] »

Il faut remplacer la lutte des classes par la collaboration : c'est
l'idée qui préside à toutes les entreprises de ces chrétiennes. La
collaboration s'obtiendra par l'entremise des femmes. Dans un
monde guetté par le socialisme et la haine, la femme des classes
aisées doit prendre conscience du rôle qu'elle a à jouer : « Contri-
buer à l'amélioration de la situation morale et matérielle des
travailleurs en même temps qu'au rapprochement des classes[9]. »
Cette femme qui a la chance d'avoir plus d'argent, plus de temps,
plus d'éducation, n'a pas le droit d'en jouir égoïstement. Elle ne
peut se contenter d'être inscrite sur les souscriptions de bienfaisance, mais doit pratiquer une philanthropie militante, comme pour
se racheter des privilèges dont sa naissance l'a fait bénéficier. Le
contact avec les pauvres et les défavorisés est un tribut qu'il lui faut
acquitter : « Mesdames, purifiez vos mains chargées de perles et de
diamants ; qu'elles s'emploient désormais à habiller ceux qui ont
froid ; qu'elles ne craignent ni la rudesse des étoffes à coudre, ni la
monotonie de la besogne[10]. »

C'est précisément le contraste entre la vie facile que pourrait
mener la dame et le devoir qu'elle s'impose, le dévouement qu'elle
manifeste, qui touchera la femme du peuple. La comtesse de
Sesmaisons rend compte ainsi de l'action charitable des dames du
monde qui dirigent l'Œuvre d'assistance par le travail du

XVIᵉ arrondissement : « Deux fois par semaine, ces femmes de cœur [la comtesse de Bourqueney, Mmes Gavignot et Blais, la baronne de Boigne] et d'autres, faisant partie du comité, s'arrachent dès 8 heures du matin à leurs intérieurs luxueux et, par le froid, la neige, la pluie, vont passer trois ou quatre heures dans une triste salle de la mairie du XVIᵉ arrondissement, pour répartir, entre les ouvrières qui le sollicitent, le travail à faire, pour recevoir les ouvrages terminés et, après minutieuse vérification, en payer le prix [11]. »

L'idée se répand du service social de la femme sur le modèle du service militaire de l'homme [12]. Chacun a un rôle de citoyen à jouer, mais dans des domaines différents. Le « vrai féminisme » ne consisterait pas, pour les femmes, à revendiquer leurs droits, mais à s'acquitter de leur devoir envers la société : « Que les femmes riches ou aisées, jeunes filles ou vieilles filles, épouses d'hier ou mères déjà, prennent la tête du mouvement d'assistance mutuelle et du relèvement de la femme par la femme [13]... » Dans la charité mondaine sont liés devoir religieux et devoir patriotique : « C'est à cette charité intelligente et créatrice, écrit Henry Fouquier dans *Fémina,* que j'estime qu'il faut faire appel pour que la femme du peuple, soutenue, défendue, aidée par ses sœurs plus fortunées, devienne ce qu'elle doit être par tempérament et par définition : l'élément d'apaisement dans les classes populaires [14]. »

## MORALE SOCIALE

La femme des classes supérieures, dit Mme de Lys, « doit donner l'exemple de sagesse, de moralité à la femme du peuple [15] ». Le meilleur exemple de moralité réside dans la pratique de la vertu autour de soi. Et d'abord à l'égard des employés qui vivent sous son propre toit, les domestiques. La maîtresse de maison doit avoir souci de leurs conditions de logement et de travail. La question du sixième étage, où habitent les bonnes, est l'objet, dans les dernières années du XIXᵉ siècle et jusqu'à la guerre, de campagnes de presse et de rapports dans des congrès. De quelque bord politique ou religieux qu'ils soient, journalistes, hygiénistes, moralistes, philan-thropes alertent l'opinion publique, lancent un appel, d'une part aux législateurs et aux propriétaires d'immeubles — pour que soient

votées des mesures concernant la surface des pièces, l'aération et les
conditions d'hygiène au dernier étage des immeubles —, d'autre
part aux maîtresses de maison — pour qu'elles exercent une
surveillance vigilante sur les conditions de vie de leurs domestiques.

Que ce soit par Mme Chalamel[16], à la Conférence féministe de
Versailles en 1899, ou par le chanoine Letourneau[17], curé de Saint-
Sulpice, les dames sont exhortées à la conscience de leur travail.
Elles doivent monter au sixième étage, ne pas craindre d'emprunter
l'escalier de service, visiter les chambres de leurs bonnes. Elles se
conduiront ainsi en « matrones sociales », assurant la santé et la
moralité de leur famille et de la société. Il est nécessaire que les
domestiques soient convenablement logées, mais aussi qu'on leur
accorde quelques heures de repos bien méritées le dimanche, c'est
une question d'humanité.

De manière plus générale, les maîtresses de maison devraient
avoir à cœur de ne pas priver de leur dimanche les employés dont
elles utilisent les services et, pour cela, de réduire leurs exigences
envers leurs fournisseurs. La Ligue sociale d'acheteurs voudrait que
l'acheteuse s'autodiscipline (et la première consommatrice, c'est
bien la mère de famille-maîtresse de maison). Fondée en 1903 à
Paris, sur le modèle de la Ligue des consommateurs de New York,
elle est dirigée par Mme Jean Brunhes. Cette ligue lance des
campagnes, des mots d'ordre repris par des organisations, le Comité
paroissial de Saint-Sulpice, entre autres. Les dames du Comité, avec
l'aide du curé Letourneau, luttent, pendant des années et avec
succès, semble-t-il, pour le repos dominical des employés de
l'alimentation, boulangers d'abord, bouchers ensuite. Elles
envoient des lettres, des tracts, elles demandent aux maîtresses de
maison de s'organiser, de passer leurs commandes à l'avance, de se
faire livrer le samedi pour le dimanche. Elles leur suggèrent
d'acheter du pain qui ne devient pas trop dur du jour au lendemain,
sinon, de faire, avec leur pain dur, contre mauvaise fortune bon
cœur.

*L'Écho des cryptes de Saint-Sulpice*, supplément au *Bulletin
paroissial* du 25 janvier 1913, publie une édifiante nouvelle intitulée
« le Bon Pain dur ». Mme Bonpois se préparait, au retour de la
messe, à prendre son déjeuner avec du bon pain frais. Catastrophe :
la bonne lui annonce qu'elle devra se contenter du pain dur de la
veille. Elle est bien allée à la boulangerie, mais il n'y avait pas ce
jour-là de fournée : repos hebdomadaire des ouvriers. Fureur de
Mme Bonpois. Arrive, en visite, Marie, son ancienne bonne,

qu'elle a mariée à un ouvrier boulanger et qui maintenant a deux enfants. Le mari l'accompagne, justement. Mme Bonpois lui reproche d'avoir abandonné son fournil. Mais il lui dit combien il est heureux, grâce au repos du dimanche, de profiter, un jour par semaine au moins, de sa vie de famille. La dame, bonne au fond, mais qui n'avait jamais pensé à ce qu'enduraient les ouvriers, est tout émue. Elle savoure son pain dur en regrettant son égoïsme passé.

Mme Georges Piot — femme du sénateur populationiste bien connu, membre actif du Comité paroissial de Saint-Sulpice, lui aussi — et ses compagnes du Comité font paraître la liste des boulangers du quartier qui livrent le samedi pour le dimanche, en recommandant à toutes les dames de leur donner leur clientèle (25 juin 1909). En novembre 1909, elles vont tenter une démarche semblable pour les bouchers. En juin 1914, enfin, elles lancent, toujours à la suite d'un mot d'ordre des Ligues sociales d'acheteurs, une campagne pour le repos du dimanche des téléphonistes. Les bourgeoises des arrondissements riches (VIe, VIIe, VIIIe, XVIe, XVIIe) profitent du dimanche pour téléphoner, les téléphonistes s'en plaignent. Que les dames du quartier Saint-Sulpice s'abstiennent à l'avenir de passer leurs communications non urgentes le dimanche.

Avoir conscience de ses devoirs sociaux, c'est penser à ce qu'on impose aux autres. Le *Bulletin paroissial* est plein de rappels : « Payez vos fournisseurs », et surtout à la veille des vacances d'été ou du Nouvel An : « N'oubliez pas de régler vos dettes les plus criantes. » Une maîtresse de maison responsable met régulièrement au net sa situation financière. Elle n'impose pas à des ouvrières des délais impossibles à tenir. Sur ce thème, encore une nouvelle parue dans *l'Écho des cryptes,* le 25 janvier 1909 : « Et... vous n'y songez pas, mesdames [18]. » Une dame de charité monte voir, au dernier étage d'un immeuble, une jeune cousette qui se meurt. Elle a attrapé une congestion en sortant dans la nuit glaciale, à 3 heures du matin, de l'atelier surchauffé. Elle avait dû terminer une robe que la cliente demandait en urgence. Horrifiée par ce récit, la dame d'œuvres se récrie sur les exigences barbares de certaines mondaines, ajoute qu'elle plaint celle dont la robe coûte la vie à une jeune fille. « C'est celle-là », dit la jeune mourante en tendant la main vers la belle robe de la visiteuse.

Eugène Brieux, dans sa pièce *les Bienfaiteurs,* met en scène un thème familier à cette époque : la différence entre la charité et la bienfaisance. Il faut préférer, dit-il, la première forme d'assistance

parce que l'aumône fait de la misère un mal chronique et encourage
la paresse, alors que la charité met les gens en état de se passer
d'aumône, leur permet de travailler. Il montre des dames du monde
qui pratiquent la bienfaisance en se souciant en réalité fort peu du
peuple, mais en prêchant chacune pour leur œuvre [19]. Ce que refuse
aux femmes aisées la fin du XIXe siècle, c'est la bonne conscience
lointaine. Pas question de se tranquilliser en payant, il faut
participer. Si le discours insiste tant sur cette nécessité, c'est sans
doute que, dans la réalité, les dames préféraient payer plutôt que
s'engager activement dans une œuvre. Cadeaux et charité tiennent
une place importante dans le budget des familles bourgeoises : 3 à
7 p. 100 de l'ensemble des dépenses, selon l'étude de Marguerite
Perrot, presque autant que les gages. Malheureusement les livres de
comptes ne portent pas le nom de l'œuvre à laquelle on donne, mais
celui de la dame qui quête.

Soulager la misère n'est pas suffisant, il faut encore transformer
les rapports sociaux : que les pauvres ne ressentent pas à l'égard des
riches une envie mauvaise, pas d'exploités ni d'exploiteurs, mais des
citoyens qui, chacun à leur place, accomplissent leur tâche pour le
bien de tous. La philanthropie n'a évidemment rien de révolution-
naire, elle est destinée à réparer les injustices les plus criantes dans
une société où n'existent ni la Sécurité sociale, ni les allocations
familiales, ni les congés payés. Elle maintient en place la structure,
elle la renforce. Cette tâche conservatrice est dévolue aux femmes
des classes aisées.

## L'EXEMPLE
### DE LA PAROISSE SAINT-SULPICE

Nous disposons du *Bulletin paroissial* de Saint-Sulpice depuis 1905
jusqu'à 1954, où il change de nom et s'intitule *Tous frères*. Les
œuvres de charité y sont décrites avec beaucoup de précision et on
imagine, d'après cette lecture, quelle importance avait la paroisse
dans la sociabilité du quartier : relations des fidèles entre eux, rôle
d'animation que jouaient pour les enfants et les familles les prêtres
et les dames patronnesses. Les patronages fonctionnaient très bien
ainsi que les catéchismes, non seulement les catéchismes de

préparation à la communion, mais les catéchismes de persévérance, pour les grands adolescents.

La situation de Saint-Sulpice est privilégiée : c'est une paroisse qui fonctionne depuis les années 1640, et de manière tout de suite très structurée, grâce à la forte personnalité de son fondateur, le curé Olier, ami de saint Vincent de Paul. De plus, sur la paroisse sont installées, depuis le xviie siècle également, des communautés religieuses comme les sœurs de Saint-Vincent-de-Paul — établies là par saint Vincent et la bienheureuse Louise de Marillac —, qui ont perpétué la tradition charitable. Si bien que, malgré la coupure de la Révolution, les œuvres se sont reconstituées et, même si on les suit mal dans la première moitié du xixe siècle, on les retrouve à partir de 1840-1850.

A Saint-Sulpice, les conditions sont réunies pour une action sociale efficace. La paroisse est riche, les fidèles prêts à s'engager dans le mouvement du catholicisme social. Certains prêtres sont remarquablement dynamiques, restent en place très longtemps et laissent une empreinte durable. Le chanoine Letourneau est demeuré curé de Saint-Sulpice de 1900 à 1926 ; l'abbé de Pitray (neveu du gendre de la comtesse de Ségur) s'est occupé du patronage des garçons — patronage Olier — de 1895 à 1941, avec une interruption : un an d'aventure coloniale et plusieurs années comme aumônier aux armées pendant la guerre. Les dames de charité jouent aussi pendant longtemps leur rôle. Mlle Crollet, entrée comme auxiliaire au patronage Jean-Bart en 1900, devenue directrice en 1912, n'a quitté son poste qu'en 1946, pour raisons de santé.

## 1. *Visites des pauvres. Secours à domicile*

### — *Œuvre des pauvres malades*

Établie par saint Vincent de Paul en 1630, elle a disparu en 1791, puis s'est reconstituée en 1840. Chaque mois se réunissent les « dames visitantes » et les « dames trésorières », qui aident l'Œuvre par leurs aumônes, sans visiter les malades. Cinquante dames sont inscrites en 1907. On apporte aux malades des secours en nature : pain, viande, sucre, chauffage, vêtements[20].

### — *Les Dames de charité*

Elles étaient organisées, elles aussi, dès avant la Révolution.

Moins bien connues dans la première partie du XIX<sup>e</sup> siècle, on peut les suivre à partir de 1848, où Mgr Sibour, archevêque de Paris, adresse aux curés une lettre pour une organisation générale de la Charité. L'Œuvre se constitue en 1849 avec M. Collin, curé de Saint-Sulpice, sous le patronage de la Vierge et de saint Vincent de Paul. De 1901 à 1906, le nombre des Dames de charité a plus que doublé : elles sont une centaine.

Elles vont visiter et secourir les pauvres de la paroisse, particulièrement ceux qui ne sont pas visités par l'Œuvre des pauvres malades ou l'Œuvre des familles. La paroisse est divisée en douze quartiers ou sections. Une Dame est chargée de visiter les pauvres de chaque section, c'est la présidente. Elle s'adjoint, pour la visite, plusieurs autres Dames. Elles donnent aux pauvres des bons de pain, viande, chauffage, qui leur ont été remis lors de la réunion mensuelle.

Au cours de cette réunion, présidée par monsieur le curé assisté de la supérieure des sœurs de charité et du bureau (présidente, vice-présidente, trésorière, secrétaire, prises parmi les Dames de charité), sont lus les rapports de chaque section concernant l'état physique et moral des personnes visitées. On répartit des vêtements confectionnés par l'Œuvre du vestiaire. Les ressources de l'Œuvre proviennent d'un sermon, d'une vente de charité, d'une quête à domicile [21].

— *Œuvre des familles*

Elle a été fondée le 31 mars 1848 par Mme de Lamartine et le vicomte de Melun. Leur but était de remplacer les aides passagères aux familles pauvres par une tutelle permanente, chaque famille pauvre serait adoptée par un groupe de dix personnes, une « fraternité ». Aux premières réunions, « les femmes des ministres du gouvernement provisoire coudoyaient les grandes dames du faubourg Saint-Germain ». Implantée dans un grand nombre de paroisses, cette œuvre ne fonctionne plus, en 1906, que dans cinq d'entre elles, dont Saint-Sulpice. Son but est de « rapprocher les classes et, en les faisant se connaître, détruire les méfiances réciproques ».

Au début, une « fraternité », dont chaque membre versait 0,10 franc par semaine, s'occupait d'une famille nécessiteuse. Mais, à partir de 1852, une famille était confiée à une seule dame, qui l'adoptait pour une période de deux ans au plus. Sont secourues les familles tombées dans la misère par suite de chômage, de maladie, de mort du père, ou celles qui, chargées d'un grand nombre d'enfants hors d'état de travailler, ont engagé au mont-de-piété des objets essentiels. Quand une famille est proposée à l'Œuvre, elle reçoit d'abord la visite d'une sœur de charité, qui établit un premier rapport, puis celle d'une dame conseillère, qui en établit un second. Le conseil délibère et prononce l'admission ou le rejet.

La dame visiteuse dispose de secours variés : secours d'entrée de 30 francs, secours mensuel de 8 à 20 francs, selon le nombre de membres dans la famille, secours extraordinaire voté éventuellement et enfin, au bout de deux ans, un secours d'adieu, de 30 à 60 francs. A cela s'ajoutent des lits, des draps, des vêtements. Les dépenses annuelles sont d'environ 10 000 francs. Les recettes viennent des cotisations (6 francs par an), de la vente de charité qui a lieu en décembre (en 1906, du 3 au 8 décembre, de 14 à 18 heures, place Saint-Germain-des-Prés) et d'une quête à l'église le dimanche de la Septuagésime. Les patronages ont une part dans les bénéfices de la vente de charité, parce qu'ils encouragent leurs dames patronnesses à fournir des objets ou ouvrages à vendre.

Entre 1852 et 1906, soixante-dix à quatre-vingts familles ont été secourues chaque année. Une grande moitié n'a plus de dettes lorsque l'Œuvre cesse de les aider. Pour les autres familles, il y a, affirme le *Bulletin paroissial,* « réelle amélioration dans l'état matériel, moral et religieux ». La dame visiteuse a en effet pour mission non seulement de leur apporter un secours matériel, mais aussi de les réconcilier avec la société, d'effacer leur haine [22].

— *Œuvre du vestiaire*

Les Dames de charité distribuaient des vêtements confectionnés par celles de l'Œuvre du vestiaire. Cette œuvre a été fondée par M. Hamon, curé de Saint-Sulpice, en 1852. Mme Sizerac de Forge en a été la première présidente, puis la comtesse de Simony, à laquelle a succédé Mme Demonchy, qui a occupé ce poste de 1860 à 1880. La présidente, en 1906, est Mme Gautheron. Le nombre de dames qui travaillent pour l'Œuvre n'est pas indiqué, on dit seulement qu'il a diminué mais que les pauvres n'en ont pas souffert, parce que les dames qui restent travaillent aussi pendant les vacances et que certaines emportent de l'ouvrage chez elles. L'Œuvre avait, à ses débuts, connu un grand succès : de cinq ou six dames en 1852, elle était passée à quatre-vingt-un cinq ans plus tard.

Les premières années, elle distribuait des layettes, des chemises et des gilets de flanelle pour les malades. A partir de 1880, on supprime les layettes pour confectionner des costumes destinés aux femmes pauvres. Les dames se réunissent tous les vendredis de 13 à 16 heures, dans une salle dépendante de l'église. Elles récitent ensemble deux dizaines de chapelets et, en cousant, écoutent une lecture que leur fait la présidente. Les cotisations annuelles (5 francs) et le produit de deux quêtes permettent d'acheter les étoffes. Le Vestiaire distribue chaque année en moyenne huit cents à neuf cents pièces[23].

## 2. *Œuvres pour les enfants et les adolescents*

— *Crèche de Bethléem,* 6 rue de Mézières

Fondée le 2 février 1845, bénie par M. Collin, curé de Saint-Sulpice, elle a changé à plusieurs reprises de local, avant de s'installer, en 1872, rue de Mézières. Un conseil de dames patronnesses l'administre. La comtesse de Salvandy (18 rue Cassette) en est la présidente de 1870 à 1925. Le soin des enfants est confié à deux sœurs de l'ordre de Notre-Dame-de-la-Présentation de Tours. On accueille vingt enfants par jour. Les frais annuels sont d'environ 5 000 francs. Que ce soit en 1908 ou en 1914, la caisse est en déficit, un appel est lancé aux âmes charitables[24].

— *Patronage de Saint-Vincent-de-Paul,* 80 rue de Vaugirard

Le 3 février 1851, au cours d'une réunion de dames chez Mme de La Bouillerie, on décide d'organiser pour les jeunes filles une œuvre semblable aux Conférences de Saint-Vincent-de-Paul. La présidente en est la duchesse d'Uzès, jusqu'à sa mort en 1863, puis sa fille, la comtesse d'Hunolstein, morte dans l'incendie du Bazar de la Charité, puis la fille de celle-ci, la duchesse de Mortemart : la famille d'Uzès a ainsi conservé la présidence pendant plus de cinquante ans. En 1908, la présidente est Mme Lefort. L'Œuvre compte alors quarante dames, parmi lesquelles onze s'occupent plus spécialement de visiter les jeunes filles chez elles ou dans les ateliers où elles travaillent. Cent cinquante jeunes filles fréquentent le patronage à partir de leur première communion. Les sœurs de Saint-Vincent-de-Paul et les dames deviennent leur soutien dans les débuts de la vie ouvrière (remarquons que les dames et les sœurs s'occupent des patronages de filles tandis que les patronages de garçons sont confiés à des prêtres). Plusieurs des jeunes filles ont reçu le prix de persévérance pour une présence de plus de vingt ans au patronage.

Chaque dimanche, les jeunes filles arrivent à une heure, vont au catéchisme, goûtent et jouent jusqu'à 6 h 30. On organise, de temps à autre, des loteries, des représentations récréatives. Le 22 novembre 1908, les jeunes filles jouent *Marie Stuart* en l'honneur de la fête de la supérieure. Les parents sont venus tellement nombreux que certains ont dû rester debout. On fait des promenades aux environs de Paris. Les plus méritantes séjournent plusieurs semaines à Drancy ou à Trouville. En 1908, le curé de Saint-Sulpice a trouvé un terrain à Issy-les-Moulineaux pour y installer une maison de campagne destinée aux filles des deux patronages, « la Maison d'Emmaüs ». Les garçons bénéficiaient d'un accueil de ce genre depuis une dizaine d'années. On procède à deux distributions de cadeaux, à Noël et à Pâques, d'un montant de 500 francs chacune. Si une jeune fille se marie ou devient religieuse, une somme de 100 francs est employée à l'achat d'un trousseau ou d'objets utiles au ménage.

Les dames patronnesses se réunissent le deuxième mardi de chaque mois chez monsieur le curé. Elles lisent les rapports qu'elles ont établis sur les enfants qu'elles ont visitées durant le mois. En 1907, l'abbé Boumard suggère que le patronage accueille, en plus, des petites filles qui n'ont pas fait leur communion. Le 25 novembre 1909, le patronage annonce une réforme de son organisation. Sur le modèle de l'Association Saint-Sulpice (garçons), il se constitue en Association Marie-Immaculée, composée de trois groupements : Patronage des enfants, Société des jeunes filles, Mères chrétiennes. Le jeudi 4 novembre a débuté un cours élémentaire d'enseignement ménager (couture pratique, repassage, cuisine économique) pour les filles de douze ans et plus sous la direction de Mme Le Camus. Autre innovation en 1913 : un cercle d'études formé par un petit groupe de grandes. On y traite de questions qui agitent les ateliers de jeunes filles : l'immortalité de l'âme, la liberté de lire, l'Inquisition, le divorce de Napoléon Ier, etc [25].

— *Patronage Saint-Joseph,* 8 rue Jean-Bart

Il a été fondé en 1861 par Mlle Caroline Viollet, à qui l'on devait, en 1851, l'Œuvre générale des patronages. Elle l'a dirigé jusqu'à sa mort en 1895. Les premières réunions avaient lieu dans le local des écoles communales, rue de Vaugirard, puis rue Madame. Les directrices prêtaient à Mlle Viollet leurs salles de classe, jeudi et dimanche, pour qu'elle apprenne aux enfants prières et catéchisme. Mais l'éducation officielle se laïcise de plus en plus et le patronage

doit quitter l'école communale. Il s'installe rue Saint-Sulpice puis
rue Servandoni, enfin, en 1898, rue Jean-Bart. En 1895, Mme Dubarry et sa fille succèdent à Mlle Viollet comme directrices. En
1912, Mlle Crollet prend à son tour la tête du patronage, jusqu'en
1946.

Trois cents filles sont inscrites au patronage Saint-Joseph, répar-
ties en deux groupes : les petites, qui n'ont pas encore fait leur
première communion, et les Persévérantes, qui l'ont déjà faite. Les
réunions ont lieu le jeudi et le dimanche, et tous les jours pendant
les vacances. Le jeudi est réservé aux écolières, le dimanche aux
apprenties, employées, ouvrières.

EMPLOI DU TEMPS

|          | *Jeudi*                                            | *Dimanche*                                                                                                    |
|----------|----------------------------------------------------|-------------------------------------------------------------------------------------------------------------|
| Matin    | rien                                               | exercices religieux (messe, catéchisme)                                                                      |
| 13 h 30  | récréation                                         | récréation                                                                                                   |
| 14 heures| avis général                                       | chant                                                                                                        |
| 14 h 15  | couture ou étude de caté-chisme ou « diligence »   |                                                                                                             |
| 16 heures| jeux au patronage ou au Luxembourg                 | goûter, réunions                                                                                             |
| 17 heures| solfège ou mandoline pour les plus grandes         | bénédiction du Saint Sacrement avec un entretien sur les vertus et les défauts de la jeune fille           |

Le jeudi a lieu une distribution de bons points qui servent à
acheter des objets utiles dans une vente spéciale, en février ou en
mars. Chaque année, on prépare une ou deux séances récréatives.
Une centaine de jeunes filles jouent *Jehanne d'Arc* en 1908 et, en
1914, des drames écrits par Mlle Dubarry, *Sicut Dixit* et *le Croisé*.
Les jeunes filles ont fondé, en 1897, un journal, *l'Écho du
patronage*, devenu, en 1900, *l'Écho de la jeunesse*. L'exactitude des
Persévérantes et leur bonne conduite sont récompensées par un
mois de séjour à la colonie de vacances de Flacé-lès-Mâcon
(Bourgogne), qui existe depuis 1899 : « Figurez-vous, au milieu de
la verdure, un petit chalet délicieux, au toit rouge et aux ailes
pointues. On y est réveillé par le chant des oiseaux et le murmure du
ruisseau... »

En 1908, deux créations : un cercle amical pour les grandes, elles
peuvent se réunir chaque jeudi après leur travail et goûter le
« charme d'une bonne et douce société », une école ménagère le

jeudi également. A 9 heures, on va en groupe au marché, on apprend à faire ses achats pour le pot-au-feu, puis on prépare le déjeuner et on le mange. La couture est à l'honneur, des cours d'hygiène compléteront l'enseignement[26].

## 3. *L'apostolat social*

### — Association des Mères de la première communion et de la persévérance

Cette œuvre récente illustre bien le propos des catholiques au début du siècle, la pénétration sociale. Elle a été créée à l'initiative de Mme Richardière qui présente, au IIIe Congrès Jeanne d'Arc, en 1906, son rapport sur le « patronat individuel ». Au Congrès de 1905, Mme Voland, dame patronnesse de Saint-Sulpice, elle aussi, avait déjà lu un rapport sur le « patronage individuel ». Son but, disait-elle, est d' « agir sur l'enfant dont on veut faire un chrétien exemplaire par des moyens aussi rapprochés que possible de ceux qui découlent de la vie de famille ». Cette action est parfaitement conciliable avec une vie très occupée, la charge d'une famille nombreuse : si la dame sait conquérir la confiance de l'enfant, il viendra chez elle comme en visite chez un ami.

Mme Richardière a trouvé une « occasion providentielle » pour prendre de l'influence sur les enfants et, par leur entremise, toucher leurs familles : la première communion. On pourra ainsi « réaliser ce rapprochement des classes de la société et resserrer les liens paroissiaux entre les familles ». Il faut avoir une fille qui prépare sa première communion, chercher dans son groupe une enfant moins gâtée que la sienne, religieusement parlant, et l'adopter. Tout naturellement la « mère » entre alors en relation avec la famille de sa fille adoptive et connaît la joie de ramener à la pratique chrétienne une famille entière. Elle assurera, les années suivantes, la persévérance de sa « fille » et de sa famille. Quant à sa vraie fille, ce sera pour elle tout bénéfice, car elle « apprendra, par la vue d'enfants pauvres, à être moins exigeante et plus reconnaissante pour la vie qui lui est faite ».

Les Mères de la première communion s'occupent des enfants de l'école paroissiale, tandis que les jeunes filles se chargent de celles des écoles communales. Une fois par semaine, l'enfant se rend chez sa « mère », à 16 h 30, après la classe. Pendant une heure, la dame lui fait le catéchisme et lui donne des conseils, en particulier pour la préparer à la confession. Chaque mois, au presbytère, les « mères » se réunissent sous la présidence du directeur de l'Œuvre, l'abbé Boumard. Chacune rend compte de son apostolat individuel. C'est une occasion pour elles de se rencontrer et de se connaître. Le Congrès diocésain, en 1907, souligne l'importance de l'Œuvre de la première communion, qui permet d'entrer en contact avec ceux qui ne connaissent plus le prêtre. Plus qu'une œuvre de catéchisme et d'enseignement, elle représente un vrai travail d'apostolat paroissial[27].

Il serait faux de croire que seuls l'Église ou les mouvements confessionnels demandaient aux femmes des classes aisées d'encadrer les défavorisés. Les laïcs procèdent exactement de la même manière. On peut lire dans le rapport du XIVe Congrès national de la Ligue de l'enseignement, en août 1894[28], un texte de M. Bénard sur « les Patronages scolaires ». Il imagine comment pourraient fonctionner ces patronages, avec l'école pour centre à la place de la paroisse. Une « dame patronnesse » serait chargée de veiller aux vêtements des enfants de l'école (recyclage des vieux vêtements, désinfection, retaillage), une autre à la nourriture et aux médicaments, une troisième ferait des visites pour « constater discrètement, affectueusement, le besoin des *pauvres honteux* » et signalerait aux précédentes le résultat de ses enquêtes. M. Bénard propose un moyen pour entrer en contact avec les familles. Si un enfant manque l'école « d'une façon qui n'est plus accidentelle », une des dames va voir la famille pour s'informer des causes de l'absence et en profite pour devenir « l'amie, la confidente, la providence » de ces gens-là.

### ÉDUCATION

Il faut d'abord s'éduquer soi-même, réfléchir à son rôle de femme. C'est ainsi que sont nées les conférences de l'Action sociale de la femme au début du siècle (la secrétaire de cette œuvre est, en 1902, Mme Charles Dupuis, 15 rue Paul-Louis-Courier). Les mondaines accouraient pour entendre de brillants conférenciers : Ferdinand Brunetière traite de « la Femme dans l'ancienne société française », Étienne Lamy de « la Femme et les penseurs, les amis et les adversaires de son influence sociale » ; Jules Lemaitre, dans

« Comment passer à l'action », stigmatise la mondaine qui ne songe qu'à s'amuser ; l'abbé Lemire parle de « la Femme et le Foyer » et Jean Brunhes de « l'Action sociale et populaire de la femme contemporaine »[29].

Un journaliste écrit : « Pendant l'hiver 1900-1901, des équipages en grand nombre encombraient, à certains jours, à partir de 3 heures, une des rues de la rive droite à Paris, et venaient s'arrêter devant l'hôtel de la baronne X. [il s'agit de la baronne Piérard, qui avait un hôtel rue d'Athènes], où des centaines de dames, appartenant à l'élite sociale, se réunissaient pour entendre des conférences sur l'action sociale de la femme[30]. » Chaque dame patronnesse, moyennant une cotisation annuelle de 50 francs, a droit à trois places réservées et envoie des invitations. Il y a une part de mode dans le succès de ces conférences, nous l'avons déjà vu avec l'Université des Annales et le Foyer, mais il n'est pas indifférent que ce soit le rôle social de la femme qui ait attiré les mondaines cet hiver-là. De même, après le premier Congrès Jeanne d'Arc en 1904, les adhérentes du Cercle catholique de la rue Bonaparte deviennent si nombreuses que les réunions bi-mensuelles se tiennent désormais au siège de la Société d'économie sociale, 54 rue de Seine : « Des femmes du monde viennent là pour s'instruire mutuellement de la science sociale ; sans le moindre pédantisme, l'une dit ce qu'elle sait sur telle ou telle question, et toutes nous apprenons à agir avec calme et méthode[31]. »

L'aspect pédagogique de la philanthropie est tout aussi important que le secours aux défavorisés, dont on espère qu'il apaisera les haines sociales. Les femmes des classes aisées vont se discipliner elles-mêmes en disciplinant leurs pauvres. Il faut qu'elles donnent l'exemple, et le bon — non seulement en se courbant vers le peuple, mais en incarnant la femme modèle, épouse attentive, mère vertueuse, ménagère impeccable. Lorsqu'elles sortent de leur sphère mondaine et de leur nid familial, ce n'est jamais que pour enseigner les vertus domestiques.

# Brigitte

Connaissez-vous Berthe Bernage ? Elle écrit en 1928 le premier d'une série de romans qui, tous, ont même héroïne, Brigitte. *Brigitte jeune fille et jeune femme* a été réédité pour la dernière fois en 1977. Un demi-siècle de succès. Le personnage de Brigitte mérite qu'on s'y arrête car il représente l'aboutissement de la maîtresse de maison, épouse, mère, éducatrice et philanthrope que nous venons d'évoquer. Berthe Bernage prétend tracer là le portrait de la femme moderne non pas en rupture mais en continuité avec la tradition. Comme telle, Brigitte est un stéréotype qui a la vie dure.

En 1928, Brigitte a dix-huit ans. Elle est bachelière, mais son diplôme ne change rien à sa destinée, qui est celle d'une fille sortant de son pensionnat trente ans plus tôt. Brigitte est la petite sœur de Françoise, l'héroïne de Marcel Prévost. Elle suit un cours de dessin décoratif, va à son premier bal, s'occupe un peu d'enfants. Puis, assez vite, elle épouse le frère de sa meilleure amie, un jeune artiste qui peint dans les églises. Olivier boite, blessé à la guerre de 1914.

Émouvante cérémonie que celle de son mariage : « Ah ! nous faisons les braves, nous autres, les petites modernes ; nous prétendons n'avoir peur de rien. Mais le jour où nous devons remonter, au bras d'un père aussi ému que nous, la nef d'une église, pendant que des centaines de paires d'yeux nous regardent, le jour où nous disons : " C'est pour moi, pour moi toute seule, ces chants, ces tempêtes d'orgues, ces fleurs, ces lumières ; et je vais prononcer tout haut un serment solennel ", je vous assure que nous redevenons pareilles aux timides mariées d'autrefois ! Moi, je n'en pouvais plus [32]. » Au retour de leur voyage de noces sur la Côte d'Azur, Brigitte et Olivier s'installent dans le VIIIe arrondissement, où une tante de Brigitte met à leur disposition un trois-pièces-cuisine-salle de bains. La jeune femme va faire son apprentissage de « fée du logis ». Elle a, jusque-là, vécu en privilégiée, sans s'initier aux choses pratiques, elle ne s'entend pas « aux horreurs prosaïques qu'on appelle l'épluchage des légumes et le lavage de la vaisselle [33] ». Six bonnes défilent chez eux. Olivier s'énerve, essaie d'aider sa femme mais « ses belles mains blanches d'artiste ne sont pas faites pour cela » ! Brigitte pleure, demande conseil à sa mère qui lui dit : « Tes domestiques ne t'obéiront que le jour où elles te jugeront capable de faire les choses toi-même. Essaie, en y mettant tout ton cœur. C'est moins difficile que l'algèbre ou la chimie [34]. »

Brigitte attend une jeune bonne que sa belle-sœur lui enverra de la campagne. D'ici là, elle prend une « femme de journée pour les besognes ennuyeuses » et s'achète un équipement moderne : aspirateur, fer à repasser et radiateur électriques. Enfin, elle se déguise en ménagère, mais sans renoncer à la séduction : « Avec une blouse de toile rose, je vous assure qu'on peut être fort gentille. Monsieur mon mari me l'a dit [...]

« — Tu aimes donc encore cette dame pot-au-feu ? demandai-je. Toi, tu vis dans le rêve !

« — Tu fais de plus belles choses que moi, répondit-il. Avec tes chères petites mains gantées de caoutchouc, tu fabriques du bonheur, Brigitte [35] ! »

Suit une exaltation du quotidien, de sa poésie. Brigitte sacrifie aux joies du ménage ses désirs personnels, elle devient une véritable femme de foyer : « J'oublie que j'ai dû renoncer à un concert et à deux goûters ; j'oublie que, n'ayant pu relancer ma couturière, je porte un manteau démodé au lieu du ravissant ensemble dont je rêve. J'oublie que je laissai un beau livre en plan et que je n'ai pas encore vu les roses à Bagatelle. » Plaisirs mondains, artistiques ou simplement coquetterie ont cédé la place à la mise en scène du quotidien : « Les bons repas, les jolis meubles, les bouquets chantent chez nous la chanson du bonheur. Les piles de beau linge sont classées dans les armoires aussi bien que les livres aimés sur les rayons de vieux chêne. Je vais faire des confitures ! » Les livres sont devenus des objets qu'on range, Brigitte est maintenant une maîtresse de maison sérieuse. Tout est orchestré en fonction de l'époux et elle tire son bonheur de n'exister que pour lui : « Quand arrive le soir, je me fais belle pour dîner en face d'Olivier. Nous nous sourions par-dessus la table fleurie. Nous mangeons des plats très délicats. Et je vous assure que, du jardin velouté d'ombre, montent des chants d'oiseaux qui ne sont pas plus gais, plus doux que la chanson du bonheur que chantent pour nous et avec nous les humbles et jolies choses familières [36]... »

Ménagère qui crée pour son mari le bonheur quotidien : c'est désormais par rapport à cette image d'elle-même que Brigitte va se juger. Lorsqu'il lui arrive de retomber dans une période de goûters en ville et de robes neuves, elle se confesse à Olivier : « Je deviens une poupée, alors que je voudrais être une vraie femme. » Et elle se punit de s'être écartée du modèle en décidant de rendre la mousseline qu'elle a commandée pour se faire une toilette nouvelle. Brigitte se moralise, s'autocensure. La démarche se révèle payante. Elle a droit à une consécration officielle de sa qualité de « vraie femme » le jour où la tante Marthe, jugeant qu'elle a beaucoup progressé en cuisine, lui prête son livre de recettes. La voilà digne d'assurer la relève de la tradition culinaire familiale.

Une maîtresse de maison accomplie a souci non seulement de son foyer, mais aussi des personnes moins favorisées qu'elle. C'est pourquoi Brigitte, toujours exemplaire, s'occupe à la fois de sa petite bonne et des pauvres. Pour les pauvres, elle gagne de l'argent en peignant et en vendant ses toiles. Mais tout en peignant, elle s'entretient avec Léa, sa bonne, qui fait le ménage. Léa lui raconte sa famille et son pays, le Nord, et ses divertissements du dimanche à Paris, au patronage où Brigitte l'envoie. Ainsi s'opère le rapprochement du peuple et des bourgeois ! Brigitte indique en ces termes le parallélisme de leurs tâches : « Tandis qu'elle polit mes meubles, je polis son âme. Frottons, frottons [37]... » A chacune son ménage...

La conjonction des arts d'agrément et de la philanthropie cesse à partir du moment où Brigitte est enceinte. Elle laisse ses pinceaux pour passer aux choses sérieuses. Elle prépare la chambre d'enfant. Elle prend alors pleinement sa place dans la tradition familiale. D'abord le livre de recettes, maintenant le berceau. Le bébé dormira dans celui qu'Olivier occupait autrefois. Brigitte se sent, par l'enfant qu'elle porte, intégrée dans la lignée. Les portraits des ancêtres lui parlent, c'est elle désormais qui est dépositaire des vertus et des valeurs de cette « bourgeoisie française et chrétienne [38] », qui a donné un magistrat, un officier, un homme d'Etat, un prêtre. En remplissant ses devoirs de femme au foyer, Brigitte assure la continuité civique, morale et religieuse de cette vieille famille bourgeoise.

Une dizaine d'années plus tard, Brigitte a cinq enfants. L'héroïne de *Brigitte et le devoir joyeux* a-t-elle changé ? Est-elle accablée du poids des tâches et des soucis ? Point du tout ! Huguette, son amie, mondaine un peu écervelée, s'en étonne : comment se fait-il qu'elle ne se soit pas encroûtée ? Brigitte répond : « Mon métier, c'est de soigner ma famille et ma maison. Je peux exécuter tous les gestes, et n'avoir rien accompli de bon si je n'ai " fait mon œuvre à travers le métier ", c'est-à-dire accompli ma mission de donneuse de bonheur et d'éducatrice [39]. » Et, plus loin : « Crois-tu que, dans une nursery [...] on ne récolte pas de délicieuses ondes de poésie ? » Poésie des bébés après celle des confitures... Brigitte sait où sont les vraies valeurs. Un jour, elle entend sa mère parler de ménage et de cuisine, elle s'extasie : « Une femme vraiment intelligente n'a pas besoin de discuter politique ou philosophie pour qu'on s'aperçoive qu'elle a du jugement et de l'esprit. A propos d'un pot de confitures [encore !] ou d'un accrochage de rideaux, on reconnaît la marque du bon sens, de la prévoyance, de l'ordre dans les idées, et... ce je-ne-sais-quoi de noble qui rend capable de faire les petites choses comme si elles étaient grandes, tout en laissant les grandes à la place d'honneur [40]. »

Brigitte marque l'apothéose de la femme d'intérieur. L'existence de la bourgeoise du XIXe siècle se déployait dans deux sphères : celle du foyer et celle du monde. Ici les deux sphères se réduisent à la seule dimension du foyer. C'est le triomphe du nid petit-bourgeois. Le rapport au monde extérieur est toujours suspect, entaché de frivolité. Il faut être superficielle pour s'y intéresser. S'il y a mise en scène du quotidien, c'est pour le seul bonheur du mari et des enfants. Brigitte s'est tout entière investie dans cette mission et elle y réussit fort bien. La preuve : elle parvient à ramener à elle son époux qui, à trente ans, après dix ans de mariage, est attiré par une artiste de vingt ans. Il faut dire que l'appendicite aiguë d'un de leurs fils l'aide singulièrement. Le destin est favorable aux épouses vigilantes et aux femmes de devoir.

# IV

## La tête et le cœur

# 1

# La culture en amateur

## CONFÉRENCES

Une femme en robe du soir attend. Son amant ? L'aventure ? La légende dit : « M. Bergson a promis de venir. » Ce dessin, paru dans la *Gazette du bon ton* du printemps 1914, témoigne de l'engouement pour les écrivains et penseurs qui sévissait au début du siècle parmi les femmes du monde. Non seulement fallait-il les avoir dans son salon, mais il était de mode d'aller suivre leurs cours et écouter leurs conférences. Mme de Marsantes, la mère de Saint-Loup, dans le livre de Proust, suit les cours de Brunetière. Edmée Renaudin a rêvé, après le brevet élémentaire, d'aller à la Sorbonne écouter Bergson : « Des jeunes filles y assistaient avec leur mère. Ces conférences étaient si courues qu'on envoyait les femmes de chambre pour retenir les places d'avance [1]. » C'est là une manifestation particulière d'un désir général de culture et d'un souci d'éducation qui se traduit par ailleurs dans les lois de Jules Ferry et de Camille Sée. Et même si les conférences peuvent apparaître comme une forme abâtardie de la culture, une perversion du monde de l'esprit par la mondanité, on aurait tort de négliger leur succès.

Les *Mémoires* d'Henry Bordeaux font une large place à la vogue des conférences avant la guerre. En 1912 Johannes Joergensen, penseur catholique danois, parle à l'Institut catholique : « Le public se presse, s'entasse, s'empile [...] Quelques prêtres, des étudiants, beaucoup de dames. C'est un public de la rive gauche, modeste dans sa mise, et qui ne triche ni sur la fortune, ni sur l'âge. A peine quelques élégantes qui se font aisément remarquer [2]. » En revan-

che, les conférences de Jules Lemaitre sur Rousseau en 1907, sur
Racine en 1908, aux Annales, avaient donné lieu à de furieux
assauts d'élégance. La conférence, dit Bordeaux, est « un genre
hybride[3] », mais ce qui plaisait alors, c'était les causeries « dont la
littérature et l'histoire fournissaient les canevas ». Deux sociétés se
disputaient le public : la Société des conférences, fondée par un club
d'écrivains — Camille Bellaigne, Edouard Rod, etc. — et dirigée
par René Doumic, gendre de José Maria de Heredia, et les Annales,
dirigées par Yvonne Sarcey.

La Grande Dame publie, en mai 1894, un article signé Montge-
nod, sur « les Mardis de la Bodinière ». La Bodinière, qui s'appelle
officiellement « Théâtre d'application », avait été conçue pour être
« le champ d'essai des jeunes élèves du Conservatoire » et, comme
tel, recevait une subvention de la ville de Paris. Elle a été créée par
M. Bodinier, secrétaire général de la Comédie-Française, et se situe
rue Saint-Lazare. En réalité, c'est un endroit mondain à la pointe de
la mode : « Un des muscles de Paris, ou, si vous le préférez, un petit
morceau de son cœur, où s'agitent beaucoup d'esprit, de papotages,
où se distille la journée durant un peu de cette parisine qu'il fait si
bon sentir. » On étrenne là des toilettes qui annoncent ce qui
bientôt se portera partout. Le mardi se succèdent deux sortes de
public. A 15 heures, pour écouter parler Maurice Lefèvre et
Mme Simon-Girard jouer du piano, les dames arrivent en coupé,
élégamment chapeautées : « Quand elles sont assises, ce parterre de
chapeaux de toutes formes et de tous formats, rutilants sous les ors
les plus somptueux ou éteints sous les violets les plus caressants, est
d'une grâce infinie, d'une élégance savoureuse. » Plus tard dans
l'après-midi, Francisque Sarcey parle de littérature classique à des
jeunes filles et des dames plus sérieuses, qui ne viennent pas là pour
« bodiner », mais s'intéressent réellement aux propos de l'orateur.

La même revue, dans son numéro de février 1894, rendait compte
d'un mercredi extrêmement chic à la Bodinière. Le comte Robert de
Montesquiou faisait une conférence sur Marceline Desbordes-
Valmore qu'il a appelée « la Sapho chrétienne ». Toute l'aristocratie formait le public. La comtesse Greffulhe et Sarah Bernhardt s'y
disputaient la vedette, l'actrice « étalant sur ses épaules un singulier
mantelet, composé de petits crocodiles ou de lézards qui, la tête en
bas, se mordent la queue ». L'endroit est également célèbre pour les
entretiens de Jules Bois sur l'occultisme. Pierre de Coulevain y fait
allusion avec humour dans son roman *Ève victorieuse*. Deux
Américaines vont écouter Jules Bois qui présente le brahmane

Cetteradji. Mais l'assistance, ce jour-là, n'est guère brillante : « Des hommes graves à crâne pointu, des prêtres, des pasteurs protestants, des femmes ayant dépassé la trentaine, vêtues à faire crier, avec des visages de névrosées, des yeux inquiets, des physionomies ardentes[4]. »

Naturellement, de bons esprits se lamentent : un public féminin dans des lieux où autrefois soufflait la pensée, c'est la décadence. Paul Adam oppose les cours du Collège de France au temps où s'y livraient les « grandes luttes de la pensée française[5] », avec Cousin, Villemain, Michelet, à ce qu'ils sont devenus : « De vieilles dames et des péronnelles curieuses de voir, sur le tréteau universitaire, discourir les vieillards célèbres forment le principal public de nos professeurs. On ne saurait attribuer cette coutume féminine qu'au besoin de théâtre qui gagne toute la société, et la plus sérieuse même [...] Ces dames vont considérer un maître comme on va contempler un acteur et pour en parler sur le même ton durant les visites successives. »

Il est certes facile de se moquer des femmes qui se précipitent à des conférences, mais plus difficile de mesurer la place que cette activité tenait dans leur vie. Allaient-elles assister à une conférence comme elles allaient prendre le thé ? Ou bien éprouvaient-elles un vrai plaisir intellectuel ? Ou encore était-ce une bouffée d'air frais, un prétexte pour sortir de chez elles ? Deux des dames que j'ai rencontrées ont fréquenté, avant leur mariage, dans les années vingt, les conférences des Annales. Elles ne semblent pas en avoir gardé de souvenirs très précis. Mais des conférences pouvaient laisser des traces plus tangibles. Marie Poujol-Roux, épouse d'un technicien supérieur aux chemins de fer de l'Ouest, suit en 1889 (elle a trente-sept ans) les cours de psychologie du professeur Marion à la Sorbonne. Marion donne aux assistantes un conseil : tenez votre journal dans l'intérêt de vos enfants, pour voir leur évolution. Le 6 décembre, Marie se met donc à tenir un journal, dans un but pédagogique : son fils Pierre a huit mois, il dit « ta ta ta ta » ... Elle continuera à tout noter, pendant quarante-trois ans. Il est vrai que Marie n'avait rien d'une mondaine. Provinciale montée à Paris, elle éprouve une soif d'acquisitions culturelles d'autant plus grande qu'elle a fait dans sa jeunesse des études pour être institutrice. Elle accompagnait aussi le père de son mari à des conférences et soutenances de thèses protestantes.

## LECTURES

Si les lectures des jeunes filles étaient surveillées, les livres, en revanche, s'ouvraient après le mariage. Simone de Beauvoir le dit dans les *Mémoires d'une jeune fille rangée*. Sa tante Lili qui, plus très jeune mais encore célibataire, vivait avec ses parents, n'avait droit qu'aux ouvrages « pour jeunes filles ». Sa mère avait arraché *Claudine à l'école* des mains de Louise, la bonne, qui n'était pas mariée à ce moment-là, et le soir, en avait parlé à son mari : « Heureusement qu'elle n'a rien compris [6] ! » Étonnement de la jeune Simone : « Le mariage était l'antidote qui permettait d'absorber sans danger les fruits de l'arbre de Science : je ne m'expliquais pas du tout pourquoi. » Certains livres étaient défendus en entier, d'autres avaient des chapitres épinglés : « J'avais l'impression qu'un contact avec les Zola, les Bourget de la bibliothèque provoquerait en moi un choc imprévisible et foudroyant. » Crainte entretenue par les prêches à l'église : pendant la retraite de communion solennelle, le prédicateur raconte l'histoire d'une petite fille qui avait fait tant de mauvaises lectures qu'elle s'était suicidée.

On peut imaginer la joie qu'éprouvait une jeune fille, à peine mariée, à lire enfin les livres défendus jusque-là. Edmée Renaudin découvre ainsi, pendant son voyage de noces — il pleut en Italie — « *l'Atlantide, le Parfum des îles Borromées,* et puis de l'Anatole France, ce vieux païen qui écrivait, disait papa, merveilleusement [7] ». Elisabeth de Gramont lit, aussitôt mariée, D'Annunzio. Elle en avait eu envie en voyant sa tante se promener avec *l'Enfant de volupté* sous le bras, mais la lecture lui en avait alors été interdite. D'ailleurs, ajoute-t-elle, René Doumic, comme Brunetière et Francisque Sarcey — critiques littéraires connus au début de ce siècle —, déconseillait la lecture de D'Annunzio : « Une femme qui lit un roman n'est déjà plus tout à fait une honnête femme [8]. »

### Lectures de jeune fille

Edmée Renaudin lisait Jules Verne et Dickens — Dickens dont Camille Marbo raconte qu'il fut l'objet de transactions entre son père et sa mère, qui trouvait sa fille trop jeune pour lire ces livres

longs et fatigants : son père les lui accorda le mercredi et le samedi
— et aussi des « petits romans pour jeunes filles qui peignaient la vie
en rose. *Mon cousin Guy, le Mouron rouge,* et même un Delly que
Juliette nous avait prêté[9] ». Juliette est la jeune femme de chambre
de sa mère, et c'est là un point sur lequel insistent les moralistes :
veillez sur vos filles, disent-ils aux mères, évitez en particulier la
corruption qui risque de leur venir des domestiques. Par les bonnes,
les mauvais romans pénètrent dans les maisons, et avec eux les
révélations qui ternissent l'innocence. Le père d'Edmée, rendu
furieux par la découverte du Delly, se met à lire à ses deux grandes
filles Kipling et Edgar Poe. Mais lorsque Edmée manifeste le désir
de lire Chateaubriand, son père et le vieux libraire de chez
Flammarion ne lui accordent que *les Martyrs* et une anthologie.
Nous sommes en 1918.

Quelques années plus tard, Simone de Beauvoir, en vacances
chez son oncle, lit aussi Delly et Guy Chantepleure, *la Neuvaine de
Colette, Mon oncle et mon curé,* de « vertueuses idylles[10] », *la
Veillée des chaumières* et les livres de la collection Stella qu'adorait
sa cousine. A Paris, sa mère surveille ses lectures. Lorsqu'elle était
petite, elle lui donnait à lire *l'Étoile noëliste* plutôt que *la Semaine de
Suzette,* parce qu'elle juge ce journal « d'un niveau moral plus
élevé ». Elle a lu, comme toutes les filles, la comtesse de Ségur,
Zénaïde Fleuriot et les romans de la « Bibliothèque de ma fille »,
que sa mère avait aimés dans son enfance. Beauvoir a dix-sept ans
en 1925 et elle signale un détail intéressant : l'importance symbolique pour les adolescents de cette époque du *Grand Meaulnes,* « une
espèce de ralliement pour les âmes d'élite[11] ».

Les dames que j'ai interrogées m'ont toutes parlé du contrôle de
leurs lectures par leurs parents. Mme Bl. se rappelle que certains
Zola lui furent interdits jusqu'à l'âge de dix-huit ans (en 1912), alors
que le contrôle était « plus élastique » pour ses trois frères. Marcel
Prévost et Colette sont cités parmi les lectures interdites par Mmes
B. et Rv. Mais la mère de celle-ci était abonnée à une bibliothèque,
empruntait des livres de ces deux auteurs et sa fille les lisait en
cachette ! Mme A. raconte que son père avait pour elle horreur des
romans, parce qu'il aurait voulu lui donner une éducation classique
qui la formât « comme un homme ». Il lui proposait Racine et
Corneille, elle préférait la comtesse de Ségur et *la Semaine de
Suzette*... Lorsqu'elle a quinze ans (en 1917), elle s'achète *les
Aventures du roi Pausole,* attirée par la couverture qui représentait
le roi entre des filles nues. Elle le cache sous son matelas, mais sa

mère le découvre. Drame. Chez Mme C., la mère lisait beaucoup, mais c'était le père qui dirigeait les lectures des deux filles. Mme C. garde le souvenir précis d'un soir où sa mère et sa sœur étaient allées à une sauterie et où son père lui avait donné les *Contes* de Dickens. Il était large d'esprit et c'est ainsi, me dit-elle, que, très jeune, elle a lu les *Claudine.*

On trouve, dans la littérature de l'époque, de nombreuses considérations sur ce que devraient être les lectures des jeunes filles. Marcel Prévost s'en fait une sorte de spécialité. Dans les *Lettres à Françoise,* il préconise, plutôt que de leur donner à lire des œuvres « neutres[12] » comme celles de Mme de Maintenon ou Mme de Genlis, de les laisser choisir, à condition d'avoir d'abord moralisé leur éducation. De cette manière, elles ne se « défloreront » pas. Qu'elles lisent le moins possible de romans, les *Vies parallèles* de Plutarque valent mieux que *Quo Vadis?,* le roman à la mode. Prévost reprend ce point de vue dans *la Femme d'aujourd'hui* du 25 février 1904 : les lectures des jeunes filles doivent être prises parmi l'œuvre des maîtres.

Plus spécialisées sont les bibliographies données par des ouvrages ou des revues de tendance résolument catholique, où l'on sent le souci de préserver les jeunes filles de la libre pensée et de former de futures épouses et mères pieuses. Par exemple les dix pages consacrées à « Que peut lire une jeune fille » dans *Après le pensionnat,* où on conseille *la Journée de la jeune fille* et *Une vieille tante* de Mathilde Bourdon, *les Méditations de la jeune fille* de Mme Monniot, *la Femme pieuse et forte* de Mgr Landriot, *les Grands et les Petits Devoirs* de Mme Raymond, etc. Ou encore la rubrique « Bibliothèque de vacances pour jeunes filles », dans *l'Action sociale de la femme* du 10 mai 1902, qui propose *Stéphanette* de René Bazin, *Myrrha* de Jules Lemaitre, *Geneviève Delmas* de Thérèse Bentzon, parmi les romans ; des ouvrages sur les travaux artistiques et le goût : *Autour de la corbeille à ouvrage* d'Antony Valabrègue et *les Arts de la jeune fille* d'Arsène Alexandre ; des revues : *la Jeune Fille française,* les *Études pour jeunes filles,* le *Devoir des femmes françaises,* toutes de création récente.

Et puis, il y a, bien sûr, les éternelles mises en garde contre les romans. Mathilde Bourdon englobe dans la même réprobation Loti, Daudet, Bourget, Georges Ohnet, « très ennuyeux et désespérés[13] ». Elle fait une seule exception, pour *la Morte* d'Octave Feuillet, où sont dénoncés les dangers d'une éducation athée pour une jeune fille. Elle adjure ses « jeunes amies » en ces termes :

« Vous êtes des épouses en herbe, des mères de famille futures, ne vous rendez donc pas indignes de la noble tâche que Dieu vous imposera ; laissez à votre esprit son innocence, à votre âme sa droiture et sa pureté : évitez les romans ; ils vous coûteraient trop cher. » M. de Lassus, dans le *Bréviaire d'une jeune fille,* montre le péril, pour son héroïne de quinze ans, des romans d'amour, même épurés : « Les simples mots : amour, union, fiançailles, etc., se parent d'un prestige ignoré des grandes personnes. Ils dégagent pour l'enfant qui s'en rassasie mentalement un sortilège véritablement inexplicable [14]. » Les romans entraînent des rêves et des mollesses et, si la jeune fille en dévore dans son lit, ils la mèneront à la masturbation.

Ce qui est intéressant, c'est le vague suggestif des longues évocations de mauvais romans auxquelles se complaisent ces dames, comme si l'on tournait autour du diable en personne. Comment, après cela, le rêve d'une jeune fille n'aurait-il pas été d'ouvrir un roman défendu ?... tout en craignant, comme la jeune Simone de Beauvoir, d'être foudroyée. *La Femme et la famille et le journal des jeunes personnes,* en juin 1871, après avoir recommandé les ouvrages de Mathilde Bourdon et Zénaïde Fleuriot (toutes deux collaboratrices du journal), parlent des mauvais romans : « Ces livres qui, sans avoir rien d'immoral ou de scandaleux dans leurs récits, ne portent pas moins à l'exaltation des idées et des sentiments, soit par le style qui les colore, soit par les situations qui les animent. La nature de la femme est une nature tout à fait délicate, excessivement impressionnable, et serait-ce dans le but le plus louable, avec l'intention la plus pure, un écrivain doit éviter d'échauffer, de passionner son esprit et son cœur. Ce sont là de ces *bons mauvais* livres dont parle Joseph de Maistre. » Clarisse Juranville lance cet avertissement : « Les mauvais romans contiennent un poison qui peu à peu s'infiltre en nous, gâte notre cœur, exalte notre imagination et fausse notre esprit. Ils exercent trop la sensibilité et lui donnent le pas sur la raison ; ils accoutument à voir le monde à travers un prisme qui embellit tout, même le vice. La jeune fille qui a le malheur de les lire est sur un chemin qui côtoie les abîmes [15]. » A côté des débordements qu'entraîne la tentative de définition des mauvais romans, celle des bons romans semble bien sèche et les rend fort peu attirants : « Tout livre qui élève notre esprit, qui nous fait aimer nos devoirs... », ou encore : « Ouvrages de morale où le cœur et la raison se sont donné la main... » Lorsqu'elle s'en souvient, cinquante ans plus tard, Clara Malraux ironise : « On imposait alors aux jeunes filles, dans le domaine sentimental, un curieux idéal d'unicité. Toute une série de livres glorifiaient l'amour unique, durable, survivant à la mort. Les romans de la Collection Bleue, destinés aux " jeunes filles ", préparaient une génération de veuves [16] ! »

Le rôle de la mère est déterminant dans le contrôle des lectures de sa fille. La vertu d'une jeune bourgeoise, bien que toujours menacée, a des chances de rester intacte grâce à cette vigilance. Une jeune fille de milieu modeste qui échappe à la surveillance maternelle parce qu'elle est obligée de gagner sa vie s'engage sur la pente fatale : les romans d'abord, les liaisons douteuses ensuite. C'est l'aventure de Paulette Duverger imaginée par Clément Vautel, caricaturale et digne d'une chanson réaliste. Fille aînée d'une famille de six enfants, elle devient sténo-dactylo. Mais prise par un appétit frénétique de romans, elle en dévore au lieu de faire son travail, elle est donc renvoyée de partout. Et, hantée par les rêves à quatre sous de ces romans ravageurs, elle finit par partir pour l'Égypte avec un « ami ». La prostitution est au bout du chemin.

## *Lectures de femme mariée*

Pas de bibliographies, comme pour les jeunes filles, car les lectures de la femme mariée n'appartiennent pas au domaine public, mais uniquement au privé. Une épouse relève de la seule autorité de son mari, l'indépendance qu'il lui accorde ou non est affaire de contrat entre elle et lui. Tous les hommes ne suivent pas les conseils du Dr Montalban : « Tout homme soucieux de son honneur les [les romans] bannira sans rémission, à moins que sa femme n'ait soixante ans [17] » ! On ne peut recueillir sur la question que des témoignages personnels, qui n'ont pas valeur exemplaire.

M. G. me raconte que sa mère, née en 1884, mariée en 1920, n'a jamais ouvert *Madame Bovary* parce que son père d'abord, son mari ensuite lui avaient interdit de le lire. Une telle obéissance paraît étonnante, mais Mme G. était femme de foi et de discipline. Elle se fiait, pour ses lectures, à l'Index établi par l'Église. Ainsi n'a-t-elle jamais lu les romans de Stendhal, mais seulement les *Promenades dans Rome*, permises par l'Index. La mère de Clara Malraux accepte également la censure de son mari, qui lui interdit « la lecture des livres du second rayon — au sens littéral — de leur bibliothèque, où il avait groupé les œuvres dangereuses : Bourget,

Maupassant et Loti ». Est-ce parce qu'elle a dix-neuf ans et lui trente-quatre qu'elle lui reconnaît cette autorité ? Ou parce que, comme l'écrit sa fille, elle a toujours été avant tout une épouse amoureuse et soumise ?

Il est surprenant d'écouter des femmes parler du droit de regard que s'arrogeait sur leurs lectures leur mari ou un membre de leur famille. Avec notre conscience actuelle, on s'attendrait à plus de révolte. Mme A., très indépendante d'esprit par ailleurs, me dit que son mari « demi-contrôlait » ses lectures, lui interdisait *la Garçonne* et tout ce qui avait trait à l'émancipation féminine. Mme Rv., mariée à vingt ans, en 1911, subit les pressions de sœurs de son mari, plus âgées qu'elle et « confites en dévotion ». L'une d'elles lui conseille d'abandonner ses « mauvaises lectures », Anatole France et Lucie Delarue-Mardrus, pour *la Veillée des chaumières*. Malgré des efforts, la jeune femme n'arrive pas à s'y faire !

La mère de la comtesse de Pange lisait les romans de *la Revue des deux mondes,* et ceux de Bourget, Loti, Anatole France, Maupassant, Cherbuliez. Marinette Renard, selon son mari, n'aime pas Bourget, ni Abel Hermant, ni Margueritte, mais elle apprécie les Rosny et Maupassant — mais n'a-t-elle pas le goût (dé)formé par son homme de lettres de mari ? Elle ne connaît pas Barrès, le croit difficile à lire [18]. Marcel Prévost conseille à Françoise, lorsqu'elle sera mariée, de lire *l'Ami des femmes* d'Alexandre Dumas fils, *l'Autre Amour* de Claude Ferval et *les Demi-Vierges,* dont il est l'auteur. On sait qu'il y a une littérature spécialement destinée au public féminin. Porto-Riche en fait la caricature dans une scène d'*Amoureuse.* On apporte à l'héroïne « des livres pour madame » : *Un cœur de femme* de Bourget, *Notre cœur* de Maupassant, *Leur cœur* de Lavedan et *Trois Cœurs* de Rod. Que de cœurs ! Impossible de s'y tromper, ce sont « des histoires d'amour, de l'adultère, des chagrins de femmes [19] ».

La littérature pour dames oscille entre le sentimentalisme recommandable et les choses un peu osées (ce que, dans les romans d'Henry James, on désigne par l'expression « romans français à couverture jaune »). Elle joue avec les limites. Une femme ne doit ni rester niaise ni tomber dans l'indécence. Les livres lui autorisent un savoir mesuré. Jules Renard se moque, dans *l'Écornifleur,* des préjugés qui déterminent une bourgeoise à lire ou ne pas lire tel auteur. Henri devient le « directeur de conscience littéraire » de Mme Vernet. Il lui propose Flaubert, *Madame Bovary* d'abord. Elle lui demande, s' « il n'y a pas de choses trop fortes... Des ordures,

enfin, comme Zola [20]. Puis *la Tentation de saint Antoine :* « Ce doit
être raide, hein ? » Balzac ? Elle n'aime pas les descriptions.
Goncourt, *Germinie Lacerteux :* « Oh ! non ! pas de bonne. Ces
gens-là savent-ils aimer ? » Mme Vernet qui, jusque-là, s'effarou-
che, joue au contraire les esprits affranchis lorsqu'il s'agit de Zola.
Elle est piquée qu'Henri ne le lui conseille pas : « Mais il faut du
Zola dans une bibliothèque de choix. Je suis une femme mariée. La
délicatesse a des bornes. Ne dirait-on pas que vous me prenez pour
une petite fille ? Je vous assure qu'il m'est tombé par hasard, sous
les yeux, quelques passages de *Germinal* et de *la Terre,* ceux qui ont
fait le plus de bruit, et je ne les ai pas trouvés si étonnants ! »

A la croisée des deux exigences — sentimentalisme et jeu avec les
bornes de la délicatesse — se situent Paul Bourget, Marcel Prévost
et les romanciers qui écrivent « pour les dames ». Cette littérature
tourne autour des secrets de l'intimité, de la famille, du couple, du
sexe. Les romans à la Bourget qui dévoilent à demi-mots jouent à
cache-cache avec les lectrices et contribuent à les river au non-dit
sexuel. Enchaînées par la curiosité au sexe dont elles cherchent à
déchiffrer le secret, qui n'est jamais explicité, elles ne peuvent
étendre à d'autres objets leur désir de savoir. On peut se demander
si cela n'a pas souvent laissé leur intelligence paralysée.

### DU BON USAGE
#### DE LA CULTURE EN AMATEUR

La culture d'une femme bourgeoise ne pouvait être qu'une
culture d'amateur, puisqu'elle ne débouchait pas sur l'exercice
d'une profession. De nos jours, culture d'amateur est une expression péjorative, qui signifie forcément culture limitée. Il faut se
garder de projeter les critères du monde actuel, où il est courant que
les femmes de la classe aisée aient un métier, sur les bourgeoises du
début du siècle pour lesquelles une profession était exclue. Et pour
cela, se débarrasser de la vision de Simone de Beauvoir. Elle évoque
avec pitié ses compagnes du cours Désir qui, vers 1925, une fois
passé leur baccalauréat, font des études en amateurs, en attendant
de se marier. Elle leur oppose sa qualité d'étudiante professionnelle, dont elle était fière : elle veut passer des examens pour avoir
un métier.

Pour la génération de Beauvoir, de Clara Malraux ou d'Edmée Renaudin, il n'y a, au développement intellectuel, qu'une sanction possible : les diplômes et la profession. Clara Malraux parle de sa mère, riche et servie, qui menait l'existence traditionnelle d'une bourgeoise oisive tant que vivait son époux (elle eut d'ailleurs avec lui une relation très heureuse). Une fois veuve, elle se consacra à des activités « plus sérieuses » : « Elle suivit les cours de l'École du Louvre, elle lut avec soin des revues littéraires, elle entretint son anglais, prit des leçons de philosophie, réfléchissant, annotant, comprenant ; c'est elle qui la première me parla de Hegel[21]. » Mais à cette femme, réellement intelligente et cultivée, il manquait une « nécessité extérieure qui eût pu l'animer vraiment ». Pour sa fille, cette nécessité ne pouvait être que l'exercice d'un métier : « Cinquante ans plus tard elle aurait pu être journaliste, médecin, avocate. Telles qu'étaient alors les choses elle resta un amateur qui s'exerçait dans le vide. »

On imagine bien ce que représentait pour une fille, il y a plus d'un demi-siècle, l'accès aux professions libérales. C'était un monde jusque-là réservé aux hommes qui s'ouvrait, épanouissement de l'esprit et réussite professionnelle possibles. Avoir des diplômes et un métier, c'était la preuve que ses capacités intellectuelles étaient reconnues, qu'à l'égal d'un homme on était capable de faire carrière, qu'on pouvait avoir un rôle public, n'être pas cantonnée au rôle domestique de femme de foyer. En principe, car nous verrons plus loin combien cela est un leurre. Mais c'est au professorat que menaient le plus souvent les études supérieures des filles. Et c'est là que le point de vue de Beauvoir est incomplet et trompeur. Dans les *Mémoires…*, elle établit une équivalence entre professorat, épanouissement de l'esprit et liberté. Or, devenir professeur, avoir obtenu des diplômes, témoignait sans doute d'une culture sérieuse, mais cela témoignait surtout d'une limitation sociale et, dans cette mesure, c'était le contraire de la liberté.

C'est en effet par nécessité économique qu'une jeune bourgeoise devient professeur. Si sa famille a de l'argent, qu'elle n'est pas obligée de gagner sa vie, elle échappera à cette condition-là. C'est là le vrai luxe, la vraie liberté. C'est Louise Weiss qui, après avoir réussi le concours d'agrégation, démissionne parce qu'on lui a reproché d'avoir une fleur à son chapeau ! C'est Clara Malraux qui choisit de ne pas poursuivre des études régulières, qui l'auraient menée à l'enseignement des lettres : « L'accomplissement de cette noble tâche se traduit pour moi d'une façon naïvement visuelle qui m'en dégoûte sans recours : je me vois passant d'un bout de la classe à l'autre, quittant ma chaire d'écolière pour celle plus élevée de professeur, revenant en ces lieux détenteurs de richesses intellectuelles et pauvres, très précisément, de cette immense surprise que j'attends de la vie[22]. »

Mme R., qui a fait toutes ses études au lycée Fénelon, de 1905 à 1914, obtenait de très bons résultats scolaires. La directrice, Mlle Provost, fait venir sa mère et lui dit : « Votre fille doit préparer Sèvres. » La mère répète à sa fille les paroles de la directrice et s'étonne de son silence. L'adolescente finit par avouer : « Préparer Sèvres, cela signifie devenir professeur. Je ne veux pas ressembler à mes professeurs ! » Elles étaient, raconte-t-elle, « passionnantes mais très laides », sauf le professeur de musique, blonde et parfumée, à qui Mlle Provost reprochait son élégance excessive : elle portait des voilettes mauves... et avait un amant ! Non seulement elles étaient laides, mais, deux mises à part, elles étaient célibataires. On comprend le peu d'enthousiasme d'une jeune fille devant de tels modèles. Mme R. passe son diplôme de fin d'études secondaires, puis entre dans une école de dessin. Elle fait ensuite un ou deux ans d'études aux Beaux-Arts, avant de se marier. Avoir pu choisir de n'être pas professeur est le privilège d'un milieu aisé. Privilège financier, bien sûr, qui va de pair avec une liberté d'esprit. Mme R. n'avait besoin ni de diplômes, ni d'un métier. Pourquoi l'aurait-on forcée ?

Qu'elles fussent ou non diplômées ne changeait rien à la destinée des jeunes bourgeoises (ce qui changeait, c'est lorsqu'elles se trouvaient dans la nécessité de gagner leur vie). Les témoignages des dames que j'ai interrogées le prouvent. Mme G. et sa sœur étaient filles et petites-filles de professeurs de lettres. La première s'est arrêtée au diplôme de fin d'études secondaires. En 1910 (elle a vingt-six ans), elle poursuit à la Sorbonne des études d'anglais, mais ne passe pas d'examens. Elle se marie avec un architecte et s'occupe de l'éducation de ses fils. Sa sœur, agrégée de grammaire en 1920, enseigne deux ou trois ans dans un lycée, puis abandonne son métier pour épouser un professeur d'université. Elle a consacré son existence à faire le silence autour de son mari afin qu'il puisse travailler. Mme B. qui, pour des raisons de santé, n'a passé ni brevet ni bac précise que deux de ses amies seulement ont passé le bac, les autres s'en sont tenues au brevet. L'une des deux bachelières a continué jusqu'à la licence de droit. Son père, riche rentier, l'a accompagnée à tous les cours. Elle a ensuite épousé Xavier de

Maistre et a eu sept enfants, comme Mme B. Ainsi les destins des femmes au début du siècle sont-ils déterminés par les conditions économiques et sociales de leur famille, et non par les études qu'elles ont ou n'ont pas faites, ni par les diplômes qu'elles ont peut-être obtenus.

Cette affirmation vaut même dans le cas où la jeune fille a travaillé avant de se marier. Mme B. a été avocate de 1923 à 1926, chez Maurice Bokanowski. Elle s'est intéressée au droit international, a beaucoup travaillé en Angleterre. Elle épouse en 1926 un professeur de médecine et abandonne son métier. A ma question : « Vous avez dû le regretter ? », elle répond : « J'ai envoyé ma démission le cœur très gros. Mais je n'ai rien montré, ni à mon mari ni à ma mère, ils auraient été désolés de me voir malheureuse. » Quelques années plus tard, devenue veuve, elle aurait pu reprendre son métier, mais elle préfère élever ses trois enfants et gérer les biens de la famille.

Dans les milieux de bonne bourgeoisie auxquels appartenaient ces femmes, on n'empêchait pas les filles de faire des études, on ne les poussait pas non plus. On n'accordait pas d'importance aux diplômes, ils n'étaient pas symboles de culture. Elles ne sont pas titrées, leur culture est culture d'amateurs, mais elle n'a rien de limité. Elles ont beaucoup lu et étaient manifestement à même de profiter des possibilités d'ouverture sociale et culturelle du monde où elles vivaient. Mme D., dont le père a dirigé l'École normale de la rue d'Ulm, avoue en riant qu'elle n'a même pas passé le brevet, parce que sa sœur aînée avait été très perturbée par les examens. Ses parents estimaient donc qu'il était inutile de perturber leur seconde fille. Elle a beaucoup voyagé avec son mari, professeur de médecine. A plus de cent ans, elle est très au courant de ce qui se publie. Ce qui lui manque le plus, dit-elle, c'est de ne plus pouvoir se rendre aux expositions parce qu'elle marche avec difficulté.

Aucune de ces dames ne m'a parlé de la frustration qu'elles auraient pu éprouver à ne pas avoir poussé leurs études jusqu'aux diplômes. Mais elles avaient une culture qu'on n'acquiert pas sur les bancs de l'école, elles vivaient dans des milieux cultivés et, en tout cas, où l'on avait la pratique du monde. Certes, elles n'exerçaient pas de profession, mais leur univers mental n'est pas limité pour autant, semble même beaucoup moins rabougri que celui de bien des gens qui ont fait métier de culture. Elles avaient du temps, de l'argent, des relations, ce qui remplaçait avantageusement une occupation salariée, si l'on en juge par la curiosité d'esprit et le dynamisme qu'elles ont conservés. Elles devraient nous faire réfléchir à notre puritanisme. On nous a répété, pendant des générations, que la rédemption passait par l'école et par le travail. Il est temps d'en finir avec cette vision de pédagogues.

Il est un cas où il aurait mieux valu que ces femmes cultivées eussent un métier : c'est lorsque, douées d'un trop-plein d'énergie qui ne trouvait pas son emploi à l'extérieur de la famille, elles le déversaient sur leurs enfants. Elles étaient parfois prises d'une rage fiévreuse d'organisation et d'éducation dont leurs enfants étaient les premières victimes. La mère de Louise Weiss, intellectuelle, laïque, puritaine, a cinq enfants, dont quatre fils, et les mène tambour battant. En 1911, Louise, qui a dix-huit ans et revient d'Oxford (elle a donc échappé à la juridiction maternelle), la décrit ainsi : « Mes frères la préoccupaient. Assise du matin au soir à son bureau ou à sa machine à coudre, elle correspondait avec leurs professeurs ou doublait leurs fonds de culotte. Pour s'amuser, elle récapitulait, en vérifiant son livre de ménage que, depuis leur naissance, ils avaient usé cent trente-cinq paires de chaussures, autant de costumes-complets, et qu'elle leur avait payé cinquante mille heures de cours. Elle savait que l'un était batailleur et dissimulé malgré ses brillantes notes de classe, que l'autre resterait fantasque en dépit de ses qualités de cœur, que le troisième doué pour les études les plus variées [...] avait tendance à ne pas croire en l'effort [23]... » Comme un général, elle a analysé les conditions de départ, et elle pense qu'il lui revient « d'améliorer sa troupe par la discipline et la confiance ».

Cette femme qui remplit avec tant d'énergie et de zèle son devoir de mère va déployer la même activité rageuse pendant la guerre. Elle change, si j'ose dire, son fusil d'épaule et s'engage dans les ouvroirs privés : « Ces occupations insolites, commente sa fille, en lui permettant de s'évader honorablement d'un foyer qu'elle n'avait jamais quitté, représentaient pour elle une sorte d'émancipation [24]. » Elle était soulagée « de ne plus pouponner ni de passer d'examens en la personne de ses enfants ». La famille était, pour une dame de cette espèce, un domaine sans doute trop étroit. Une activité extérieure, l'exercice d'une profession lui auraient donné le sentiment de vivre autrement que par procuration à travers ses enfants... et aurait sûrement libéré les enfants d'un grand poids.

Ce qu'on nomme « devoir maternel » prend parfois une forme terrifiante. La mère investit toute son énergie dans la personne de l'enfant, le pousse, exige qu'il réussisse pour elle. Elle pouvait se livrer sans contrainte à ces excès pédagogiques puisque tous les discours légitimaient le rôle d'éducatrice de la mère. La mère de Simone de Beauvoir ne la quitte pas d'une semelle : « Elle prit à cœur sa tâche d'éducatrice. Elle demanda des conseils à la Confrérie des " Mères chrétiennes " et conféra souvent avec ces demoiselles. Elle me conduisait elle-même au cours, assistait à mes classes, contrôlait devoirs et leçons, elle apprit l'anglais et commença d'étudier le latin pour me suivre. Elle dirigeait mes lectures, m'emmenait à la messe et au salut[25]... » Je voudrais citer deux témoignages sur les mères éducatrices : l'un, oral, que je tiens de M. G., l'autre tiré des *Mémoires* de Mme Guébin. Dans les deux cas, il s'agit de mères qui ont éduqué elles-mêmes leurs fils jusqu'à l'âge de dix ans. Ce serait moins étonnant si elles avaient éduqué leurs filles. Pour les filles subsistait en effet une tradition d'éducation à la maison, par leur mère ou leur institutrice. Les garçons au contraire allaient en général à l'école.

Mme Guébin était mariée à un inspecteur du dessin et la grande passion de sa vie, d'après ses cahiers de souvenirs, fut son fils unique, Pascal, né en juillet 1887. Elle a tout de suite jugé cet enfant exceptionnellement doué : « Il s'était révélé dès l'âge de quelques mois — et même de quelques jours — d'une grande vivacité d'observation », il a appris à lire tout seul entre trois et quatre ans. Mais elle le sent aussi fragile et passe sa vie à redouter pour lui la fatigue et la maladie (quand elle écrit ses souvenirs, en 1940, il a cinquante-trois ans et elle environ quatre-vingt-quinze) : « Je craignais pour lui la fatigue d'études trop précoces. » C'est la raison qu'elle avance pour l'avoir gardé auprès d'elle. Elle devient donc son unique pédagogue : « Résistant à son père qui voulait le mettre à l'école maternelle, je réussis à le garder jusqu'à dix ans, lui donnant des leçons courtes et claires, mettant en pratique la pensée du père de Pascal [son fils portait aussi ce beau nom] : " Je veux que mon fils se sente toujours au-dessus de sa tâche. " » Avant son mariage, Mme Guébin avait été institutrice dans une pension, puis avait donné des cours particuliers.

Par la suite, Pascal, à l'école et au collège Chaptal, obtient de brillants résultats. Il est premier au concours général de mathématiques à quinze ans, bachelier à seize. La mère, qui vit par procuration les succès de son fils, laisse percer sa fierté. Elle est, en même temps, obsédée par ce qui le menace, veille sans trêve à ce qu'il s'aère, voyage, se repose : « Nous l'avons conservé mais il réclame toujours des soins. » Effrayante sollicitude maternelle qui colle à l'enfant pour ne plus le lâcher. Il est le seul domaine qu'elle cultive et, sous prétexte d'instruction d'abord, de soins ensuite, elle s'est approprié tout son être.

Dans l'autre cas, c'est le fils qui raconte. M. G. est né en 1925, son père était architecte. Il avait un frère aîné qui, lui, allait à l'école. Il ne sait pour quelle raison lui-même n'y est entré qu'en sixième. Sa mère s'est chargée de toute son instruction, sauf des mathématiques : une institutrice venait lui enseigner cette discipline quelques heures par semaine. L'appariteur de la mairie de Fontenay-aux-Roses, où ils habitaient, venait chaque année demander pourquoi l'enfant ne fréquentait pas l'école. La mère lui lançait par la fenêtre : « Mon mari est bachelier. » Le baccalauréat était en effet considéré comme le diplôme qui suffisait pour être instituteur. Mme G., elle, ne possédait que le diplôme de fin d'études secondaires. M. G. se rappelle sa mère austère mais sereine : « Elle a été épouse et mère comme elle aurait été bonne sœur, avec le même esprit de dévouement et de renoncement. »

Dévouement de ces mères, renoncement à elles-mêmes pour se consacrer à l'éducation de leurs enfants. C'est l'une des représentations possibles, inséparable du risque de main-mise sur l'enfant. Les femmes sont des éducatrices-nées, clame le XIXᵉ siècle. L'Église puis la République travaillent à les instruire pour les rendre dignes de leur rôle d'éducatrices. Instruites, elles veulent absolument transmettre leur savoir, avec un sens scrupuleux de la mission à accomplir. Leurs enfants en sont à la fois les bénéficiaires et les victimes.

### LA MÉLANCOLIE DE VALÉRIE ET LE MALAISE D'EDMÉE

Il arrive que les femmes privilégiées qui, en principe, ont « tout pour être heureuses » — aisance matérielle, position sociale, mari, enfants — se sentent mal et soient perpétuellement insatisfaites. Leur mal à être change de dénomination au cours du XIXᵉ siècle : neurasthénie, vapeurs, langueur, consomption, migraine, ennui. La parution du roman de Flaubert en 1857 fournit un mot nouveau : le bovarysme. Les malaises des dames sont des symptômes difficiles à appréhender car les témoignages personnels n'existent guère : comment oser dire qu'on est mal quand tout semble aller bien ?

Mme Octave Feuillet évoque à plusieurs reprises, dans ses souvenirs, le désarroi où elle s'est trouvée au cours de sa vie conjugale. Elle en donne des explications logiques : ses malheurs familiaux suffiraient en effet à le justifier. Mais il se glisse des détails supplémentaires. Par exemple, juste après son mariage, à dix-neuf ans, en 1851, elle vit loin de sa famille chez son beau-père, qui est un terrible despote, elle attend son premier enfant et se sent très seule. Elle est privée de tout ce qu'elle aimait, même de son cheval : « Mon mari m'avait séparée de lui, disant qu'il n'aimait pas les femmes écuyères[26]. » Elle ne proteste pas, et pourtant elle adorait monter.

Plus tard, ils vont s'installer à Paris, elle fréquente les salons de la princesse Mathilde, est invitée aux Tuileries, jouit des mondanités. Mais au bout de deux ans, son premier fils meurt. Atteinte de « consomption », elle voyage en compagnie de son père et d'une religieuse. Au retour, alors que le monde aurait eu des chances de la divertir de son chagrin, son époux décide de quitter Paris pour s'installer en Normandie. Elle en est désolée mais s'applique de plus en plus à remplir ses devoirs en oubliant ses envies personnelles, elle fait entièrement dépendre son bonheur désormais de celui des siens, et d'abord de son grand homme de mari. D'ailleurs, les seuls échos qui, après 1860, nous parviennent de la capitale où elle se plaisait tant sont des lettres qu'Octave lui a envoyées alors qu'il y séjournait et qu'elle a pieusement conservées. Lors de son élection à l'Académie, il lui écrit le nom des gens qui ont voté pour lui et ajoute : « J'attends avec une impatience fébrile ta lettre de demain pour savoir si tu es bien contente comme il faut être[27]... » Étonnante expression ! Tout est codifié, y compris l'expression de la joie de l'épouse à la nouvelle du succès de monsieur.

Valérie Feuillet se coule avec succès dans le moule du Devoir. Octave est nommé bibliothécaire de Fontainebleau et passe, en 1867 et 1868, trois mois au palais, avec la Cour. Valérie a été invitée, grand était son désir d'y aller, elle a cependant refusé : « Je songeais aux fêtes auxquelles je serais peut-être conviée [...] Mais à côté de cela, je pensais aux Palliers [leur propriété normande] abandonnés, à mon père qui se faisait vieux, à l'éducation de mes enfants qui souffrirait de ce déplacement. Jacques allait faire sa première communion, comment l'enlever au prêtre qui s'occupait de sa jeune âme ? Je redoutais pour ma nature l'entraînement de ce monde élégant. Je me revis déjà chez Worth, dépensant l'argent que mon mari gagnait péniblement. Je me sentis reprenant goût à la vie

mondaine et souffrant ensuite du retour à une vie plus simple[28]. »
Aussi demande-t-elle à son mari de la laisser aux Palliers, « avec
mes devoirs et mes saines habitudes ».

Que les raisons données pour ne pas retourner à Paris aient été
contemporaines de sa décision ou reconstruites après coup, lorsqu'elle écrit ses souvenirs, il est impossible de le savoir. Ce qui est
intéressant, c'est de voir comment cette provinciale, éblouie par
Paris et ramenée en province par un époux dont elle ne discutait pas
l'autorité, s'est arrangée pour correspondre à ce qu'on attendait
d'elle. Bonne fille, bonne épouse, bonne mère, bonne administra-
trice, elle a changé le devoir en désir. Elle se veut la gardienne de
son vieux père, de l'âme de son fils, de son domaine et des deniers
de son mari, et exalte ce rôle au détriment de la mondanité qui
apparaît comme un démon tentateur : on se croirait en plein roman
d'Octave Feuillet ! Le sens du devoir sauve de la neurasthénie.

Valérie Feuillet parvenait à se conformer au modèle de la femme
de foyer, elle régulait ainsi sa vie. C'est l'impossibilité à s'équilibrer
de cette manière dont témoigne Edmée Renaudin. Née en 1905, elle
publie en 1976 ses souvenirs de jeune femme, *Edmée la bague au
doigt*. Elle tente de restituer et d'expliquer son mal à être de ces
années-là. Elle se marie en 1927 et, dès son retour de voyage de
noces, est submergée par ses devoirs de maîtresse de maison. Un
appartement à aménager, la vie quotidienne à organiser : elle est
incapable de faire face. Sa mère a beau lui répéter : « Il faut
absolument que tu deviennes pratique[29] », elle n'en a ni le désir, ni
l'aptitude. Elle préfère lire. Ce qu'elle voudrait surtout, c'est
partager avec son époux des intérêts, des conversations, des
activités. Mais il est très pris par son travail et considère que,
lorsqu'il rentre chez lui, c'est pour se reposer, non pour disserter.
Elle souhaiterait sans doute qu'il l'aide à clarifier son insatisfaction,
le vague de ses désirs. Mais il est démuni et se montre maladroit : il
lui suggère d'apprendre la cuisine.

Très vite, elle est enceinte et cette grossesse brouille encore
davantage les cartes. A ses yeux, c'est un rôle de plus qui va peser
sur elle et l'enfermer : « J'ai l'impression qu'il n'arrivera plus rien
de nouveau dans notre vie[30] », confie-t-elle à son mari, qui lui
répond en riant : « Mais je crois que nous allons bientôt avoir du
nouveau ! » Elle lui en veut de son incompréhension. De plus elle
vit mal sa grossesse et son accouchement, qui ne ressemblent en rien
aux stéréotypes : elle se trouve déformée, enlaidie et juge inconfor-
table d'avoir un bébé dans le ventre. Pendant l'accouchement, elle

crie, tellement qu'on doit l'endormir avec du chloroforme, alors que le cliché veut qu'on soit « courageuse ».

Comme Mme Bovary, elle espérait un garçon. Était-ce désir de revanche ? Elle ne le dit pas, mais on peut le supposer, à lire son mécontentement de la vie. Pensait-elle, comme Emma : « Un homme, au moins, est libre ; il peut parcourir les passions et les pays, traverser les obstacles, mordre aux bonheurs les plus lointains. Mais une femme est empêchée continuellement [31]... » ? Comme Emma, elle a une fille, mais cette nouvelle ne la fait pas défaillir, elle promet au nouveau-né de lui donner une autre existence que la sienne : « Toi, tu seras cousue de diplômes, cousue, cousue... »

Edmée Renaudin attribue toutes ses difficultés à un manque de formation intellectuelle et universitaire. Elle garde une profonde amertume d'avoir dû interrompre ses études, son père ne lui a pas permis de passer le baccalauréat. Si elle avait fait des études solides, croit-elle, elle aurait su diriger sa vie. Au lieu qu'elle a seulement su être malade. Dans la suite de ses souvenirs, elle trace son portrait à la veille de la Seconde Guerre. Elle a eu cinq enfants en douze ans de mariage et n'a pas cessé de souffrir : anémie, hypotension, fatigue nerveuse, angoisses. Elle absorbe des calmants.

Incapable d'assumer le rôle de femme de foyer auquel elle était naturellement destinée, elle n'a pas pu surmonter sa peine à se couler dans le moule. Le Devoir, pour elle, n'a été qu'un poids, un frein, et nullement le régulateur qu'il avait pu être pour Valérie Feuillet. Elle semble persuadée que des études, un métier l'auraient aidée à vivre — lui auraient permis d'exister pleinement et sans malaises. Dans son esprit, l'alternative est simple : d'un côté l'assujettissement malheureux au modèle de la femme de foyer, de l'autre le travail — c'est-à-dire une profession diplômée intellectuellement satisfaisante —, qui serait la liberté. Lorsqu'elle écrit ses Mémoires en 1976, cette idée, strictement inconcevable un siècle plus tôt, est devenue un lieu commun.

# 2

# De l'utilité
# et des risques de l'éducation

## LA VRAIE VOCATION DE LA FEMME

Mme Hudry-Menos date la « femme moderne » de *Corinne* (1807) : « Ce fut Mme de Staël qui, avant toute autre femme de son époque, modifia le type féminin reçu — la Nouvelle Héloïse n'étant qu'une amoureuse — par la position anormale que prend Corinne en se déclarant indépendante et en agissant comme telle dans une société où seules l'épouse soumise, la jeune fille docile ont une place, sous l'action de l'idéal patriarcal[1]. » Corinne n'a pas seulement, aux yeux des hommes, le tort de mener une existence indépendante, elle a aussi celui d'être cultivée et de le montrer. Elle est punie par où elle a péché. Elle a refusé de se plier aux normes et de vivre comme une jeune vierge modeste attendant l'homme qui l'épousera, elle a voulu exploiter et montrer ses talents de poétesse, elle a donc perdu le droit à être aimée comme une honnête femme. Elle est une sorte d' « actrice ».

Un siècle plus tard, le même soupçon pèse sur une femme cultivée et indépendante. La différence, c'est que Corinne, au début du XIXᵉ siècle, vivait de ses rentes et que son cas est l'exception. Au début du XXᵉ siècle, au contraire, les femmes peuvent faire des études, exercer une profession. Elles ont officiellement droit à la culture et au travail. Le soupçon d'immoralité devrait donc être écarté ? Les choses ne sont pas si simples. Chaque petite fille absorbe des images colportées par les lectures, des clichés véhiculés par la morale dominante, et chaque femme s'y trouve confrontée. Ce n'est pas parce qu'une fille fait des études, passe des examens, a un métier, que disparaît pour autant l'image de l'ange du foyer, de la femme prête à tous les sacrifices, qui s'oublie pour n'exister que dans le bonheur des autres, de l'épouse fidèle, de la mère dévouée. Dans ces temps où les femmes commencent à prendre part à la vie publique, elles se justifient de le faire sans trahir la tâche qui, jusque-là, leur était assignée. Pour être prises au sérieux, elles ont à cœur de montrer qu'elles peuvent sortir de leur « nid » et en rester néanmoins les gardiennes. Pour que soient reconnus leurs droits, elles veillent à être inattaquables sur leurs devoirs. Et cela d'abord pour elles-mêmes, pour être en règle avec leur conscience.

Les femmes, par l'accès à l'instruction et aux professions, amorcent un changement de statut radical. En même temps elles continuent à véhiculer au plus intime d'elles-mêmes des représentations traditionnelles qui pèsent très lourd. Et ne conservons-nous pas, aujourd'hui encore, un peu de cette contradiction ?

### Le dévouement au foyer

« — Marinette, pas de mauvaise humeur ! Tu dois être toujours sans nuage. Sur ta netteté, une ombre ferait tache.

« — Mais je suis fatiguée, d'abord, puis énervée.

« — Si tu es fatiguée, repose-toi. La fatigue te va, non l'énervement.

« La moindre humeur de toi m'est intolérable. Si tu fais, un instant, ta petite prunelle de bois, ça gâte tout. Je ne peux te voir que gaie, douce et propre, en bonne santé. Efforce-toi de ne jamais cesser d'être tout cela.

« Ainsi, à force d'égoïsme, j'arriverai à faire de toi une femme incomparable. »

Ainsi parle Jules Renard à son épouse, dans son *Journal,* le 16 janvier 1908. Et, dans ces lignes, il résume bien une partie du rôle assigné à l'épouse et mère : l'égalité d'humeur, le sourire-malgré-tout, la présence attentive et douce au cœur de la maison. Pour être un véritable « ange », elle doit s'oublier elle-même, au bénéfice des personnes — mari, enfants, vieux parents — qui vivent au foyer.

Penser d'abord aux autres est la vocation première de la femme. La comtesse de Diesbach (une des promotrices de l'enseignement ménager) définit, dans *la Jeune Fille contemporaine,* les qualités de la femme d'intérieur. Elle parle du « cœur de la femme naturellement préparé à la profession du dévouement [2] », puis affirme :

« Certes, les occasions ne manqueront pas à la vraie femme d'intérieur, à la mère de famille dévouée, de développer en elle l'*abnégation de soi-même !* [...] Des projets vraiment personnels, elle n'en peut guère avoir, ils sont dépendants, avant elle, de tant de personnes ou de circonstances ! [...] C'est le plus souvent un *bien général* qu'elle a en vue... » L'année précédente, dans son rapport au 1ᵉʳ Congrès Jeanne d'Arc, elle développait déjà ce thème : « Il est tellement inhérent à la nature féminine d'aimer, de consoler, de se dévouer que, si nous observons attentivement l'action d'une femme sérieuse, nous la verrons se diriger d'abord vers ceux qu'elle aime avant de songer à elle. Voir les siens heureux lui suffit ! Leur faire éprouver la joie de vivre sans chercher d'autre satisfaction pour elle-même que celle de la ressentir par contrecoup est toute sa préoccupation [3]. Une femme, dans le rôle d'épouse, et plus encore dans celui de mère, est un être « qui ne s'appartient pas [4] ».

Yvonne Sarcey, après avoir donné une définition des femmes heureuses : « Celles qui oublient leur Moi [5] », pose la question qui en découle nécessairement : « La femme est-elle un individu [6] ? » Elle s'indigne contre une lettre de Madeleine Pelletier à *l'Écho de Paris,* qui déclarait : « Pas plus que l'homme, la femme ne doit chercher sa raison d'être en dehors d'elle-même. » Les intellectuelles, selon Yvonne Sarcey, commettent le crime d'apprendre à nos filles « cette monstruosité hideuse » : qu'elles sont des individus ! Elles devraient au contraire exalter la seule mission qui corresponde à leur génie, celle d'épouse et mère. Et si une fille ne se marie pas et doit gagner sa vie ? C'est la même chose : « Une femme peut toujours être heureuse à condition qu'elle ne soit pas un " individu ", mais l'être exquis qui vit *en dehors d'elle* et pour les autres. »

On exalte aussi beaucoup le personnage de la sœur dévouée. Eugénie de Guérin en est l'exemple le plus célèbre. Son *Journal,* édité en 1862, quatorze ans après sa mort, connut un grand succès. Elle l'a écrit de 1834 à 1841 et l'a conçu comme un lien avec son jeune frère Maurice qui se trouvait loin d'elle. Il meurt en 1839, mais elle continue à lui écrire en s'adressant « à Maurice mort, à Maurice au ciel ». Il est des jeunes filles moins connues qui se sont consacrées à leurs frères. L'une d'elles, Marie-Edmée Pau, est devenue une héroïne grâce à Mlle Marie Pesnel, qui publie, en 1911, une *Marie-Edmée intime.* Auteur d'une histoire de Jeanne d'Arc illustrée, parfaite chrétienne, cette Marie-Edmée meurt à l'âge de vingt-cinq ans, en 1871, pour être partie à la recherche de son frère qui se battait contre les Allemands.

L'oubli de soi consiste d'abord à faire oublier qu'on a un corps. Pour cela, il ne faut pas le laisser parler, mais le remplacer par un souci permanent du bonheur des autres. La fatigue ? Connais pas. La baronne Staffe, dans *Mes secrets pour plaire et pour être aimée*, trace le portrait de « la femme qu'on aime ». Elle est avant tout réservée, n'a rien qui dépasse, ni intelligence, ni indépendance, ni exubérance. Elle gomme ses angles pour ne pas attirer l'attention et efface en elle toute trace d'humeur. Ce serait de l'égoïsme que d'en laisser paraître :

« Lorsqu'elle est troublée, fatiguée, contrariée, c'est dans le silence et le calme de sa chambre ou d'une promenade solitaire qu'elle cherche à se reprendre, à faire disparaître toute trace d'agitation.

« Elle n'ignore pas qu'elle est l'âme du cercle où elle se meut, et que son inquiétude, son angoisse, se refléterait douloureusement sur tout son entourage [7]. »

Pas question qu'elle s'adresse à son mari pour se faire consoler, car c'est à elle que la nature a confié la mission de « rasséréner et réconforter l'âme masculine », et non l'inverse. Elle doit donc se montrer gaie, calme, bien portante, pour ne pas décevoir son compagnon qui espère « trouver en elle le relèvement de [son] courage et l'oubli de [ses] préoccupations ».

Si elle souffre malgré tout d'une maladie chronique, il lui faut pratiquer l' « art de souffrir » et sourire au lieu de se plaindre... pour ne pas affoler son mari sur ses douleurs et pour rester belle. Tel est l'héroïsme quotidien. C'est aussi le conseil que donne Bernadette Jouvin, l'auteur de *Pour être heureuse* : « Sujettes aux maux les plus atroces et les plus fréquents, nous devons les dissimuler, les soigner, dans le secret, en souriant presque, pour ne pas ennuyer les hommes, qui ne sont pas très aptes à éprouver une longue pitié efficace et dévouée [8]. » La vicomtesse Nacla écrit, de son côté : « Les hommes n'excusent pas la maladie. » C'est pourquoi, poursuit-elle, la grossesse est une période difficile à traverser. Il faut lutter contre sa « déchéance physique momentanée [9] », et, malgré sa fatigue, suivre son époux partout. Ne pas s'imaginer qu'il verra dans la grossesse autre chose que maladie et « infériorité », mettre son habileté à la lui faire oublier.

Le véritable dévouement envers son mari, c'est de s'abstraire à ses yeux de la réalité toujours un peu répugnante, de se rendre transparente, de n'être plus qu'un esprit qui puisse s'élever avec lui dans les régions où l'intelligence masculine est trop souvent forcée de rester solitaire [10] ». Tout comme on lui cache ses malaises, on ne parle pas de faim, de soif, d'ablutions ou... d'économie, sujets vulgaires. La baronne Staffe cite Amiel : « [...] il faut avoir l'air de vivre d'ambroisie et de ne connaître que les préoccupations nobles [...] Tout réalisme est considéré comme brutal [11]. » L'une des tâches assignées à la femme est d'idéaliser le réel, elle doit pour cela faire oublier qu'elle est incarnée. Qu'elle prenne soin de se couper en deux, qu'elle se charge des basses besognes, certes (économie de bouts de chandelle, ménage, efforts pour embellir sa maison, souffrances du corps), mais qu'elle les dissimule car elles risqueraient de dégoûter les autres. Seul compte le résultat : que tous soient heureux au foyer. En somme, la femme assume les souillures et les peines pour libérer ceux qu'elle aime. Si elle veut réussir pleinement, il n'est pas suffisant qu'elle assume à leur place, il faut en plus qu'elle n'en ait pas l'air. Qu'elle ne semble pas gênée par le poids de la réalité, ni impliquée dans la préparation matérielle du bonheur.

Pour n'être pas gênée, le mieux consiste encore à ne plus se percevoir comme un individu, à installer les autres en soi, à se réduire au souci qu'on prend des autres : « Si vous avez toujours en vue le bonheur des autres, écrit une journaliste de *Mon chez-moi*, vous en arriverez par une sorte d'hypnotisme, en quelque sorte fatalement, à incarner votre bonheur dans celui d'autrui. Et c'est là certainement la mission de la femme qui devient un monstre, un monstre malfaisant, toutes les fois qu'elle substitue à l'amour dont elle est le plus puissant mandataire ici-bas l'égoïsme et le culte du Moi, mis à la mode par la furia d'individualisme qui souffle aujourd'hui [...] Une fois votre vie bien orientée du côté du bonheur d'autrui, *incarnant le vôtre,* vous verrez que la bonne humeur est beaucoup plus aisée qu'elle ne le paraît [12]... »

## Du foyer à la société

Pour le Carême de 1903, l'abbé Bolo prêche à la Madeleine sur le thème : « Puissance de la femme par le dévouement. » Si la femme est « l'indispensable et perpétuelle auxiliaire de l'homme [13] », c'est parce qu'elle assure la continuité dans sa vie : elle met au monde, nourrit, soigne, console et ferme les yeux. Ce rôle, elle le joue non seulement dans son foyer, mais dans la société. A elle d'aider ceux qui souffrent, à elle les faibles : pauvres, malades, enfants... Cette vision des choses dépasse de beaucoup l'horizon chrétien. La mystique laïque est la même : par nature, la femme est dévouée et, pour son bonheur et celui des autres, elle doit se pencher sur les déshérités. *La Femme nouvelle,* organe bi-mensuel de l'enseignement des jeunes filles rédigé par des professeurs, a une rubrique intitulée « Pour les faibles ». Elle traite d'hygiène sociale et porte en exergue une citation de Mlle Sylvia Albertoni : « Pour la femme sensible et noblement intellectuelle, amour, c'est sacrifice ; c'est s'immoler à toutes les heures du jour pour ceux qu'elle aime : frères, parents, époux, fils. Je ne veux pas parler de ces sacrifices éclatants, héroïques, qui ont rendu des femmes vraiment célèbres, j'entends aussi tous les petits sacrifices ignorés dont se compose la vie d'une femme aimante : sacrifice de son temps, de ses goûts, de sa personne ; tout ce qui s'accomplit dans le silence du foyer, des écoles, des hospices, où la femme, mère, éducatrice, sœur de charité, se consacre toute au bien-être des autres[14]. »

L'équivalence entre mère, éducatrice et sœur de charité se retrouve partout. Lorsqu'on parle d'un métier possible pour une célibataire qui doit gagner sa vie, institutrice (ou professeur) et infirmière viennent toujours en tête : ce sont eux, dit-on, qui correspondent le mieux à la vocation profonde de la femme. Marie Sandre, la dernière de la lignée des instituteurs dont Mona Ozouf a présenté les souvenirs, témoigne : « Je voulais être institutrice, mère de famille ou sœur de charité. J'ai choisi de suivre la première de ces vocations[15]. » Née en 1880, elle a commencé à enseigner vers 1900. Elle parle de son métier en termes de « sacerdoce » et de dévouement à ses élèves. Elle est restée célibataire, mais dit que, pour elle, « le rôle primordial de la femme était celui de maîtresse de maison et de mère de famille ».

Le dévouement aux enfants, aux malades, aux pauvres fait partie de l'image de marque de la femme accomplie. Et un homme est rassuré de trouver chez sa future épouse une telle disposition. Le lieutenant-colonel Moll, commandant au Tchad, écrit à sa fiancée qui l'attend en France : « J'aime à savoir que vous vous occupez de bonnes œuvres, que vous soignez les pauvres malades et qu'avec votre sourire, vos bons soins et votre cœur d'or vous soulagez bien des misères. J'aime à me représenter toute votre grâce et tout votre charme unis à la bonté et à la charité[16]. » Lorsqu'une femme qui a « fauté » veut se racheter, elle se jette dans la voie du dévouement. Hélène Barraux, l'héroïne de Camille Marbo, a été la maîtresse d'un peintre. Bien qu'elle n'ait jamais aimé son mari, professeur beaucoup plus âgé qu'elle, elle éprouve un besoin éperdu d'expier. Elle se consacre alors à sa tante qu'elle veille jusqu'à la mort, puis à son mari qui, pour raison de santé, a dû abandonner l'enseignement. Pour parachever sa rédemption, elle renonce au seul homme qu'elle ait aimé et qui voudrait refaire sa vie avec elle, et décide d'aider son époux, qui accepte un poste de directeur de collège, à apporter aux trente pensionnaires « une atmosphère de famille, une organisation maternelle [17] ». La voilà donc mère par procuration (le seul enfant qu'elle ait eu à elle est mort) après avoir joué les infirmières.

*La Femme au foyer, journal populaire de la famille* a une rubrique « Nos malades ». Cousine Marthe, en novembre 1902, décrit les « mille petits soins de tendresse » dont les malades ont besoin. Les médecins ne peuvent les enseigner, mais les femmes savent les donner de manière instinctive : « C'est le cœur qui les inspire, à nous, filles, épouses, mères [18]. » En avril 1903, Mme Bréville déclare que, si les femmes savent mieux soigner que les hommes, c'est parce que « nous avons toutes des âmes de mères ». Il faut, dit-elle, encourager les écoles d'infirmières, que fréquentent aussi bien les filles qui veulent exercer ce métier que les jeunes filles du monde « pour utiliser dans leurs familles ou dans les ménages pauvres qu'elles protègent les connaissances pratiques qui y sont indiquées [19] ».

Heureusement qu'on peut aider les pauvres malades... Les rages de dévouement sont parfois inquiétantes. Mme Octave Feuillet raconte que sa mère était ravie de la soigner après un accouchement dont elle se remet mal et de dorloter ses deux fils : « Enfin, je peux me dévouer, disait-elle, j'avais toujours rêvé cela, me dévouer ! Et je n'avais autour de moi que des gens heureux, des gens bien portants. Que de fois, ajoutait-elle, j'ai dit à ton père que j'aurais voulu lui voir les jambes cassées afin qu'il eût besoin de mes soins [20]... » La guerre a sûrement été, pour beaucoup de femmes, un révélateur de dévouement. Ainsi la mère de Mme C. qui, jusque-là, n'avait jamais eu d'activité philanthropique, s'est tout à coup investie corps et âme dans le bénévolat. Infirmière bénévole de 1914 à 1918, elle refuse de suivre son mari et ses filles qui se replient en Côte-d'Or la dernière année du conflit. Elle reste à Paris pour soigner les blessés et s'y consacre au point de tomber malade. Une fois la paix revenue, sur sa lancée, elle a continué et est devenue garde-malade bénévole dans les hôpitaux.

Lydie Martial publie en 1898 *Qu'elles soient des épouses et des*

*mères !* C'est à l'école, affirme-t-elle, d'enseigner à la fille sa
« mission d'amour[21] » dont font partie enfants, foyer, humanité,
vieillesse, conservation de la santé. L'école formera ainsi des
« gardiennes de l'âme française ». L'éducation des femmes doit être
en rapport avec leur rôle futur, qui est à la fois domestique et social.
A partir du foyer, lit-on par exemple chez Clarisse Bader[22], on
reconstruira la société française. Le thème est repris de Legouvé et
de Mgr Dupanloup : la femme doit être instruite et forte pour être
une vraie compagne et une vraie mère, et créer ainsi une nation
laborieuse, croyante, forte et glorieuse. Mlle Prudence Deval, la
directrice d'école qui prêche dans l'ouvrage de Mme Delabassé, *la
Jeune Fille après l'école,* résume en trois expressions le destin assigné
à la femme : « L'ange du foyer, le pivot de la famille, l'âme de la
société[23]. » Elle fait de ses enfants de bons citoyens, elle exerce
aussi sa « maternité morale » dans la société. Elle pratique la
philanthropie, aide au relèvement des prostituées, visite les hôpitaux, les prisons. Elle verse sur les misères « le pur lait de la
fraternité humaine[24] ».

Par dévouement pour leur pays, les Françaises doivent expatrier
leur courage. La mission coloniale fait partie de *l'Avenir de nos
filles.* Gabrielle Réval rapporte les propos de Mme Pégard, directrice de la Société pour l'émigration des femmes : « Le jeune colon
demande une femme, combien d'autres là-bas seraient plus courageux dans leur effort s'ils avaient, dans l'humble maisonnette, la
compagne laborieuse et simple qui allège le plus douloureux
travail[25]. » Que les femmes prennent conscience de leur rôle auprès
de « ceux qui nous refont partout de petites patries[26] », qu'elles
contribuent à la grandeur de notre pays : pas de « poules mouil-
lées » pour le « coq gaulois »[27] !

### CONCILIER INSTRUCTION
#### ET VRAIE VOCATION DE LA FEMME

Lorsque la vocation des femmes est ainsi définie, leur sphère
d'activité principale, c'est le foyer, c'est la vie privée, c'est l'intérieur. L'instruction, publique ou non, se donne à l'école, hors de la
famille, et peut mener à une activité professionnelle qui s'exercera
loin du foyer. A partir de là se développe toute une série de

propositions qui, superficiellement, se donnent comme polémiques et contradictoires, mais qui, en réalité, tendent toutes à préserver, sinon même à renforcer, le modèle.

*Instruisons-les pour leurs maris,*
*car elles sont parfois trop bêtes*

Le divorce intellectuel et moral qui peut s'installer dans un couple parce que l'épouse n'est pas pour son mari une interlocutrice possible est un thème romanesque répandu. J'en prendrai trois exemples. En 1875, Octave Feuillet publie *Un mariage dans le monde.* Lionel de Rias aime sa jeune femme Marie, mais il est peu à peu exaspéré par les sottises qu'elle profère. Il est très cultivé, mais incapable de l'éduquer. Elle s'ennuie, retourne dans le monde, il prend des maîtresses. Sur le point de le tromper aussi, Marie se réfugie chez son amie Louise de Lorris qui, aidée de son frère, refait en quelques mois l'éducation de Marie, avant de la rendre, épouse accomplie, à M. de Rias.

Louise rend compte à Lionel de leurs activités. Activités culturelles : visites de musées guidées qui leur permettent de réviser leurs notions d'histoire, de géographie, de littérature et de philosophie, lecture de Saint-Simon, Mme de Sévigné, George Sand. Activités pédagogiques ; elles apprennent à leurs jeunes enfants l'alphabet, le piano, l'histoire sainte. Activités de femmes d'intérieur : elles ornent leur maison de fleurs et de plantes et prennent surtout plaisir à ranger leur linge en piles blanches enrubannées de bleu, qui sentent bon l'iris. Elles sont, elles le prouvent, de véritables « femmes de foyer ». Elles n'oublient pas la juste part à donner aux distractions mondaines, ni les œuvres de charité, discrètement signalées. La tâche de Louise consiste avant tout à apprendre à son amie à bien répartir ses occupations, de manière à équilibrer son existence. Les activités intellectuelles approfondissent et consolident la culture classique qu'elles ont reçue au couvent. Tout cela tend vers un seul but : que le mari soit satisfait de sa femme.

Henry Bordeaux, dans ses *Mémoires,* cite avec fierté le chanoine Soulange, curé de Saint-Honoré-d'Eylau, qui lui dit d'un de ses livres : « Vous savez que je donne un exemplaire des *Yeux qui s'ouvrent* à chacune des jeunes filles de ma paroisse qui épouse un homme de valeur. Il ne suffit pas que les époux se plaisent physiquement, il faut que la femme suive intellectuellement son

mari afin de composer une unité morale [28]. » *Les Yeux qui s'ouvrent*
(1908) raconte l'histoire d'un historien français, Albert Derize,
marié, père de deux enfants et malheureux. Il ressent cruellement la
distance que sa femme laisse s'établir entre eux. Elle ne s'intéresse à
rien, se contente d'être l' « ornement de la maison ». Il trouve avec
Anne de Sézery la communion d'esprit qui lui manquait : « Les
impressions de nature, d'art, que je ressentais seul depuis de
longues années déjà [...] j'aime maintenant les partager avec elle.
Elle a augmenté la quantité d'air respirable dans le domaine de ma
vie intérieure [29]... » L'épouse, Élisabeth, apprend la liaison d'Albert et d'Anne et demande le divorce. Mais un ami lui donne à lire
les cahiers d'Albert, elle comprend qu'elle est responsable de la
faillite de leur union et décide de se réformer.

Albert notait pour une conférence sur le mariage : « La mollesse
et l'irréflexion des femmes perdent plus de ménages que leur
indépendance de caractère et leur avidité d'aimer. Savoir demeurer
en état de veille, c'est la moitié de l'art de vivre [30]. » Or Élisabeth
n'a pas su être vigilante. Elle abreuvait son mari de jérémiades sur
les tracas domestiques, incapable de se concentrer sur un sujet plus
sérieux : « Vainement je tente de l'intéresser à des lectures, à de la
musique, aux changements de lumière que la menace de l'automne
accentue, à mon œuvre même. Elle écoute gentiment et pense
ailleurs. L'intelligence ne lui fait pas défaut, mais elle a horreur de
s'en servir [31]. » Elle n'a pas été éduquée à élever son esprit au-
dessus de la médiocrité et du superficiel. Pourtant, le premier devoir
de l'épouse est d'être capable de parer à l'organisation du quotidien
sans s'y enliser. Elle devrait tenir la maison *sans en parler* et, en
présence de son époux, s'élever au rang d'interlocutrice. C'est un
des « secrets » de la baronne Staffe. Une femme doit établir un
fonctionnement intelligent de sa maison de manière à s'affranchir
l'esprit des détails du ménage, « non seulement dans le monde, mais
dans l'intimité amicale et familiale, dans le tête-à-tête conjugal [32] »...

Après avoir lu les réflexions de son mari, Elisabeth entreprend de
sortir de son apathie pour répondre à ce qu'il attendait d'elle et
mériter à nouveau son amour. Elle s'occupe de l'éducation de ses
enfants, va au musée avec sa fille, reprend le piano, achète le
tome III de *l'Histoire du paysan* d'Albert, qui vient de paraître, se
met à marcher à pied. Elle fait son examen de conscience et se
rappelle qu'elle n'a pas su apprécier ce qu'elle aurait dû goûter avec
son époux. Lorsqu'ils voyageaient ensemble, elle se plaignait de

tout au lieu de chercher la communion intellectuelle qu'il aurait souhaitée. Entre un père trop mondain et une mère exclusivement occupée de lui, elle n'a pas été éveillée à la vie de l'esprit. Il lui faut faire seule son éducation.

Cette nécessité pour une épouse de rejoindre son mari dans les sphères de l'esprit est soulignée avec force par les discours de la fin du xixᵉ siècle. *Parce qu*'elle est destinée à devenir épouse et mère, une fille a besoin d'acquérir une solide culture. Elle doit apprendre à manier son intelligence pour le plus grand bonheur de sa famille, et, pour ne pas rétrécir l'univers spirituel des êtres qui l'entourent, ne pas se contenter du « trantran journalier » et du « calme plat » du foyer. François Mauriac a souvent évoqué, dans ses romans, le dégoût qui saisissait les hommes devant la médiocrité des conversations de leurs femmes. Ainsi cette atroce scène du *Désert de l'amour* (1925), entre le Dr Courrèges et son épouse.

Il veut lui parler de leur fils qui le soucie et, à travers lui, de son désarroi. Il aime une femme qui ne l'aime pas et qui l'a blessé au vif. Il lui propose une promenade, cherche à recréer l'intimité perdue depuis longtemps. Il lui demande de prendre son bras et est troublé par l'odeur de sa chair, « le parfum de ses fiançailles[33] ». Pas un seul instant elle n'imagine ce trouble, enfermée qu'elle est dans sa carapace de ménagère. Le docteur aborde le sujet qui lui tient à cœur, le changement de Raymond, leur fils : « Il avait plus de maîtrise sur soi — quand ce ne serait que ce soin nouveau qu'il avait de sa tenue. » Mais Mme Courrèges ramène tout à des considérations domestiques et mesquines :

« Ah! oui, parlons-en. Julie bougonnait hier parce qu'il exige qu'elle repasse, deux fois par semaine, ses pantalons.

— Tâche de raisonner Julie, qui a vu naître Raymond...

— Julie est dévouée ; mais le dévouement a des limites... »

Et voilà la maîtresse de maison qui déballe les histoires de bonnes. Son mari tente de revenir en arrière : « Notre petit Raymond... — Nous ne remplacerons pas Julie, voilà ce qu'il faut se répéter », poursuit Mme Courrèges. Le docteur est obligé de conclure par un cliché : « Les domestiques de maintenant ne sont pas ceux d'autrefois. » Il se sent prêt à pleurer, condamné aux vues étroites de son épouse, quand il aurait eu besoin d'une écoute d'une autre qualité. Il conclut : « Je vais rentrer. » Et elle : « Déjà? » Mauriac ajoute : « Elle sentit qu'elle l'avait déçu, qu'elle aurait dû attendre, le laisser parler, elle murmura : " Nous ne causons pas si souvent... " »

La tragédie est que Lucie Courrèges perçoit la douleur de son mari, « l'appel étouffé de l'enterré vivant », mais ne sait pas y répondre. La seule parole qu'elle trouve est : « Tu as encore laissé l'électricité allumée chez toi. » Phrase dérisoire jetée à un désespoir qui voudrait se dire. Condamnation de l'homme à une solitude irrémédiable. C'est pour sauver les couples d'un tel divorce intellectuel et moral que les jeunes filles doivent recevoir une solide formation. Elle leur servira à entendre leur compagnon de route, à s'élever au niveau de ses préoccupations, à être une interlocutrice et un soutien.

## Instruisons-les, mais pas trop

Mgr Dupanloup a longuement développé la distinction entre femmes instruites et femmes savantes, qui sera reprise par les promoteurs de l'enseignement laïque. Si les filles doivent être instruites, ce n'est pas au nom du développement individuel ni de la curiosité intellectuelle, mais en fonction de la place qu'elles auront à tenir dans leur foyer et dans la société. Lorsqu'on répartit les rôles, à la femme reviennent, nous l'avons vu, le dévouement, la tendresse, le sentiment. Il ne faut pas que l'instruction porte atteinte à ces dispositions naturelles, mais qu'elle les développe. Voilà pourquoi on prône pour une fille la culture générale. Une spécialisation trop poussée risquerait de la mener à la passion de l'étude pour l'étude et de l'écarter de la voie qui lui est tracée. Amélie Gayraud en 1914 a interrogé des filles de dix-huit à vingt-cinq ans, choisies parmi l' « élite intellectuelle ». Elle s'est demandé si les résultats de leur éducation correspondaient à ce qu'avaient cherché les fondateurs de l'enseignement public. Ils avaient tous un souci de formation morale en rapport avec la mission assignée aux femmes, comme le rappelait Camille Sée dans un discours, le 17 mai 1907 : « Le législateur, en vous mettant en pleine possession de vos aptitudes, a voulu *relever votre dignité,* celle du *foyer domestique,* assurer l'*unité de la patrie* et vous associer à son relèvement[34]. » Ernest Lavisse disait aux éducatrices : « Vous ne voulez pas plus élever des femmes *politiques* que des femmes savantes... Vous préparez vos élèves aux devoirs sérieux et doux de la famille [...] Il faut que nos lycéennes emportent dans la vie une *bonne volonté envers le devoir social*[35]. »
Octave Gréard, vice-recteur de l'académie de Paris, qui, pendant

quarante ans, a été au cœur des questions d'enseignement, explique en quoi l'instruction dispensée aux filles doit se différencier de celle des garçons : « L'homme a besoin d'un fonds de savoir solidement établi, entretenu avec soin, souvent renouvelé, toujours prêt, qu'il applique à ses fonctions, à ses affaires, à toute la conduite de sa vie. Il n'en est pas ainsi au même degré pour la femme. Ce qui lui est le plus utile à elle-même et aux autres, ce qui vaut le mieux en elle, ce n'est pas ce qui lui reste de savoir acquis [...] c'est l'esprit même que le savoir a contribué à former. Le premier souci d'une éducation bien dirigée doit donc être d'assurer à la jeune fille cette haute culture morale qui crée la personne humaine [36]. » C'est pourquoi il convient d'élaguer les programmes des « curiosités », des « subtilités » qui disperseraient l'attention des adolescentes, et de les concentrer sur le profit moral qu'elles peuvent en retirer. Nul besoin, par exemple, qu'elles apprennent l'histoire par le menu. Qu'on leur montre, en revanche, le rôle de la France dans la civilisation et celui de chaque individu dans la grandeur de sa patrie. Qu'on leur propose comme modèles des femmes héroïques. Nul besoin non plus de former des ingénieurs ou des physiciennes, mais « de bonnes maîtresses de maison, d'intelligentes mères de famille [37] ». Foin, pour les filles, des détails scientifiques savants !

Le philosophe Paul Janet définit la culture féminine comme « une disposition générale à comprendre et à admirer [38] ». Les connaissances spéciales ne servent de rien à une jeune fille : « Qu'elle ne fasse pas de différence, si l'on veut, des ordres et des styles de l'architecture, qu'elle ne connaisse pas l'histoire des diverses écoles de peinture, ou qu'elle ne prenne point parti pour telle ou telle théorie littéraire, je le veux bien, mais qu'elle ne reste pas insensible devant un grand monument ou un beau tableau, qu'elle puisse lire Mme de Sévigné sans s'ennuyer, et écouter une tragédie de Racine sans s'endormir. » La citation a été souvent reprise, en particulier dans un livre de lecture à l'usage des filles, *la Jeune Française*, recueil de textes annotés et assortis de questions, établi au début du xxᵉ siècle par Alcide Lemoine et Juliette Marie. C'est aussi la simplification que prêche pour les filles le romancier Marcel Prévost. Les livres de classe, selon lui, sont trop spécialisés et trop nombreux. Le bon livre scolaire peut s'adapter à tous les âges, que ce soit l'*Histoire de France* de Guizot, l'*Atlas* de Foncin ou les *Fables* de La Fontaine. L'idéal serait donc que les filles étudient un seul livre à fond, c'est ainsi qu'elles auraient « des clartés de tout [39] ».

Si, en 1880, les parlementaires, en créant l'enseignement secon-

daire pour les jeunes filles, avaient le souci de préparer aux
républicains des épouses arrachées à l'emprise religieuse, ce n'est
pas pour autant de femmes à l'esprit libre qu'ils rêvaient. Il fallait au
contraire remplacer par des principes moraux les principes religieux,
et cela ne pouvait se faire sans qu'il y ait un renchérissement sur la
moralité. Il s'agissait de prouver que les catholiques avaient tort
d'agiter le spectre de l'immoralité laïque. Sabine Taillevant, l'héroïne d'un roman d'Octave Feuillet, *la Morte* (1886), est certes un
monstre. Très érudite, dépourvue de tout sens moral, elle n'hésite
pas à mettre sa science au service du crime et empoisonne sans
remords une épouse pour prendre sa place. Mais cette jeune fille à
la « science sans conscience » a été inventée par un écrivain
catholique et réactionnaire, elle n'est pas un produit des lycées de la
République !

Les promoteurs de l'enseignement secondaire pour les filles
semblent avoir atteint leurs objectifs, si l'on en juge par les
déclarations trente ans plus tard de celles qui ont fréquenté les
lycées. En octobre 1913, à l'occasion du vingt-cinquième anniversaire de la fondation du lycée Molière, Berthe Milliard, l'une des
plus anciennes élèves de cet établissement, déclare qu'à leur sortie
des lycées, les filles ont l'esprit ouvert, mais qu'elles sont aussi
conscientes de leurs devoirs familiaux et n'ont rien des émancipées
qui veulent « vivre leur vie ». Louise Weiss, qui rapporte ces
propos, elle-même élève à Molière, témoigne : « De cynisme, pas
de trace ; de pédanterie, pas d'ombre ; d'immoralité, encore moins.
Un immense souci de la raison, une aspiration au courage du cœur,
le sentiment des idées hantait jusqu'aux moindres recoins notre
couvent laïque [40]. »

Administration, professeurs et élèves portent témoignage de la
moralité laïque. Toutes ces femmes ont un idéal, elles travaillent bel
et bien pour la famille et la patrie. Marie Dugard, professeur de
lettres à Molière, rappelle à l'ordre ses élèves de quatorze ans, qui
ont décrit le printemps en utilisant des clichés. Lorsqu'elle leur rend
les compositions françaises, elle les avertit : « Vous ne pouvez pas
aller dans l'existence avec des cervelles toutes faites [...] Une culture
générale vous sera indispensable si plus tard vous devez élever des
enfants, conseiller un mari. Pensez à votre foyer que vous voudrez
préserver de la destruction [41]. » Où risque de vous mener l'emploi
des lieux communs !

Toutes les lycéennes interrogées par Amélie Gayraud se révèlent
conformistes et respectueuses des valeurs traditionnelles. Elles

croient à la famille, rêvent de se marier. Pas une ne revendique l'union libre. Elles désirent seulement choisir leur mari, afin de l'aimer et de lui rester fidèles. Elles ont « le sens de l'ordre[42] », sont conservatrices en politique, pratiquent la religion de leurs mères. Parfaite défense et illustration de la moralité de l'enseignement laïque.

## Instruites, elles feront le pot-au-feu quand même

« Ni bas-bleu ni pot-au-feu[43] » : telle est la devise d'Augusta Moll-Weiss. Un bas-bleu est une intellectuelle qui ne sait pas faire la cuisine, un pot-au-feu est une ménagère dépourvue de charme intellectuel. La double négation signifie nettement que la femme ne doit pas se contenter d'être l'un *ou* l'autre, elle doit être l'un *et* l'autre. L'expression est à rapprocher de la phrase de Mme de Girardin, souvent citée à la fin du xixᵉ siècle : « Le pot-au-feu d'une femme d'esprit est toujours meilleur que celui d'une sotte[44]. » Elle l'assaisonne d'une conversation intelligente : c'est là tout le secret.

Une fille bien élevée ne fait pas étalage de son savoir : « Vous pouvez tout au plus le laisser soupçonner[45] », recommande Clarisse Juranville. Un parfait exemple de femme bien élevée nous est donné par Proust dans la personne de sa grand-tante : « Pour un roman, pour des vers, choses où elle se connaissait très bien, elle s'en remettait toujours, avec une humilité de femme, à l'avis des plus compétents. Elle pensait que c'était là le domaine flottant du caprice où le goût d'un seul ne peut pas fixer la vérité. Mais sur les choses dont les règles et les principes lui avaient été enseignés par sa mère, sur la manière de faire certains plats, de jouer les sonates de Beethoven et de recevoir avec amabilité, elle était certaine d'avoir une idée juste de la perfection et de discerner si les autres s'en rapprochaient plus ou moins. Pour les trois choses, d'ailleurs, la perfection était presque la même : c'était une sorte de simplicité dans les moyens, de sobriété et de charme[46]. » Véritablement cultivée, la grand-tante de Proust n'est pas un bas-bleu : elle ne fait pas montre de ses connaissances littéraires et ne porte pas, en la matière, de jugements péremptoires. Il est d'ailleurs intéressant qu'elle soit sans principes dans ce domaine alors qu'elle a, sur les qualités d'une maîtresse de maison, un jugement si déterminé et d'une telle intransigeance.

Les parents craignent que leurs filles ne deviennent des bas-bleus et ne trouvent plus à se marier. C'est l'une des raisons que se voient opposer les adolescentes quand elles veulent continuer des études. Edmée Renaudin et sa sœur, après le brevet élémentaire, rêvent d'aller à la Sorbonne, au lieu d'être cantonnées aux cours d' « agrément ». Leurs rêves se brisent : « Qu'iraient-elles faire à la Sorbonne? Devenir des bas-bleus, c'est tout[47]. » Qu'elles sachent « parler de tout », mais sans prétention, voilà qui est amplement suffisant. Edmée ne parvient pas à vaincre l'opposition de son père : « Tu n'as pas *besoin* de passer un bachot! Tu n'es pas un garçon! »

Louise Weiss quitte le lycée Molière à dix-sept ans, chargée de lauriers. Sa mère lui demande de cacher ses prix, car son père est mécontent : le lycée a fait d'elle une femme savante, elle est première en tout, alors que les frères de Louise n'ont pas d'aussi brillants résultats. Puis elle l'avertit de ce qui l'attend : « Tu me rendras cette justice que je t'ai toujours soutenue dans tes études. Tu n'avais même pas ta chambre à balayer ni ton lit à faire, tout juste tes bas et tes gants à repriser. Les choses ne peuvent pas continuer ainsi. Ton père exige de toi quelques concessions au ménage[48]. » Son père accueille d'ailleurs Louise par un : « Et maintenant, trêve de plaisanterie! A la soupe! A la soupe! En Allemagne. » Voilà comment, en septembre 1920, elle se retrouve pour quatre mois à l'École ménagère de la grande-duchesse Louise de Bade. Après, elle aura le droit de reprendre ses études. Cette école est une institution célèbre en Allemagne, fréquentée par les filles de la riche bourgeoisie et de la petite noblesse. On y apprend à tenir une maison : cuisine, pâtisserie, repassage, broderie, comptabilité. Louise manque périr sous le poids des tâches ménagères élevées à la hauteur de rites. Elle rentre à Paris à Noël et, pendant trois jours, par représailles, fait la cuisine en telle quantité que ses frères sont près d'étouffer. Son père n'ose plus rien dire! Elle peut ensuite préparer le baccalauréat.

## D'ailleurs, le pot-au-feu est aussi affaire d'intelligence

Pour n'être pas un bas-bleu, il est donc nécessaire qu'une fille qui fait des études mâtine de pratiques ménagères ses activités intellectuelles. Inversement, le pot-au-feu réclame de l'intelligence, et les livres d'enseignement ménager affirment tous qu'il en faut pour être une bonne maîtresse de maison : « La ménagère a besoin de comprendre, elle aussi. Elle n'en sera que meilleure ménagère[49]. » On s'efforce de prouver que le travail domestique n'a rien de méprisable pour une intellectuelle : « Si les occupations modestes sont l'effroi d'une femme quand elle craint qu'on la croie faite seulement pour celles-là, elles ont, avec leur profit, leurs charmes pour les femmes qu'on sait capables de plus hautes besognes[50]. » George Sand avait déjà affirmé son goût pour les travaux d'aiguille : « C'est pour moi une récréation où je me passionne quelquefois jusqu'à la fièvre [...] ils ont calmé parfois en moi de grandes agitations d'esprit. Leur influence n'est abrutissante que pour celles qui les dédaignent et qui ne savent pas chercher ce qui se trouve dans tout : le *bien faire*[51]. »

On donne souvent la parole à l'aiguille, qui plaide sa cause :

> *Mais las ! L'époque est venue*
> *Où l'on va nous dédaigner !*
> *Car la femme est parvenue*
> *Au titre de bachelier [...]*
> *Ah ! je disais bien des choses*
> *En reprisant les effets !...*
> *Je disais : La jeune fille*
> *C'est l'ange de la maison,*
> *Qui, pure, sage, gentille,*
> *Doit coudre auprès du tison...*
> *Je respecte la science ;*
> *Mais pourquoi me mépriser ?*[52]...

Mathilde Bourdon, Clarisse Juranville et d'autres déclarent indispensables les travaux à l'aiguille, aux riches qui cousent pour des œuvres philanthropiques, aux pauvres qui gagnent ainsi leur vie. Seule Madeleine Pelletier s'insurge contre eux et les déclare inutiles et pernicieux. Que les femmes cultivées, dit Valentine Thomson — directrice de l'hebdomadaire *la Vie féminine* —, ne s'imaginent pas que ces travaux d'aiguille sont monotones et débilitants, ils peuvent au contraire refléter l'allégresse : « Il suffit [...] d'y appliquer la même idée de progrès qu'aux autres ouvrages artistiques, de les *concevoir* avant de les exécuter[53]. » Ils deviennent alors une création.

On dit la même chose du ménage et des tâches quotidiennes. Si on les accomplit en faisant marcher son intelligence, il paraît qu'on les transforme. Ils étaient répétitifs et ennuyeux, les voilà passionnants. Si Anatole France ose écrire : « C'est dans les soucis quotidiens que la mère de famille perd sa fraîcheur et sa force et se consume jusqu'à la moelle de ses os », c'est qu'il est un esprit pessimiste, qui ne voit qu'usure là où il faudrait voir création et poésie [54] !

De plus en plus, on cherche à intégrer l'intelligence, la réflexion, l'instruction au personnage de la ménagère « pot-au-feu ». On parle de « science du ménage ». On montre qu'une maison bien tenue, une cuisine bien faite, des enfants bien soignés réclament un savoir et un effort intellectuel de chaque instant à la femme de foyer. Ce mouvement aboutit dans les années vingt-cinq à la rationalisation du travail ménager. La maison est assimilée à une entreprise où l'on doit obtenir le meilleur rendement : « Il faut l'organiser de manière à utiliser au mieux le temps et l'argent [55]. » La ménagère doit acquérir une méthode pour « parvenir à l'irréprochable dans le geste à faire [56] ». La science du ménage consiste à « établir la corrélation entre l'enseignement des sciences à l'école et l'enseignement ménager [57] ». La femme de foyer ne peut ignorer les règles de l'hygiène, de la diététique, de l'économie pour gérer le bonheur des siens. La championne de la taylorisation du travail ménager est Paulette Bernège. Elle conseille à la ménagère de chronométrer ses gestes pour essayer d'améliorer ses résultats [58]. Travaux pratiques quotidiens...

## Le baccalauréat

L'éducation pour les filles est admise à condition qu'elle serve au couple, à la famille, au ménage. Mais l'instruction dispensée dans les lycées ouvre vers un savoir moins restreint. D'où le danger, et les longues temporisations du législateur avant d'ouvrir officiellement le baccalauréat aux filles.

Les lycées créés par Camille Sée préparaient seulement, en principe, à un diplôme de fin d'études secondaires. En réalité, ils préparaient au brevet, puis, à la veille de la guerre, au baccalauréat, mais de manière non officielle. Ils sont en retard sur les cours privés : le collège Sévigné prépare les filles au bac dès 1905, les pensions parisiennes suivent. Dans les années qui précèdent 1914, il se présente entre quatre cents et six cents filles par an au baccalauréat. Le bac pour les filles se généralise après la guerre, mais il faut attendre le 25 mars 1924 pour que, par un décret, Léon

Bérard abroge l' « enseignement secondaire des jeunes filles » tel qu'il a été conçu en 1880 : « On mettait fin, écrit Françoise Mayeur, au malentendu qui avait en quelque sorte imposé une éducation de luxe et de loisir à des jeunes filles assujetties à la loi du travail féminin [59]. »

L'enquête de 1914 montre que les lycéennes voudraient toutes pouvoir concilier un métier avec leur vie de famille. Certaines parlent de travail à mi-temps pour les femmes mariées. C'est sur ce point qu'il y a divergence entre les résultats et les buts poursuivis par Jules Ferry et Camille Sée. Les législateurs de 1880 souhaitaient former des maîtresses de maison, et non des femmes qui exerceraient une profession. Mais les lycées sont fréquentés par des filles de la moyenne bourgeoisie qui se préparent à une carrière, aussi bien que par de jeunes bourgeoises qui se cultivent sans se préoccuper d'obtenir des diplômes. Même si, dans les lycées de certains arrondissements de Paris, les secondes sont plus nombreuses (comme l'indiquent Louise Weiss pour Molière ou Mme R. pour Fénelon), c'est évidemment la première catégorie qui, dans l'ensemble, l'emporte.

En 1900, la question du niveau d'instruction à donner aux filles est posée dans les Congrès de femmes. L'instruction doit-elle être ou non « intégrale », c'est-à-dire identique à celle des garçons ? Une fille, comme un garçon, doit-elle passer le bac ? Si les féministes réclament, à l'unanimité, une instruction identique, elles avancent deux raisons bien différentes. Les unes, suivant la tradition, disent que les filles en auront besoin dans leur foyer, pour éduquer leurs enfants ; les autres avancent qu'elles en auront besoin pour faire des études supérieures et avoir accès aux professions libérales.

Pauline Kergomard, inspectrice des écoles maternelles, qui n'est pas partisane du travail de la mère hors du foyer, affirme qu'une instruction d'un niveau élevé est nécessaire à une mère pour qu'elle puisse suivre les études de ses enfants, de ses fils en particulier, qui, eux, iront au lycée et se présenteront au bac. Elle en donne pour preuve son expérience personnelle : « Les mères de mon âge, c'est-à-dire celles de " dans le temps ", même celles qui ont eu beaucoup de chance — c'est-à-dire la chance de vivre dans un certain milieu qui les a développées intellectuellement —, ces mères ont eu à traverser un moment excessivement douloureux, quand elles ont été obligées de s'arrêter dans l'éducation intellectuelle de leur fils ; je n'ai plus pu les suivre, et dès ce jour-là, il y a eu quelque chose qui s'est brisé [60]. »

Une mère cultivée se fera davantage respecter et admirer de ses enfants. Et l'on trouve, en cette même année 1900, dans le *Journal* de Marie Lenéru, une protestation indignée contre un article d'Octave Mirbeau, qui plaisante grossièrement à propos du féminisme :

« Comment n'imaginent-ils pas, qu'*au point de vue maternel même*, une femme doit avoir dans l'existence une vie, des habitudes et des aptitudes " par-delà " ses enfants ? Des enfants distingués n'auront pas facilement une adoration enthousiaste pour la bonne mère à qui ils serviront de prétexte d'existence, qui vivra de leurs gilets de flanelle et de leurs potions, de leurs problèmes et de leurs commérages, de leurs dix et de leurs nominations, de leurs examens et de leurs projets matrimoniaux.

« Lisez, au contraire, les lettres d'Auguste de Staël après la mort de sa mère, disant combien leur vie de famille était tombée, plus une conversation, plus un intérêt [61]. »

L'autre argument en faveur de l'instruction « intégrale » pour les filles est que le baccalauréat ouvre la porte aux études supérieures. C'est donc la seule voie d'accès aux professions libérales. Rappelons que la première femme médecin en France fut Madeleine Brès en 1875. En 1900, elles sont trente et en 1914, quelques centaines. La première à avoir obtenu le doctorat en droit, en 1892, fut Jeanne Chauvin. Elle est, en 1900, la seule femme avocate. On en compte douze en 1914, et dix-huit stagiaires [62]. Mais les filles qui font des études supérieures sont nombreuses à se retrouver professeurs de l'enseignement secondaire : en 1907, deux cent quatre-vingt-dix-sept agrégées et trois cent vingt-quatre titulaires du certificat d'aptitude [63].

### Les risques du métier

Colette Yver crée le mot « cervelines » en 1908, en le donnant pour titre à un roman qui connut un grand succès. L'année précédente, elle a publié *Princesses de science,* sur le même sujet. Sont mises en scène, et en cause, les femmes qui ont des ambitions intellectuelles et des désirs d'indépendance — les unes mènent aux autres — et sont confrontées aux rôles féminins traditionnels.

Les personnages masculins des deux romans sont médecins, les héroïnes sont médecins dans *Princesses de science,* médecin et professeur-journaliste dans *les Cervelines.* Ces messieurs tombent amoureux et attendent de leurs partenaires qu'elles correspondent à ce qu'ils sont en droit d'espérer : des femmes amoureuses qui, par amour, se consacreraient à eux. Ils sont déçus car ces dames ont du goût pour leurs travaux, scientifiques ou littéraires, et n'ont pas envie de les abandonner pour « rentrer à la maison ». Le dénouement seul diffère. En 1907, l'héroïne comprend *in extremis* la nécessité de troquer métier contre mari, en 1908, les mariages ne se font même pas. Ces femmes-là ne sont plus que des cervelles, elles ont perdu leur cœur.

Une femme doit s'intéresser à son intérieur, s'y projeter, en faire un nid à son image. Les cervelines sont suspectes dès qu'on voit leur cadre de vie et leur manque d'amour pour les choses de la maison, nous l'avons déjà dit. Mais le vrai scandale, c'est que le métier qu'elles exercent les amuse tellement (c'est le terme qu'emploie Jeanne Boerk quand elle parle de la médecine) qu'il les arrache au territoire normalement destiné à la femme, celui de l'intérieur, leur fait préférer l'extérieur. Elles se conduisent donc comme des hommes. Le Dr Guéméné aurait accepté que son épouse travaillât, mais *chez eux,* qu'elle continuât ses recherches dans un laboratoire installé à leur domicile. Elle y mènerait l'existence « d'une femme de science qui, sans quitter la maison ni le rôle qui l'y retient, travaille cependant, donne libre cours à l'activité de son cerveau, poursuit, dans son cabinet avec ses livres, dans son laboratoire avec ses expériences, son rêve d'études incessantes ». Il s'exclame : « Ah ! Thérèse, je vous vois ainsi dans l'intérieur que nous nous ferions. Comme vous seriez bien la femme nouvelle et idéale ! Gardienne du foyer, vous vous partageriez entre ses soins et vos profondes, vos discrètes études [64]. »

Que les études s'approfondissent, mais à l'intérieur, passe encore. Qu'au lieu de s'étendre en profondeur, elles s'étendent dans l'espace extérieur, débordent le domaine de la maison, et c'est la catastrophe : l'épouse est alors *dans la rue,* comme une femme de mauvaise vie, prête à l'aventure. C'est d'ailleurs ainsi que Guéméné vit une sortie nocturne de Thérèse. Elle est allée accoucher une patiente. Las de l'attendre, il s'endort dans un fauteuil à 3 heures du matin : « A 6 heures, le bruit d'une porte qu'on ouvrait le fit sursauter. Thérèse était devant lui toute fraîche sous sa voilette, fleurant l'humidité matinale, frissonnant un peu dans sa jaquette de drap ; et ce retour de l'épouse, au petit matin, le soin qu'elle prenait d'assourdir le bruit de ses bottines, tout avait un air clandestin, malséant, qui rappelait les romans d'adultère. » Il s'agit bien d'adultère, car Guéméné est jaloux des hommes que soigne sa femme : « Il ne l'eût voulu savoir occupée que de femmes et d'enfants [...] il pensait malgré lui à ces lits d'hommes sur lesquels, au hasard des visites, elle s'était penchée [...] il lui semblait que sa femme rapportait en elle un souvenir de ces intimités médicales, dans ses yeux une vision persistante des nudités entrevues. » Il le lui avoue. Elle répond fort justement que, si elle était mondaine, il la laisserait danser sans crainte avec des hommes ; dans ses consultations, en revanche, elle n'est plus une femme mais seulement un regard scientifique. Il a beau reconnaître que c'est vrai, cependant « il la caressait maintenant avec moins de délices à cause des souvenirs qui s'interposaient entre eux. Elle n'avait plus à ses yeux le même mystère, elle lui fut moins sacrée, comme si elle eût cessé d'être, pour lui, cette figure sainte que certains hommes voient dans l'épouse [65] ». Le contact avec l'extérieur déflore toujours la femme vouée à l'intérieur.

Si encore c'était le dévouement qui poussait Thérèse, Jeanne ou Marceline à avoir des activités à l'extérieur (domicile des malades, hôpital ou salle de conférences), elles seraient pardonnées, au moins excusées. Non ! c'est le plaisir intellectuel le plus égoïste ! D'ailleurs le cas de Marceline est exemplaire : elle est professeur d'histoire, mais ne vit pas son métier comme un sacerdoce. Ce qui l'intéresse, c'est la recherche. Elle rêve d'écrire une histoire monumentale de l'Antiquité. Elle veut quitter l'enseignement pour voyager et étudier. A la fin du roman, après avoir balancé entre son amour pour Jean Cécile et la liberté de travailler (on lui offre de quoi continuer ses études archéologiques), elle choisit la seconde voie. Si elle avait balancé entre son amour et l'enseignement et qu'elle eût choisi le second, tout aurait été différent : c'eût été du dévouement. Il est sublime de sacrifier son bonheur pour se consacrer à des enfants. Il est scandaleux de le sacrifier pour garder la liberté de s'épanouir l'esprit. Rien à voir avec la vocation de la femme. Une femme n'a droit qu'au foyer. Si elle y renonce, ce ne doit être que pour se dévouer à une cause plus large. La jouissance intellectuelle est de l'ordre du vice solitaire.

Pas de chances de salut pour les cervelines. Peu s'en faut que Thérèse ne passe à côté du sien. C'est seulement à la fin de *Princesses de science* qu'elle abandonne son métier pour son foyer. Elle n'avait pas su, auparavant, tirer une leçon du renoncement de sa condisciple Dina Skaroff, qui a laissé sans regret la médecine pour épouser un médecin, persuadée que la raison de vivre d'une femme est d'aider un homme à être heureux : « Nous ne sommes près de lui que des " assistantes " [...] Dit-on " vouée " ou " dévouée " [66]... » Un jour, Dina était venue déjeuner chez les Guéméné et Thérèse avait montré quelle pitoyable maîtresse de maison elle était. La vieille cuisinière n'avait préparé que des plats détestés par Guéméné, elle s'en était excusée, mais avait clairement indiqué que Thérèse était responsable de cet état de choses. Elle a servi dix ans chez la mère de Thérèse et elle dit : « C'était bien différent : Mme Herlinge donnait tous les ordres, elle était toujours là, on savait ce qu'on avait à faire... »

Plus tard, Thérèse rend visite à Dina, qui s'occupe de sa fille, aide les servantes, fait la comptabilité de son mari, est quelque peu infirmière aussi, dans la clinique qu'il dirige. Elle ajoute à ces activités les mondanités nécessaires, elle marchande ses chapeaux, mais, à 18 heures, rentre chez elle de toute façon pour accueillir son mari. Thérèse est écœurée par la médiocrité d'une telle existence. Elle-même a eu un fils qu'elle a attendu en pleurant, car sa grossesse l'obligeait à renoncer à sa thèse. Elle a refusé de l'allaiter et il est mort, sans doute à cause du lait de la nourrice. Son époux ne lui pardonne pas son égoïsme.

Il est surtout frustré de féminité, de douceur, d'attention, et il va trouver ailleurs ces qualités : auprès d'une jeune veuve qui, elle, s'est toujours entièrement consacrée à sa famille, à son mari jusqu'à sa mort, et maintenant à son fils. Il se met à aller régulièrement chez elle, elle lui offre un foyer qu'il n'a pas chez lui. Choc salutaire pour l'épouse indigne ! Elle se rend compte qu'une carrière ne vaut pas un mari, abandonne son métier et négocie avec la veuve. Celle-ci, à la veille de se donner au docteur qu'elle aime, se sacrifie et retourne à son fils et à la voie du devoir... Il était grand temps.

Colette Yver nous fournit elle-même la leçon de ces romans dans un ouvrage intitulé *Dans le jardin du féminisme* : « On ne lésine pas avec l'amour. Il comporte une humilité divine, une soumission. On n'aime qu'à la minute où l'on a dépouillé son moi, où on le renie au profit de ce qu'on aime [67]. » Elle accuse les féministes d'avoir éveillé la méfiance des femmes à l'égard des hommes et affirme que le mariage est pourtant toujours préférable au célibat. L'héroïne de *la Jeune Fille bien élevée* et de *Madeleine jeune femme*, les romans de René Boylesve, est certes mariée à un cuistre, mais elle est mariée. Serait-ce mieux qu'elle fût restée vieille fille ?

Il faudrait apprendre aux écolières, en même temps que leurs « devoirs de ménagères », leurs « devoirs de fiancées », c'est-à-dire la vraie hiérarchie des valeurs. Et pour cela, suggère Paul Adam, leur distribuer des biographies d'épouses admirables. Mme Berthelot, femme du grand chimiste, ferait très bien l'affaire. Marcelin Berthelot a été enterré au Panthéon en 1907 et Aristide Briand lui-même, dans son oraison funèbre, a rendu justice aux qualités de son épouse, « qui permettent à une femme belle, gracieuse, douce, aimable et cultivée, d'être associée aux préoccupations, aux rêves et aux travaux d'un homme de génie [68] ». Sa qualité essentielle, c'est d'avoir sacrifié son talent pour se consacrer à son mari et permettre à son génie à lui de se développer. Jeune fille, elle était l'élève du peintre Hippolyte Flandrin, qui l'engageait à continuer. Mais, au lendemain de son mariage, « elle voulut oublier tout ce qui l'aurait pu distraire de l'aide spirituelle et morale vouée à son mari. Joyeusement, elle rangea pour toujours ses pinceaux. Elle sentit qu'à faciliter par tous les moyens les travaux du chimiste, qu'à le débarrasser des soucis inférieurs, qu'à lui rendre le temps net pour les besognes du laboratoire et de la bibliothèque, elle accomplirait une œuvre magnifique autant qu'un tableau parfait ».

Le bonheur d'une femme, c'est de comprendre ce qui doit être privilégié : le foyer. C'est Colette qui affirme cela, dans un étonnant texte de 1942. Elle parle d'abord de la guerre de 1914 : les femmes ont dû se mettre au travail pour remplacer les hommes, elles y ont pris goût et se sont alors détournées de leur mission. Depuis, elles ont partagé avec les hommes le travail, le loisir, le plaisir. Suit un hymne aux femmes qui connaissent avec leurs compagnons autre chose que cette communauté-là : « A quelles femmes, à quelles jeunes filles trouvons-nous un charme qui parle de secret, de passé agéable, de modestie, sinon à celles que leur profession confine dans une solitude laborantine, un silence peu troublé, un colloque intérieur [69] ? »

Colette loue le souci qu'ont ces femmes de ne pas sacrifier au travail le foyer. L'ouvrière en journée « qui ne vient que l'après-midi parce qu'elle ne veut pas négliger son ménage », celle « qui recouvre ou rapièce à façon les couvre-pieds et qui ne veut pas laisser son mari déjeuner seul », elle leur rend hommage, à ces « gardiennes de foyers jamais désertés ». Ce qui rythme leur existence n'est pas leur métier, mais le départ et le retour de leur compagnon. Elles guettent, à la maison, le pas de leur homme dans l'escalier... Ce texte exprime à la perfection la force nostalgique attachée aux vieux clichés : la femme et l'intérieur, c'est tout un, une vraie femme, celle qui fait rêver, est liée à son foyer par une entente mystérieuse et profonde.

*Mais, disent-elles,*
*tout en travaillant, nous restons des femmes de foyer*

Louise Weiss, lors d'un bal à l'École des mines, dit à un de ses cavaliers qu'elle fréquente la Bibliothèque nationale. Il s'arrête net : « Il tenait les étudiantes pour des filles perdues ou de dangereuses sirènes [70]. » Et Louise Weiss d'ajouter : « Les bourgeois qui nous entouraient tenaient en horreur le travail des femmes, le manque d'argent et la libre pensée. » Manque d'argent et travail des femmes sont liés, on voit donc à quel double rejet sont condamnées les jeunes filles d'origine bourgeoise qui, parce qu'elles n'ont pas de dot, font des études en vue d'exercer un métier. Autant dire qu'elles sont perdues pour la bourgeoisie.

Une fois définie cette exclusion, on comprend mieux les tentatives qui sont faites pour justifier les intellectuelles, pour changer leur image de marque et les réintégrer dans la société. Non, parce qu'elles travaillent, elles ne sont pas pour autant perverties ; oui, elles peuvent être *aussi* de bonnes épouses et mères. En 1899, Georges Montorgueil fait, pour *l'Almanach féministe,* un reportage sur Mme Hélina Gaboriau, l'unique femme de France à être à la fois pharmacienne et docteur en médecine. Son mari, docteur également, a été son maître. Elle lui attribue, « avec une sincérité charmante », commente le journaliste, la plus large part de son succès : « Elle a étudié pour l'amour de lui, peu encline par goût à de tels travaux. » Épouse aimante, elle est aussi bonne mère et bonne éducatrice. Elle a une fille qu'elle a allaitée et qu'elle éduque. Le lecteur conserverait-il des doutes ? Sur ses qualités de ménagère, peut-être ? Il aurait tort. La science n'a pas tué en elle les « dons essentiels » de la femme, et elle dirige fort bien sa maison. Ainsi, conclut Montorgueil, « le doigt qui guide le scalpel tient aussi l'aiguille, et la blouse de l'étudiante n'a pas fait tort au tablier de la ménagère »... De la romancière Marcelle Tinayre, *l'Almanach* donne cette définition (dans le « Petit Dictionnaire des femmes de lettres ») : « Mariée très jeune avec un artiste de grand talent, elle est l'heureuse mère de trois enfants, ce qui ne l'a point empêchée de créer des œuvres intellectuelles hors ligne. » Ernestine Wirth, auteur de *la Future Ménagère,* rappelle la réputation de Marceline Desbordes-Valmore, aussi douée, paraît-il, pour le « veau à la bourgeoise » que pour la poésie [71].

Les féministes s'attachent à montrer qu'il n'y a aucune antinomie entre les occupations ménagères et les activités de l'esprit. Mme Virginie Demont-Breton, présidente de la Société des femmes peintres et sculpteurs, déclare, le 29 novembre 1893, lors d'un banquet en l'honneur de sa promotion dans la Légion d'honneur : « Pourquoi le pinceau, l'ébauchoir et la plume devraient-ils être en guerre avec l'aiguille et le crochet ? Pourquoi l'art serait-il en désaccord avec les mille petits soins dont est fait le bien-être, le bonheur de l'homme et de la famille [72] ? » Maria Pognon, au cours de son discours d'ouverture du Congrès international de la condition et des droits des femmes, le 5 septembre 1900, proteste contre « les antiféministes qui ne veulent voir en la femme que la reproductrice de l'espèce, s'élèvent bien haut contre nos théories d'éducation intégrale et nous reprochent de ne·plus vouloir avoir d'enfants ».

Au contraire, rétorque-t-elle, il y a, parmi les féministes, « beaucoup de mères et de très bonnes mères de famille ». En effet, plus une femme assume de charges, plus elle produit. C'est comme si son énergie décuplait : « Seules, les femmes sérieusement occupées trouvent le temps de faire des travaux exceptionnels, [alors que] les oisives, les mondaines, n'ont le temps ni de s'occuper de leurs enfants lorsqu'elles ont daigné en avoir ni de se rendre utiles à la collectivité. » Un journaliste, M. Ledrain, conseillait aux femmes d'organiser, plutôt que des congrès féministes, un concours de cuisine. Maria Pognon répond avec humour : « Je dois vous dire que, pour ma part, quoique présidente de la Ligue pour le droit des femmes, je fais moi-même mes confitures. Je prépare mes fruits moi-même, et je procède moi-même à la cuisson de ces fruits, dans la crainte qu'il n'y ait erreur. Eh bien, mes amis les trouvent exquises, mes confitures... » Trois jours plus tard, à la séance de clôture du Congrès, elle proclame utile la création du Conseil national des femmes françaises. Il fera savoir que « les Françaises sont de bonnes épouses et d'excellentes mères de famille » et défendra leur image de marque à l'étranger.

Gabrielle Réval, lorsqu'elle présente les métiers accessibles aux filles, cite le cas de la doctoresse Alice Sollier, qui dirige, avec son mari, un sanatorium. Elle rapporte ses propos : « Il n'y a pas d'économe. Ici l'œil du maître s'étend à tout ; en bonne femme de ménage — car j'ai la prétention d'être une très bonne femme de ménage, malgré mon titre de docteur — je veille aux approvisionnements de boucherie, de légumes, d'épicerie, de charbon [...] c'est une affaire d'ordre [73]. » La doctoresse insiste sur la nécessité d'organisation, qui permet de *tout* faire : « L'éducation de ma fille se fait auprès de moi, et j'espère avoir réussi, tout en travaillant pour nos malades, à être bonne épouse et bonne mère [...] L'ordre est un grand magicien et c'est lui qui a réponse à tout. »

Ces déclarations montrent comment l'on s'achemine vers la femme à tout faire, et ce qui a été dénoncé, ces dernières années, sous le nom de « double journée » de la femme. Une intellectuelle exerçant une profession libérale devait prouver qu'elle ne négligeait pas sa vocation « naturelle » de femme de foyer, que d'une part elle avait conscience que ce rôle-là restait le premier, que d'autre part les vertus féminines (une femme organise, éduque, console) pouvaient être employées avec profit dans une activité extérieure au foyer. Les filles qui s'émancipaient avaient à montrer que, loin de briser l'ordre social, elles le renforçaient par une conscience morale plus vive.

En 1982, il faut toujours répondre à la question : Votre vocation de femme, qu'en avez-vous fait ? Simone de Beauvoir soulignait, dans un entretien, qu'on ne demandait jamais à Sartre pourquoi il n'avait pas eu d'enfant, alors qu'elle-même avait toujours à se justifier sur ce point. Comme les mœurs ont évolué, qu'il y a beaucoup de mères divorcées ou célibataires, on demande moins compte à une femme de sa tâche d'épouse, mais on lui demande toujours compte de celle de mère. Quant au rôle de maîtresse de maison, il est de bon ton, pour une femme qui réussit dans son métier, de prouver qu'elle est capable en plus, en trois coups de cuillère à pot, d'organiser un dîner pour dix ou d'acheter les cadeaux de Noël de toute la famille. C'est même là le raffinement suprême. Il n'est que de lire les articles de *Elle* ou *Madame et le Management* de Christiane Collange : soyez hyperorganisées, nous dit-on, toujours prêtes, et en plus dans la gaieté ! Évidemment, les discours du début du siècle manquaient d'humour et de décontraction, ils parlaient de devoir. Les discours maintenant parlent de plaisir, pour désigner la même réalité. C'est cela, le progrès.

*Et si nous sommes féministes,*
*ce n'est que pour mieux répondre à la vraie vocation de la femme*

« Si nous réclamons une part un peu plus grande du pouvoir, ce n'est que pour accomplir mieux notre devoir », déclare Maria Martin, directrice du *Journal des femmes,* au Congrès international des œuvres et institutions féminines de 1889. Elle parle du journal *la Citoyenne* et de sa fondatrice, Hubertine Auclert. Elle voudrait donner d'elle une image rassurante : « Si vous pouviez voir de près la femme dont le nom vous semble synonyme d'extravagance et de théories révolutionnaires, vous la trouveriez occupée à quelque modeste ouvrage d'intérieur, à soigner ses enfants, à surveiller son ménage. Vous verriez que ce qu'elle veut renverser, ce n'est ni l'ordre ni la famille, mais les abus de la force partout où ils se produisent. Ce qu'elle veut réformer, ce sont les lois qui couvrent d'impunité les passions de l'homme et lui permettent de profiter de la faiblesse et de l'inexpérience de la femme[74]... » Hubertine Auclert n'a pas un couteau entre les dents, elle n'a rien d'une anarchiste, elle tient à la structure sociale et en particulier à la famille : « Loin de vouloir attaquer ou diminuer en rien les saintes influences du foyer, elle demande que ce foyer soit placé de plus en plus sous la protection de celle qui en est l'ange gardien... »

Prouver que le féminisme est respectable, que les femmes qui revendiquent des droits sont sérieuses et conscientes est l'obsession de toutes les militantes, qu'elles soient croyantes ou libres penseuses. Le 19 juin 1900, Pauline Kergomard confie aux assistantes du IIe Congrès : « Tout le monde sait que je suis féministe irréductible ; cependant mon féminisme irréductible va jusqu'à penser que nous devons essayer de fortifier et de restaurer la famille. Il est évident que la France sera ou ne sera pas, et qu'elle ne sera pas, si la famille est désorganisée. Je crois que le féminisme qui consisterait à faire quoi que ce soit aboutissant à une modification de la famille, dans un sens par trop large, c'est-à-dire en enlevant les liens qui doivent exister entre les membres de la famille, ce féminisme-là commettrait une mauvaise action. » Elle est, dit le rapport du Congrès, vivement applaudie. La veille, Isabelle Bogelot a rendu hommage à Émilie de Morsier, disparue en 1900, qui avait, en 1889, présenté au Congrès une récapitulation des œuvres dues aux femmes : « Cette femme était restée vraiment femme. Si elle avait la grâce en partage, elle possédait en même temps les qualités sérieuses qui doivent être l'apanage de son sexe. Elle était une fille respectueuse et aimante, une épouse tendre, une mère dévouée, une amie fidèle et une grande patriote. »

Les féministes se défendent contre l'accusation qu'on leur lance souvent : il n'y a dans vos rangs que des célibataires. Le journal *la Française* précise, le 22 septembre 1907, que sur cent vingt et une femmes membres de la rédaction, seulement vingt-sept sont célibataires, et, sur ces vingt-sept, une seule par choix. Elles rejettent celles qui « passent les bornes du féminisme respectable » : non seulement quelques excitées comme Mlle Arria-ly, qui réclame la virginité universelle pour exterminer la race masculine, mais même Madeleine Pelletier, qu'elles reconnaissent remarquable, mais qui a sur la famille des vues révolutionnaires[75]. Séverine décerne aux congressistes des Droits de la femme de 1900 un brevet de respectabilité : « Quelques malavisées, évidemment, qui, pour mieux défendre la cause féminine, adoptent l'allure masculine, mais combien rares ! La plupart de ces femmes étaient des mères de famille ayant fait leurs preuves, en matière d'éducation. Et sous les gants plus d'un index délicat eût témoigné par d'imperceptibles piqûres que l'aiguille avant la plume avait livré les combats ménagers[76]. »

Elles se veulent responsables, et dignes, mais elles se veulent aussi séduisantes. Dans le même compte rendu, Séverine déclare lyriquement : « Le soleil s'éteindra et les mondes rentreront dans le chaos avant que l'Ève nouvelle même revendicatrice renonce à plaire, avant qu'elle abdique un atome de grâce, une parcelle de séduction. » Les journalistes de *la Fronde* plaident pour le « féminisme en dentelles[77] ». La fondatrice et directrice du journal, Marguerite Durand, était fort jolie femme, si l'on en juge d'après le tableau de Jules Cayron, daté de 1897, qui la représente, assise sur un banc, vêtue d'une robe blanche et vaporeuse, blonde et élégante. Elle donnait volontiers, dans l'hôtel qui abritait les locaux du journal, rue Saint-Georges, des fêtes auxquelles elle conviait le Tout-Paris, la presse et les hommes politiques. Ses confrères journalistes, qui commentaient ces réceptions, rendaient hommage à son charme.

Les féministes revendiquent donc toutes les qualités traditionnelles de la femme. Elles reprennent à leur compte le discours sur la nature féminine : la femme est faite pour sentir, se dévouer, consoler. Marie Dugard, le 21 juin 1900, présente au Congrès un rapport qui traite « de l'action de la femme sur le rapprochement des classes ». C'est à la femme qu'il appartient de « pacifier » et d' « élever » l'homme. Tout la désigne pour être « médiatrice » et « éducatrice » : sa nature « plus portée vers l'amour agissant que vers les idées abstraites », ses fonctions maternelles, son « besoin d'harmonie ». Sa tâche première est de se préoccuper de ceux qui souffrent. Voilà pourquoi Marya Cheliga propose de l'enrôler dans la « Ligue contre la cruauté », elle « dont la débilité physique doit compatir à la faiblesse, dont les yeux ne peuvent rester secs devant

les larmes de ceux qui pleurent et implorent du secours, dont toute
la force sentimentale doit aider à l'évolution morale de l'humanité[78] ». Même lorsqu'il est question du métier d'une femme, on en
parle encore en termes de vocation et de dévouement. Mlle Des-
champs, dans son rapport du 22 juin sur « le Rôle de la femme
médecin », développe son aspect philanthropique. Il faut, dit-elle,
que les femmes médecins soient chargées du service des prisons de
femmes et des refuges : « Qui mieux qu'une femme pourra les
comprendre, les malheureuses qui y sont internées, sentir tout ce
qu'elles ont dû souffrir [...] Qui, mieux qu'une femme, pourra
sympathiser avec elles et, au lieu de leur jeter un implacable regard
de mépris ou de dégoût, les plaindre, les aimer comme on aime un
enfant malade, un être débile, une victime ? »

*Qui mieux qu'une femme ? :* la formule va servir à faire passer les
vertus de la femme de foyer à celle qui exerce une profession. Ainsi
la femme dans son métier, hors du foyer, continuera-t-elle néanmoins à répondre à sa vraie vocation.

# 3

# La femme-qui-travaille

## LA CÉLIBATAIRE

Trop d'érudition pour les filles affaiblit la maternité, corrompt l'amour, dissout la famille. Charles Turgeon, dans son *Histoire du féminisme français,* énumère les « infortunes de la femme savante[1] » : débouchés professionnels insuffisants, surmenage cérébral et faiblesse physique, curiosité jamais satisfaite. Hugues Le Roux, lui, écrit que la femme cultivée glisse vers la corruption, alors que l'homme cultivé va vers Dieu[2]. L'instruction forme l'esprit critique, développe la curiosité, le goût d'en savoir plus... Jusqu'où cela peut-il aller ? se demandent ces messieurs. Les filles « trop » instruites trouveront-elles un mari ?

Lors du IIᵉ Congrès des œuvres et institutions féminines, en 1900, le Dr Edwards-Pilliet apporte son témoignage : études supérieures et mariage ne sont pas incompatibles puisque elle-même et les quelques jeunes filles qui, en même temps qu'elle, suivaient les cours de la faculté de médecine, se sont toutes mariées — avec des camarades de promotion d'ailleurs. Mais évidemment, les femmes médecins sont si peu nombreuses qu'il est difficile d'en tirer des conclusions. Il y a, en revanche, beaucoup plus de professeurs, leur exemple est donc plus significatif. Adeline Daumard fait remarquer que les agrégées enseignant dans les lycées, qui, par leur métier auraient dû être admises dans la bonne bourgeoisie, étaient en réalité déclassées et, la plupart du temps, restaient célibataires[3]. Il était difficile de les réintégrer dans un rôle d'épouse et mère bourgeoise : elles avaient fait des études trop poussées, étaient suspectes d'indépendance d'esprit, d'une part ; de l'autre, leur métier ne pouvait en aucun cas remplacer une dot, puisque la première chose qu'un époux de la classe aisée leur aurait demandée, c'était de l'abandonner.

Dans les carrières féminines subalternes, la question du célibat était moins aiguë. L'institutrice, l'employée des postes ou d'autres administrations, la demoiselle de magasin épousaient souvent des collègues. Comme ces couples gagnaient peu d'argent, on laissait travailler la femme. Ce n'est pas là la bourgeoisie, mais la partie intermédiaire entre le prolétariat et la petite bourgeoisie. Au contraire, les femmes qui exerçaient des professions libérales (les professeurs représentaient la majorité) avaient, lorsqu'il s'agissait de mariage, une situation difficile. Pour répondre à l'image de marque de la femme bourgeoise, elles devaient laisser leur métier. Quant à épouser un collègue professeur, solution plus tard devenue classique, ce n'était pas dans les mœurs au début du siècle. A la génération suivante, quand les enfants d'instituteurs seront devenus professeurs, ils se marieront entre collègues. Mais avant 1914, dans la mesure où être bourgeois c'était, entre autres conditions, avoir une épouse qui ne travaillait pas et une domestique pour la servir, un professeur n'épousait pas l'une de ses collègues. Dans les romans de Camille Marbo, par exemple, les professeurs de lycée apparaissent comme des individus pas très reluisants, mais attachés à leur statut de bourgeois[4].

Or le célibat effraie. Une femme le subit, s'y résigne, il est très rare qu'elle le choisisse. Il y faut des conditions exceptionnelles. La comtesse de Pange signale le cas de la tante de son grand-père, la comtesse Pauline d'Armaillé, chanoinesse en Bavière, morte en 1891. Passionnée d'agriculture, elle ne s'était jamais mariée « par crainte de devoir abandonner à son mari la direction de ses affaires qu'elle entendait gérer elle-même[5] ». Elle se consacrait à ses terres de Saint-Amadour et son titre lui servait, disait-elle, de « mari de parchemin » : il lui évitait d'être traitée de vieille fille. Pour vouloir garder son indépendance, il n'y a guère qu'une riche originale, ou encore une féministe convaincue comme Madeleine Pelletier qui affirmait : « Les lois et les mœurs asservissent la femme et elle ne peut guère trouver un peu de liberté qu'en se privant d'amour[6]. » C'était aussi la conviction de Mme Michel, le professeur d'anglais que Clara Malraux avait au lycée Molière en 1913 : la femme doit payer sa liberté sociale en restant chaste.

Mais la plupart des filles souhaitent se marier. Toutes, écrit

Gabrielle Réval, ont la même représentation des choses : « Illusion ou réalité, la tendre image de la femme s'appuyant à l'homme, " comme la vigne s'appuie à l'ormeau ", rattache dans une commune palpitation les cérébrales qui s'émancipent aux autres femmes, heureuses de vivre obscures au foyer conjugal[7]. » C'est pourquoi, même s'il est un fait que les jeunes filles sans dot se marient de .moins en moins et sont obligées de travailler pour se nourrir (nous sommes en 1904), cette situation n'est vécue que comme un pis-aller. L'image du foyer est un tel pôle d'attraction qu'il est extrêmement difficile d'y échapper. D'où la véhémence que mettait Alexandre Dumas fils à prévenir Judith Gautier et sa sœur en leur disant qu'un mariage médiocre serait bien pire pour elles que le célibat. Elles mènent une existence privilégiée, rencontrant l'élite du monde et de la culture, et ne pourraient se contenter d'une vie de famille si elles se déclassaient en se mariant : « Et il nous faisait, raconte Judith, un tableau très noir de la vie étroite, du logis encombré, de la marmaille criarde et mal tenue, du terre à terre de tous les instants[8]... » Propos personnalisé, conseil d'ami. Ce n'est pas ce que met en scène la fiction. Les romanciers montrent plutôt que rien ne résiste à l'appel de l'amour et du foyer, que rien n'est pire que le célibat, que rien ne vaut le nid, l'époux, les enfants.

Qu'elle vive au sein de sa famille ou gagne sa vie en travaillant à l'extérieur, la célibataire doit justifier son existence en référence au rôle de mère en principe dévolu à la femme. C'est le cas des filles aînées qui renoncent à toute vie personnelle pour s'occuper de vieux parents ou de frères et sœurs. Citons par exemple Mathilde Duchâtenel, l'héroïne de *la Vie en famille* de Zénaïde Fleuriot. Zénaïde Fleuriot s'est fait le chantre de la famille chrétienne et du sacrifice souriant, ses livres nous paraissent aujourd'hui très datés, désuets, mais on les offrait encore volontiers aux petites filles il y a trente ans. Mathilde se consacre à son père devenu aveugle, à sa grand-mère, à l'éducation de sa plus jeune sœur : « Je vieillirai en leur prodiguant mes soins, je n'aurai pas du moins à encourir ce reproche d'inutilité qu'on jette aux vieilles filles. Vieille fille !... C'est en souriant que je me pare de ce titre que le monde ridiculise, le plus souvent à tort. Quant à moi, je l'accepte sans le moindre sentiment de honte. N'ai-je pas des affections de famille suffisantes[9] ? »

Ce roman date de 1862, mais on continue à trouver pendant longtemps encore ce discours chrétien. Léon Rimbault, parmi les *Vaillantes du Devoir*, classe les « vierges du foyer » et leur sainte patronne, Geneviève : « La virginité au foyer est une vocation, au même titre que le mariage ou la vie religieuse[10]. » *Après le pensionnat* rend justice à la vieille fille et au dévouement maternel qu'elle investit dans son rôle de grande sœur, tante, etc. De plus en plus, cependant, la famille apparaît comme un champ trop restreint d'activité pour la célibataire, et on lui propose un rôle social plus large. Pas seulement les philanthropes chrétiens, mais aussi des féministes. Anna Lampérière, en 1909, analyse, après la « situation normale » de la femme, dans la famille, la « situation anormale » de la femme isolée. Et elle écrit : « La femme isolée n'est plus sans orientation dans une vie manquée : à défaut d'une famille à elle, il lui faut pourvoir à la famille sociale [...] Maternité indirecte, sa maternité sera effective quand même[11]... » L'enseignement supérieur féminin devrait créer un personnage de mère suppléante, peut-être plus efficace que la vraie mère, qui, elle, est « absorbée par des soins divers ». Pour la femme dans la famille, Anna Lampérière avait défini trois rôles : mère, économiste, esthéticienne (c'est-à-dire créatrice d'harmonie). Ces trois rôles, la femme isolée devrait les remplir pour la société. Elle pourrait, par exemple, s'employer « au bénéfice des vieillards, des enfants ou des malades sans famille[12] ». Chacun y trouverait son compte : l'État, puisque des « maisons de famille » remplaceraient les hôpitaux de l'Assistance publique, et les femmes seules que ce travail comblerait affectivement, tout en leur procurant des ressources matérielles.

L'ancienne « vieille fille » promue au rang de « Vaillante » ne peut gagner sa vie qu'en exerçant des métiers où elle utilisera son cœur. L'Université des Annales donne, en 1907, un devoir de vacances sur le thème : « Vieilles Filles d'hier, Vaillantes de demain. » Le *Journal* reproduit le texte envoyé par une jeune fille : « Celle-ci instruira les enfants et conservera à leur contact la jeunesse de son sourire ; celle-là assistera les pauvres ; une troisième se penchera avec sollicitude sur le lit des malades et leur prodiguera les secours de la science avec ceux du dévouement[13]. » S'occuper des êtres faibles, voilà la seule vocation qu'on accorde à une célibataire obligée de travailler. On fait d'une pierre deux coups : on lui donne ce qui lui manque, des êtres à chérir et à protéger, et on l'emploie comme rouage social. C'est ainsi qu'on obtient des générations d'éducatrices et d'infirmières.

Le cas de la célibataire est intéressant parce qu'il montre comment les attributs de la femme dans son rôle au sein de la famille et de la sphère privée glissent vers le rôle qu'elle a à tenir dans l'administration publique. Le paradigme même de ce glissement est la célibataire enseignante. La femme de foyer est mère dans sa chair, l'enseignante est une mère pour ses élèves. C'est pourquoi l'enseignement est la vocation « naturelle » de la célibataire qui doit gagner sa vie : « Elles vont vers les enfants des autres porter une maternité magnifique et impatiente [...] elles trompent cette faim d'aimer, elles obéissent avec frénésie à ce besoin de dévouement, sans lequel s'écroulerait le monde[14]. »

Une fillette a ses poupées, une mère ses enfants, une institutrice ses élèves. La tendresse pour les enfants est le sentiment le mieux partagé par les femmes : « Il y a de bonnes et de mauvaises épouses ; il n'y a que de bonnes mères. » Dès l'enfance, une femme réagit en mère. Ernest Legouvé le prouve avec l'anecdote suivante : « Une petite fille, âgée de cinq ans, et chargée dans une salle d'asile de veiller sur quelques enfants plus jeunes encore, pleurait devant la directrice ; interrogée sur la cause de ses larmes, elle répondit : " Mes filles ne sont pas sages. " Si c'eût été un garçon, ajouta l'inspectrice qui me racontait ce fait, il aurait dit : " Mes élèves ", et les aurait probablement gourmandés au lieu de pleurer avec eux[15]. » C'est pourquoi on a pu si aisément représenter l'enseignement comme un sacerdoce féminin : « Soit que la femme se livre à l'enseignement à l'intérieur de la famille, soit qu'elle utilise ses talents pour se créer des ressources, c'est toujours une mission maternelle et honorable qu'elle remplit au profit de ses propres enfants ou des enfants qui lui sont confiés[16]. »

Les discours officiels justifient la place à donner aux femmes dans l'enseignement par l'équivalence entre le rôle d'institutrice et le rôle de mère. Un inspecteur général de l'Instruction publique l'exprime clairement dans un rapport au Congrès féminin de juin 1900. Après avoir affirmé qu'il est « contre nature qu'une femme ait à gagner sa vie », parce que sa place est dans la famille, il explique que, néanmoins, avec la profession d'enseignante, la femme « reste dans son rôle naturel de mère[17] ». L'institutrice ne fait que prolonger la mère, il n'y a pas de différence essentielle entre les deux. Donc l'enseignement primaire des filles est le domaine dévolu aux femmes, ainsi que la gestion économique des établissements. De même que l'instinct maternel de la femme la conduit à éduquer les enfants, ce sont ses qualités de maîtresse de maison qui font d'elle une bonne gestionnaire : « Elle aime son école, son lycée, c'est-à-dire sa maison, de toute son âme ; elle l'administre comme elle ferait de son propre ménage. »

La « nature féminine » trouve son champ d'application non plus seulement dans la famille, mais aussi dans certaines institutions organisées par l'État. De préférence aux échelons subalternes de l'administration, et sans droit de vote, évidemment : femmes de devoir, elles trouvent en l'accomplissant leur noblesse et n'auront que faire de droits politiques. Henri Marion, qui faisait à la Sorbonne, en 1893, un cours sur l'éducation des filles, se prononce contre le vote des femmes. Elles veulent être des citoyens ? Ce n'est pas en votant qu'elles le deviendront, mais en aidant « à élever des hommes et des citoyens ». Elles parlent de droits politiques ? C'est qu'elles ne comprennent pas leur pouvoir : « L'éducation, voilà la vraie politique, la politique supérieure, à longue échéance et à longue portée [18]. » Les jeunes filles, bien sûr, n'échappent pas à ce discours sur la vocation éducatrice. Amélie Gayraud cite dans son enquête la réponse d'une grande élève du lycée Fénelon : « Je connais parmi nous plusieurs élèves qui ont vraiment l'idée de remplir dans l'enseignement une sorte d'apostolat [19]. »

Le modèle de la mère s'est déplacé du privé au public, le personnage de la pédagogue n'en est qu'une extension. Institutrice ou professeur : « Un joli métier pour une femme. »

## Madeleine Pelletier

Ainsi l'institutrice célibataire se trouve non seulement conformée au modèle, mais, qu'elle le veuille ou non, contribue à le diffuser hors de l'institution familiale dans la vie publique. Ainsi la femme vierge reste collée au modèle, malgré ce que souhaitait Madeleine Pelletier, qui publie, en 1933, sous ce titre : *la Femme vierge,* un roman en grande partie autobiographique. Son héroïne, Marie, a choisi de rester célibataire et chaste, elle a « remplacé l'amour par la vie cérébrale [20] ». Plus tard, dit-elle, quand la société aura évolué, la femme pourra mener librement sa vie sentimentale et sexuelle. Pour l'instant, il vaut mieux y renoncer, puisqu'elle emprunte nécessairement la voie du mariage et de la maternité qui la « relèvent ». Or il est quasiment impossible de concilier les activités de l'esprit avec les fonctions d'épouse et de mère. Marie se prive volontairement des plaisirs amoureux pour pouvoir jouir des plaisirs de l'esprit. Rester vierge équivaut à rester libre.

Elle récuse le modèle de la femme de foyer, et doublement, puisque, non contente d'avoir choisi le célibat, elle refuse d'être mère par procuration. Elle qui était institutrice, du jour où un petit héritage lui permet de vivre de ses rentes, laisse l'enseignement pour étudier et écrire. Choix absolument égoïste ! Toujours par refus du modèle, elle abandonne les féministes qu'elle fréquentait : la Solidarité des femmes, présidée par Caroline Kauffmann. Elle est en désaccord avec ces militantes bourgeoises qui mêlent aux manifestations l'éternel féminin, les fleurs et les bébés, sous prétexte que « la femme devait rester dans son domaine et montrer qu'elle ne comptait pas l'abandonner, même lorsqu'elle réclamait des droits [21] ». Lassée d'être sans cesse renvoyée à l'image de l'éternel féminin, Marie s'inscrit au Parti socialiste. Mais, là encore, elle retrouve ce qu'elle fuit : au Congrès de Pontivy, Lafargue lui conseille de féminiser son apparence.

Madeleine Pelletier est une figure féminine à part. Si on regarde des photos d'elle, on est étonné par son allure masculine et volontairement dépourvue de séduction. Ce n'est pas sur ce terrain qu'elle se bat. En renonçant au modèle de la femme de foyer, elle renonce à toute vie privée, elle ne situe plus son existence que sur la scène publique. Vers 1910, elle est la seule femme qui « milite vraiment à la S.F.I.O. [22] ». Ses écrits témoignent d'une remarquable lucidité et indépendance d'esprit. Son livre sur l'*Éducation féministe des filles,* publié en 1914, est sûrement ce qu'on a écrit de plus pertinent en la matière. Elle démonte par exemple fort bien le mécanisme de l'aliénation : elle conseille de ne pas donner à la petite fille des éducatrices, mais des éducateurs, parce que ce sont les femmes qui transmettent le mieux les modèles traditionnels et qui enchaînent leurs élèves là où elles sont elles-mêmes enchaînées. Si l'on veut que changent les mentalités ancestrales, il faut en finir avec cet assujettissement des femmes transmis par les femmes elles-mêmes.

Ce qui fait l'originalité de la position de Madeleine Pelletier, c'est qu'elle est sans illusion sur la possibilité pour une femme de disposer d'elle. Elle peut seulement choisir de n'être pas épouse et mère, elle ne peut pas, comme un homme, disposer de son corps librement. Qu'elle le veuille ou non, le modèle pèse sur elle, entraînant, si elle ne s'y conforme pas, la culpabilité : si on n'est pas « maman », on est « putain ». Pour que se dégage une autre représentation, un troisième terme, il faut du temps et plusieurs générations. Dans l'état des mentalités au début du XXᵉ siècle, la liberté de la femme n'est que partielle, elle n'a que le choix du refus, elle n'a pas le choix tout court. Madeleine Pelletier cependant n'échappe pas tout à fait à l'idée de vraie vocation féminine, puisqu'elle était médecin. Le modèle de la femme qui éduque et qui soigne vous tient toujours d'une manière ou d'une autre.

## Le couple égalitaire

« On ne naît pas femme, on le devient », écrit en 1949 Simone de Beauvoir dans *le Deuxième Sexe*. Elle récusait ainsi l'idée de nature féminine et ce qui en découlait : le modèle de la femme de foyer. De ce refus philosophiquement exprimé, elle a voulu que sa vie fût l'exemple même. Elle n'a pas été « femme de foyer ». Elle n'a pas épousé Sartre ; ils n'ont pas voulu être l'un pour l'autre l'unique partenaire sexuel. Ils ont vécu chacun chez soi, d'abord à l'hôtel à des étages différents, plus tard dans des appartements séparés. Ils n'ont pas eu d'enfant.

Beauvoir se présente comme la femme-qui-travaille. Grâce à son éducation universitaire, professeur et écrivain, elle a gagné son indépendance. C'est ce qui lui permet une existence séparée de celle de son compagnon, ce qui garantit non seulement que le choix a été libre, mais, plus important, que, dans la durée, la liaison continue d'être librement consentie. Grâce à l'indépendance économique, l'alliance n'a plus d'autre fondement que la liberté. Ainsi la nécessité économique qui a conduit Beauvoir à exercer une profession se trouve-t-elle retournée en instrument de libération. Madeleine Pelletier revendiquait pour la femme un métier qui lui permît de rester célibataire, sans être obligée de chercher dans le mariage un homme pour assurer sa subsistance. Simone de Beauvoir a fait la même chose, en remplaçant le célibat par l'union libre.

Mais l'union libre, c'est aussi une forme de conjugalité, et Beauvoir et Sartre ont été, aux yeux du public, dans leur célébrité d'après guerre, un couple (tout comme, dans un autre style, Aragon et Elsa), pour ne pas dire un des modèles du couple — le couple des égaux.

Et, à y bien regarder, il y a là une sorte de malentendu.

1. Les femmes et les hommes qui se sont efforcés et qui s'efforcent encore de se conformer au modèle du couple égalitaire

ne renoncent en général ni à la vie commune, ni aux enfants. Leur modèle, sans qu'ils le sachent, est moins « Beauvoir et Sartre » que celui que toutes sortes d'écrivains progressistes souhaitaient, appelaient, prévoyaient depuis longtemps. Que l'on se souvienne par exemple des frères Margueritte, féministes et pacifistes, qui croient au progrès moral et à l'avènement d'une société plus juste. Dès 1899, dans *Femmes nouvelles,* ils veulent que le mariage devienne « vraiment ce qu'il y a de plus noble au monde, l'union jeune de deux libres volontés pour la vie et la mort [23] »... que le mariage ne puisse « jamais être l'impasse boueuse mais la grand-route où l'on marche à deux, en vertu du contrat joyeusement consenti, comme de loyaux compagnons, non comme des forçats rivés à la chaîne ». Et les auteurs d'ajouter : « Et cela, bien entendu, dans l'intérêt vital des enfants. »

Nous avons montré plus haut comment, dans sa trilogie de *la Femme en chemin,* Victor Margueritte prévoyait l'avènement du couple idéal. Il y avait d'abord Monique Lerbier, la garçonne, qui, après ses errements, était rédemptée dans le mariage, renonçait à son métier de décoratrice et mourait dans la philanthropie. Ensuite, dans *le Compagnon,* Annik Raimbert, l'avocate, choisit délibérément l'union libre pour mettre en accord sa vie privée et son action militante en faveur des filles-mères. Elle veut en effet que la mère ait sur ses enfants les mêmes droits que ceux jusque-là réservés au père. Le choix de l'union libre est pour elle un acte destiné à faire progresser la cause du couple des égaux. Et, à la génération suivante, dans *le Couple,* dédié « aux Mères », les personnages n'auront plus besoin de dire non. Les filles (l'une sévrienne, l'autre médecin — jolis métiers pour des femmes : l'entretien de l'esprit et du corps) peuvent aimer et épouser les garçons (l'un polytechnicien et chercheur en aéronautique, l'autre sorti des Arts et Métiers et fabricant d'engins agricoles — belles vocations masculines : la conquête du ciel et de la terre). Leurs couples, grâce à la lutte menée par leurs parents, par l'avocate surtout, seront placés sous le signe du respect mutuel, de la générosité, du bonheur, de la fidélité : « Couples nouveaux, ouvriers de demain [24]... »

Curieusement, tout se passe comme si l'image publique, l'image d'Épinal, du couple Beauvoir-Sartre accomplissait la même fonction que l'étape de l'union libre dans *le Compagnon.* Fonction de contestation qui permet et autorise le désir de conjugalité triomphante, placé sous le signe de l'égalité. Tant il est vrai que, hormis

quelques contestations soixante-huitardes et quelques tentatives
sporadiques de vie en communauté, le couple plutôt que la famille
est désormais le modèle dominant.

2. La femme-qui-travaille serait *la* condition du couple égalitaire.
Remarquons d'abord que Simone de Beauvoir, pour sa part, ne
l'avait pas trouvée suffisante... Le travail de la femme, en assurant
son indépendance, permettrait de fonder le couple sur la liberté.
Mais le travail de la femme assure-t-il vraiment la Liberté — avec un
L — ? Toutes ne sont pas écrivains. Certes, la condition bourgeoise
permet à certaines d'exercer des professions gratifiantes, mais ce
n'est pas toujours le cas, et le travail, ça peut être aussi le boulot.
Souvent, je dirai même la plupart du temps, l'indépendance
économique n'assure pas la liberté, mais la sécurité. C'est une
assurance contre le divorce catastrophique. Et puis, sincèrement,
qui désire véritablement vivre à deux pour, le soir, après la journée
de travail, se livrer librement au dialogue philosophique ?

En vérité, le travail de la femme n'est pas étranger à l'avènement
et à la diffusion de l'idéal du couple égalitaire, qui s'accompagnent
d'un amenuisement (je ne dis pas disparition) du modèle de la
femme de foyer. Mais ce n'est pas parce qu'il est libération. Il fait
partie d'une transformation complexe, qui demanderait de longues
analyses. Cela concerne toute l'organisation de la production
économique...

La femme de foyer, économe et digne, « ministre de l'Intérieur »,
implique la famille comme instrument de gestion des personnes
privées par l'État. Mais aujourd'hui le couple qui se veut égalitaire
ne forme plus exactement cette famille-là. Ils s'installent dans le
même appartement, en union libre d'abord, pour ensuite se marier,
simple formalité, lorsque vient un enfant. Ils se sont installés
ensemble pour faire l'économie d'un loyer, pour acheter des
meubles, une machine à laver la vaisselle, une chaîne hi-fi, un
magnétoscope, etc. Elle n'aménage pas un nid, ils consomment.
Elle, les articles ménagers, lui, les objets électroniques. Ensemble,
ils ont acheté le canapé, ensemble ils achètent des voyages. Arrive le
bébé, ils maternent à deux, ils lui donnent le biberon chacun à leur
tour. Mais s'ils le peuvent, ils le mettront aussi à la crèche. Bien vite,
l'enfant ira à l'école. Ils s'intéresseront sans aucun doute à son
éducation — en s'inscrivant à l'association des parents d'élèves. Et,
en même temps, ils ne pourront s'empêcher de trouver l'école bien
dure et contraignante pour ce pauvre petit et s'efforceront à la

maison, autant que leur patience peut le supporter, d'être aussi peu autoritaires et directifs que possible...

Par ces quelques remarques, trop ironiques et trop rapides, je voudrais suggérer que l'idéal du couple égalitaire est, avant tout, conséquence d'une évolution sociale. Il ne vient pas d'abord d'une prise de conscience, mais du développement de la consommation dans la médiatisation des rapports sociaux, et du développement du « social », c'est-à-dire de la prise en charge de bien des aspects de la vie individuelle et privée par l'administration. L'éducation et la santé en sont les exemples les plus évidents. Le couple que nous évoquons ne pensera plus ses difficultés en termes de morale, mais en termes de santé. Pour régler les « problèmes », les siens et ceux des enfants, il fera appel aux psychologues, psychanalystes, conseillers conjugaux, sexologues, orthophonistes, etc.[25].

Lorsque la femme travaille, le couple tend à devenir égalitaire. Est-ce que cela veut dire que la femme de foyer disparaît ? Est-ce que cela veut dire que, tout d'un coup, le modèle de la femme de foyer a été remplacé par le modèle du couple ?

Le couple se réaménage de l'intérieur. Laure a épousé Henri, jeune professeur qu'elle aime. C'est un *macho*. Trop jaloux, trop tyran, il la désire exclusivement consacrée à lui. Il veut qu'elle lui donne tout son temps, l'empêche d'avoir des activités personnelles à l'extérieur (s'occuper d'un patronage laïque une fois par semaine...). Elle se révolte contre lui, elle se révolte contre elle-même, car après les humiliations, elle se laisse reconquérir au lit. Finalement elle s'éloigne, travaille, enseigne.

Elle s'abonne à l'*Ève nouvelle* et à des revues féministes : « Ces lectures avaient soutenu sa résolution en l'éclairant sur l'oppression de son sexe et sur les efforts des femmes pour conquérir leur dignité [...] Un sentiment puissant de communauté avec des femmes inconnues, poursuivant, par des moyens divers, la même œuvre d'affranchissement, pour elles-mêmes d'abord, pour leur sexe, était en elle, peuplant les heures d'attente et d'insomnie[26]. » La séparation est l'occasion, pour l'un comme pour l'autre, d'une prise de conscience. L'homme et la femme sont faits pour vivre ensemble, mais pour autant, dans le couple, la femme ne saurait être une créature assujettie.

L'histoire de cette crise conjugale n'a pas été écrite dans les années récentes. Il s'agit de *L'un vers l'autre,* roman de Louise-

Marie Compain, féministe, publié en 1903. Les tribulations de
Laure et Henri rappellent étonnamment les tractations et négocia-
tions, plus ou moins violentes, aigres ou diplomatiques, que l'on a
pu voir se dérouler il y a peu à l'intérieur de bien des couples.
Cependant, lorsque l'épilogue a été « heureux », ce ne fut pas le
même qu'en 1903. Quand Laure acceptait de rentrer à la maison,
elle renonçait à son travail et déclarait : « Notre vraie place est au
foyer, mais nous n'y pouvons vivre qu'honorées, et je le dis encore,
mieux vaut souffrir et forcer nos facultés qu'accepter un bonheur
indigne [27]. » Au terme du réaménagement interne, lorsque les deux
partenaires marchent également l'un vers l'autre, elle trouve à la
fois le rôle de la femme de foyer et la dignité.

Car il n'y a pas, à la vérité, d'antinomie fondamentale entre le
modèle de la femme de foyer et celui du couple égalitaire. Au début
du siècle, c'est le premier qui domine, au point d'occulter l'autre. Le
second a pourtant fini par s'en dégager et devenir dominant à son
tour, sans que la famille et le ménage disparaissent.

Le modèle idéologique de la femme de foyer n'a pas été façonné
pour rabaisser les femmes, au contraire. Elles étaient écartées de la
vie politique, elles n'étaient point citoyennes, puisqu'elles ne
votaient pas. Il fallait donc leur donner un rôle, une utilité, une
identité. On leur a confié la gestion de l'intérieur, de la vie privée.
C'est ce qui fait l'importance de la cérémonie du mariage : elle
marque l'accession de la jeune fille à l'âge et à la responsabilité
adultes. Tout comme par le service militaire le jeune homme
devient un citoyen.

Cette figure de la femme, épouse, mère, est en même temps
censée la protéger contre le mépris ancestral qui s'attache à la chair
féminine. La protéger contre le machisme de l'individu masculin. Ce
modèle, s'il la prive des joies de la profession, lui en épargne les
fatigues. Et il n'est pas aussi monolithique qu'on pourrait l'imaginer. Comme il a souci de la dignité de la femme, il se prête mieux
qu'on ne le croit à un glissement vers le modèle égalitaire, malgré
toutes sortes de freins. L'évolution a sans doute été favorisée par le
développement de l'instruction et par la modification des fonction-
nements économiques qui entraîne le travail des femmes.

Je ne me lamenterai pas sur l'amenuisement de la femme de
foyer. J'ai voulu montrer tout au long de ce livre combien le rôle
était contraignant et il est sûr qu'il n'appartient pas entièrement au
passé.

La femme-qui-travaille, aujourd'hui, est dans une position

étrange. Il ne suffit pas de dire qu'elle ploie sous une double charge, qu'elle doit accomplir ce que l'on a appelé la « double journée » : travailler au-dehors comme un homme, gérer comme une femme au-dedans (et cela malgré le partage des tâches domestiques). Je dirai au contraire qu'elle ne sait plus qui elle est. La société de consommation et de protection sociale, à laquelle correspond l'aspiration vers l'égalité dans le couple, ne donne aucune identité dynamique aux individus. Le couple égalitaire ne propose aux femmes aucun rôle spécifique, si ce n'est celui de fidèle compagne. Quasiment de bonne camarade. On peut se demander si la libération du sexe à l'intérieur du couple, la transformation de l' « épouse » en « maîtresse », n'a pas pour fonction de compenser la perte de féminité traditionnelle qu'implique la relation égalitaire

Lorsque, la journée finie, la femme-qui-travaille rentre chez elle. elle retrouve l'irréductible cellule familiale. Là, même si elle n'enfile pas le tablier de la Brigitte de Berthe Bernage, elle endosse le rôle de femme d'intérieur. Mais il lui faut s'en acquitter le plus discrètement possible. C'est tout juste si elle n'a pas à s'en excuser. Ce rôle a cessé d'être glorieux, est devenu honteux. Il ne confère plus une identité.

En même temps, le travail à l'extérieur n'est pas l'occasion d'une compensation. Les femmes n'en tirent pas la même fierté que les hommes, ne s'identifient pas de la même manière à leur réussite professionnelle. Même si leur métier fait plus que procurer un salaire d'appoint, leur carrière ne leur semble pas aussi importante et essentielle que celle de leur mari. Ils sont égaux dans le couple, mais dans la vie publique elle marche un pas derrière lui.

# Notes

## INTRODUCTION

1. Henry Bordeaux, *Histoire d'une vie*, t. III : *La Douceur de vivre menacée 1909-1914*, Paris, 1956, VIII-2 : « Conférenciers ».

2. *Chapeaux, 1750-1960*, musée de la Mode et du Costume, 1er février 1980 — 13 avril 1980, palais Galliéra, 10 avenue Pierre-Ier-de-Serbie, Paris. Et aussi, au même musée, *Secrets d'élégance, 1750-1950*, décembre 1978 — avril 1979 ; *Hommage aux donateurs. Modes françaises du XVIIIe siècle à nos jours*, juin-décembre 1980.

Voir également la revue bi-mensuelle *la Modiste parisienne*, qui paraît à partir de 1888.

Sur le vêtement : Geneviève Gennari, *le Dossier de la femme*, Paris, 1965 ; Philippe Perrot, *les Dessus et les Dessous de la bourgeoisie, une histoire du vêtement au XIXe siècle*, Paris, 1981.

3. Marcel Prévost, *Féminités*, Paris, 1910, II Mondanités, « Grands Chapeaux », avance le chiffre de 1 000 francs.

4. Adeline Daumard, in *Histoire économique et sociale de la France*, Paris, 1979, t. IV, liv. IV, chap. 1, et *les Bourgeois de Paris au XIXe siècle*, Paris, 1970.

5. Jean-Pierre Chaline, *la Bourgeoisie rouennaise au XIXe siècle*, thèse pour le doctorat d'État, Université de Paris IV, 1979.

6. Marguerite Perrot, *le Mode de vie des familles bourgeoises 1873-1953*, Paris, 1961.

7. Anne Martin-Fugier, *la Place des bonnes, la domesticité féminine à Paris en 1900*, Paris, 1979.

8. Octave Uzanne, *Parisiennes de ce temps*, Paris, 1910, 2e partie, chap. 14.

9. Thorstein Veblen, *Théorie de la classe de loisir*, 1899, édité à Paris en 1970, chap. 3 et 4.

10. Archives nationales. 246 A.P. 45.

11. N.A.F. 14765, 14766, 14767.

12. Merci à Étienne Roth.

13. Merci à Georges Ribeil.

14. Pour des interviews systématiques, au contraire des miennes, voir Christiane Germain et Christine de Panafieu, *la Mémoire des femmes*, sept témoignages de femmes nées avec le siècle, Paris, 1982.

15. Gaston Bonnefont, *Nos grandes dames, Mme la duchesse d'Uzès douairière née de Mortemart-Rochechouart*, Paris, 1897.

16. Cité par Hippolyte Buffenoir, *Grandes Dames contemporaines, la duchesse d'Uzès*, Paris, 1893.

17. Cité par Anne-Marie Fraisse-Faure, *la Femme monumentale et son inscription dans la ville (Paris)*, mémoire de troisième cycle, Beaux-Arts, UP6, 1978. Le référendum est lancé le 4 juillet 1926, les résultats sont donnés le 26 septembre 1926.

18. Archives nationales, 300 A.P. IV 306. Archives Nemours, Rimembranza, t. IV, 1890, avec l'aimable autorisation de la marquise de Chaponay.

19. Couple égalitaire ou *Symmetrical Family*. Cf. Michael Young and Peter Willmott, *The Symmetrical Family*, Londres, 1973. Voir aussi Edward Shorter, *Naissance de la famille moderne, XVIII^e-XX^e siècles*, New York, 1975, Paris, 1977.

20. Sur la ménagère, dans une perspective sociologique, voir Ann Oakley, *Housewife*, Londres, 1974.

21. Pour leur part, Barbara Ehrenreich et Deirdre English, *For her Own Good, 150 Years of the Experts' Advice to Women*, New York, 1978, fondent leurs analyses sur une distinction entre *home* et *market*.

22. Paul Lapie, *la Femme dans la famille*, Paris, 1908, chap. 2.

## PREMIÈRE PARTIE

### CHAPITRE 1

1. Vicomtesse Nacla, *Il! Le choisir, le garder*, Paris, 1897, chap. 1.

2. Marcel Prévost, *Nouvelles Lettres à Françoise*, Paris, 1924, III.

3. Jacques Chastenet, *Quatre fois vingt ans, 1893-1973*, Paris, 1974, chap. 1.

4. Camille Marbo, *A travers deux siècles, souvenirs et rencontres, 1883-1967*, Paris, 1967, 1^re partie, chap. 5 et 6.

5. Mme Louise d'Alq, *Nouveau Savoir-Vivre universel*, t. II : *la Science du monde*, Paris, 1881, chap. 1.

6. Émile Zola, *Pot-Bouille*, Paris, 1882, chap. 2.

7. Comtesse de Bassanville, *l'Entrée dans le monde ou les souvenirs de Germaine*, Paris, 1878.

8. *Après le pensionnat*, par l'auteur des *Paillettes d'or*, Avignon, 1902-1905, « la Jeune Fille et la Famille », chap. 2.

9. Clarisse Juranville, *le Savoir-Faire et le Savoir-Vivre*, Paris, 25ᵉ édition 1879, § 99.

10. Nelly Lieutier, *Visites à grand-mère*, Paris, 1886, Deuxième Visite.

11. Marcel Prévost, *Lettres à Françoise*, Paris, 1902, lettre XVI.

12. Comtesse Drohojowska, *la Fée du logis*, Paris, 1877.

13. Judith Gautier, *le Second Rang du collier*, Paris, s. d. (1904), chap. 8.

14. Simone de Beauvoir, *Mémoires d'une jeune fille rangée*, Paris, 1958, 3ᵉ partie.

15. *Ibid.*, 2ᵉ partie.

16. René Boylesve, *la Jeune Fille bien élevée*, Paris, 1909, chap. 22.

17. *Ibid.*, chap. 21.

18. Mathilde Bourdon, *Nouveaux Conseils aux jeunes filles et aux jeunes femmes*, Paris, 1890, « Conseil à Marguerite. Les talents ».

19. Colette Yver, *les Cervelines*, Paris, 1908, XVIII.

20. Voir Gabriel Aubray, *Lettres à ma cousine*, 2ᵉ série, *l'Allée des demoiselles*, Paris, 1899, chap. 2, « Pianos à vendre ». Il définit ainsi le fait de plaire : « Être parée de toutes les qualités et de tous les défauts qui rendent *agréable*... Et c'est pour cela que les arts d'*agrément* tiennent aujourd'hui la première place dans l'éducation de nos filles. »

21. Gustave Flaubert, *Dictionnaire des idées reçues*.

22. Sur le piano, voir l'article de Rémi Lenoir dans *Actes de la recherche en sciences sociales*, juin 1979 : « Notes pour une histoire sociale du piano à propros du livre de Cyril Ehrlich, *The Piano, a History*, Londres, 1976. » Voir aussi l'article de Jean-Marc Bailbé dans *Romantisme*, 1977, nº 17-18, « le Bourgeois et la Musique au XIXᵉ siècle ».

23. Marie Bashkirtseff, *Journal*, 2 tomes, Paris, 1887.

24. Mme Louise d'Alq, *ut sup.*, chap. 4.

25. Comtesse Jean de Pange, *Comment j'ai vu 1900*, t. II : *Confidences d'une jeune fille*, Paris, 1965, chap. 5.

26. Rapport du comte du Plessis de Grenedan, IVᵉ Congrès Jeanne d'Arc, Institut catholique de Paris, 1907.

27. Clara Malraux, *le Bruit de nos pas,* I *Apprendre à vivre,* Paris, 1963, 2ᵉ partie, « les Cheveux courts ».

28. Pour respecter le désir d'anonymat des dames qui ont bien voulu m'apporter un témoignage vivant, je les désignerai tout au long de ce livre par l'initiale de leur nom.

29. Augusta Moll-Weiss, *le Foyer domestique*, Paris, 1902, préface. Cette préface, datée d'octobre 1899, avait déjà été publiée sous forme d'article dans la *Revue philanthropique :* « De l'éducation altruiste de la femme ».

30. *L'Enseignement ménager,* nº 2, avril 1904.

31. *Ibid.,* nº 6, août 1904.

32. Archives de la maison de Jumilhac, 1824-1904. Sœurs de l'Instruction charitable du Saint-Enfant-Jésus, dites de Saint-Maur, 8 rue de l'Abbé-Grégoire, Paris VIᵉ.

33. Archives des sœurs de Saint-Maur, cours Dupanloup, Boulogne, 1921-1967. Voir aussi Archives nationales F7 12879, Dames de l'Assomption.

34. Henry Bordeaux, *ut. sup.*

35. Comtesse Jean de Pange, *Comment j'ai vu 1900*, t. III : *Derniers bals avant l'orage,* Paris, 1968, chap. 3.

36. *Ibid.*, chap. 7.

37. III⁰ Congrès Jeanne d'Arc, Institut catholique de Paris, mai 1906.

38. Le journal que publie le Foyer s'intitule *Bulletin du Foyer* de 1905 à 1909, puis *Revue du Foyer* de 1911 à 1914.

39. *Bulletin paroissial de Saint-Sulpice*, 25 avril 1915.

40. Max Turmann, *Initiatives féminines*, Paris, 1905, IV, chap. 1.


CHAPITRE 2

1. Marcel Prévost, *Lettres à Françoise, ut sup.*, III.

2. Hugues Le Roux, *Nos filles. Qu'en ferons-nous ?* Paris 1898, chap. 2.

3. Voir le tableau de Pierre-Georges Jeanniot, *la Présentation*, 1902, musée du Petit-Palais. N⁰ 677 du *Parisien chez lui au XIXᵉ siècle, 1814-1914*, Archives nationales, Hôtel de Rohan, novembre 1976 — février 1977.

4. Simone de Beauvoir, *ut sup.*, 1ʳᵉ partie.

5. Edmée Renaudin, *Edmée au bout de la table*, Paris, 1973, 12.

6. *Ibid.*, 31.

7. Jacques Chastenet, *ut sup.*

8. Jules et Gustave Simon, *la Femme du XXᵉ siècle*, 3ᵉ édition, Paris, 1892, « le Salon ». Les travaux des historiens confirment cette affirmation ; voir, en plus d'Adeline Daumard et Jean-Pierre Chaline déjà cités, Jean-Lambert Dansette, *Origines et évolution d'une bourgeoisie. Quelques familles du patronat textile de Lille-Armentières, 1789-1914*, Lille, 1954, chap. 6 ; Odette Voilliard, *Nancy au XIXᵉ siècle, 1815-1871. Une bourgeoisie urbaine*, Paris, 1978, liv. II, chap. 2 ; Bonnie G. Smith, *Ladies of the Leisure Class, the Bourgeoises of Northern France in the Nineteenth Century*, Princeton, 1981, chap. 4.

9. Marcel Prévost, *les Demi-Vierges*, Paris, 1894.

10. Marcel Prévost, *Féminités, ut sup.*, IV.

11. Hugues Le Roux, *ut sup.*

12. Charles Letourneau, *la Condition de la femme dans les diverses races et civilisations*, Paris, 1903, chap. 20.

13. Jules Michelet, *la Femme*, Paris, 1860, introduction, I. 100 000 francs semblent être, en 1860, une somme considérable. Mais, en 1904, Camille Pert, dans *le Dernier Cri du savoir-vivre*, donne le chiffre de 300 000 francs pour une « belle dot » et de 500 000 pour une « très belle ». Jean-Lambert Dansette signale qu'au sein de la bourgeoisie textile du Nord, dans le dernier tiers du siècle, les dots se montaient à 200 000 ou 300 000 francs. Enfin, Adrienne Cambry écrit, en 1913, dans *Fiançailles et Fiancés*, que les dots accordées aux filles par les familles fortunées équivalent au tiers de ce que possédera un jour la fiancée.

14. Abbé Henry Bolo, *Pour lire avant d'être fiancés, Du mariage au divorce*, Paris, 1891. Anthyme Saint-Paul lui répond en pastichant son titre : *Pour lire n'importe quand, Du célibat au mariage, lettre à M. l'abbé Bolo*, Paris, 1891. Ce catholique père de famille craint que les exagérations de l'abbé Bolo ne dégoûtent les jeunes gens du mariage.

15. Jules Bois, *l'Ève nouvelle*, Paris, s. d. (daté à la fin du volume 1894-

1896), II : « la Femme nouvelle », 2 : « le Problème de la jeune fille » ;
Jean Joseph-Renaud, *la Faillite du mariage et l'union future,* Paris, 1899, I :
« la Faillite du mariage », III ; Charles Turgeon, *le Féminisme français,*
2ᵉ édition, Paris, 1907, t. II, liv. II, chap. 4, affirment que supprimer la dot
est un mauvais calcul parce qu'elle garantit la liberté de la femme : c'est
d'une réforme plus profonde qu'a besoin la société, dans l'éducation et les
mentalités.

16. Léon Rimbault, *les Vaillantes du devoir, études féminines,* 3ᵉ édition,
Paris, 1909, « Geneviève et les vierges du foyer ».

17. Émile Zola, *ut sup.*

18. Sur la comparaison des destins des filles, voir Eugène Brieux, *les
Trois Filles de M. Dupont,* 1897. L'une est mariée avec une dot, l'autre est
entretenue, la troisième travaille. Moralité de la pièce : même mal mariée,
la femme est mieux faite pour cette condition-là que pour les autres.

19. Victor Margueritte, *Jeunes Filles,* Paris, 1908.

20. Simone de Beauvoir, *ut sup.,* 3ᵉ partie.

21. IIᵉ Congrès international des œuvres et institutions féminines, 18-25
juin 1900, Paris, 1902, 4 tomes. 5ᵉ section, samedi 23 juin.

22. D'après les recherches en cours de l'historienne américaine Joby
Margadant : « les Premières Sévriennes, 1880-1930 ».

23. Mme Louise d'Alq, *le Nouveau Savoir-Vivre universel,* Paris, 1881,
t. I : *le Savoir-Vivre en toutes circonstances de la vie,* chap. 14.

24. Baronne d'Orval, *Usages mondains, Guide du savoir-vivre moderne
dans toutes les circonstances de la vie,* 3ᵉ édition, Paris, 1901, « le
Mariage ».

25. Adrienne Cambry, *ut sup.,* chap. 5.

26. Baronne Staffe, *la Femme dans la famille,* Paris, s. d., chap. 2.

27. Adrienne Cambry, *ut sup.,* chap. 8.

28. Abbé Courbe, 3ᵉ conférence de *la Jeune Fille française et son avenir,*
Paris, 1912, « le Mariage : la fiancée, l'épouse ».

29. Paul Margueritte, *l'Avril,* Paris, 1894, chap. 6.

30. *Journal des Goncourt,* Paris, 1887-1896, 2 décembre 1880.

31. Charles Turgeon, *ut sup.,* t. I, liv. I, chap. 3.

32. Marcel Prévost, *Féminités, ut sup.,* III.

33. Marcel Prévost, *les Demi-Vierges, ut sup.,* 1ʳᵉ partie, chap. 5.

34. Octave Uzanne, *les Modes de Paris,* Paris, 1898, chap. 9 : 1870-1880.

35. *Ibid.*

36. Alexandre Dumas fils, *la Question d'argent,* Paris, 1857, acte II,
scène 7.

37. Simone de Beauvoir, *ut sup.,* 2ᵉ partie.

38. Alexandre Dumas fils, *Un père prodigue,* Paris, 1859, Acte III,
scène 1.

39. Émile Zola, *ut sup.,* chap. 14.

40. Marcel Prévost, *Nouvelles Lettres à Françoise, ut sup.,* I.

41. Camille Marbo, *A l'enseigne du griffon, Histoire de deux jeunes filles
modernes,* Paris, 1927.

42. Louise Weiss, *Mémoires d'une Européenne,* Paris, 1968, t. I 1893-
1919, 2ᵉ partie, chap. 25.

43. Françoise Mayeur, *l'Enseignement secondaire des jeunes filles sous la
Troisième République,* Paris, 1977, 1ʳᵉ partie, chap. 1. Voir aussi l'article

publié dans *le Gaulois,* le 25 novembre 1880, cité par Mona Ozouf, *l'École, l'Église et la République, 1871-1914,* Paris, 1963, « l'Éducation des filles » : « On va supprimer la jeune fille... »

44. Hugues Le Roux, *ut sup.,* chap. 6.

45. Jules Bois, *ut sup.,* II : « la Femme nouvelle », 3 « l'Enseignement de la jeune fille anglo-saxonne ».

46. Marcel Prévost, *Lettres de femmes,* Paris, 1892, « Deux Innocentes ».

47. Marcel Prévost, *Nouvelles Lettres de femmes,* Paris, 1894, « la Nuit de Raymonde ».

48. Octave Feuillet, *la Morte,* Paris, 1886, « Journal de Bernard ».

49. Madeleine Pelletier, *la Femme vierge,* Paris, 1933, chap. 4.

50. Edmée Renaudin, *Edmée au bout de la table, ut sup.,* 6.

51. *Ibid.,* 32.

52. Louise Weiss, *ut sup.,* t. I, 1<sup>re</sup> partie, chap. 6.

53. Gustave Droz, *Monsieur, madame et bébé,* Paris, 1866, « En ménage », le cahier bleu.

54. Vicomtesse Nacla, *ut sup.,* chap. 3.

55. Marcel Prévost, *Mademoiselle Jaufre,* Paris, 1889, 2<sup>e</sup> partie, chap. 2.

56. *Faut-il instruire les jeunes filles des réalités du mariage ?* Enquête du « Flambeau » auprès des principales militantes du féminisme français, avec une préface et une conclusion par Jacques Lourbet, Saint-Girons, 1912.


CHAPITRE 3

1. Mme Octave Feuillet, *Quelques années de ma vie,* 3<sup>e</sup> édition, Paris, 1894, chap. 11.

2. Mme H. de Graffigny, *Tout ce qu'il faut pour se mettre en ménage. Pratiquement et économiquement,* Paris, 1910, chap. 1.

3. *Nansouk :* tissu léger de coton, d'aspect soyeux.

4. *Madapolam :* cotonnade, intermédiaire entre le calicot et la percale.

5. Marguerite Perrot, *ut sup.,* chap. 4, section 1.

6. Mme Louise d'Alq, *ut sup.,* t. I, chap. 14.

7. Comtesse Jean de Pange, *ut sup.,* t. III, chap. 5.

8. Sur la lessive, voir le chapitre de Guy Thuillier, *Pour une histoire du quotidien au XIX<sup>e</sup> siècle en Nivernais,* Paris, 1977.

9. Comtesse de Bassanville, *Guide des gens du monde dans toutes les circonstances de la vie,* Paris, 1867, 1<sup>re</sup> partie, chap. 3.

10. Baronne d'Orval, *ut sup.,* « le Mariage ».

11. Voir à ce sujet un roman contemporain : Suzanne Prou, *les Dimanches,* Paris, 1979. Rose, la « fille mère », va épouser un collègue de bureau. Elle coud avec passion son trousseau : « Elle, en apparence si éloignée des conventions, elle manifestait des goûts de midinette qui nous étonnèrent. Elle employait ses dimanches à tailler des tissus légers en suivant les contours des patrons [...] »

12. Selon Mme Louise d'Alq et la baronne d'Orval. Mais Adrienne Cambry, en 1913, dit que la corbeille représente 20 p. 100 de la dot.

13. *Nouveau Guide pour se marier,* suivi d'un *Manuel du parrain et de la marraine,* par L. C., ancien notaire, Paris, s. d. (1891), 1<sup>re</sup> partie, chap. 2.

14. Adrienne Cambry, *ut sup.*, chap. 10.

15. Baronne d'Orval, *ut sup.*

16. *La Grande Dame*, n° 18, juin 1894, « Code de l'élégance et du bon ton ».

17. Paul Morand, *l'Homme pressé*, Paris, 1941, chap. 7.

18. *Le Carnet de fiançailles, Livret de famille*, rédigé par G. de Landemer, 3ᵉ édition, Paris, s. d. (1892), « le Contrat ».

19. Jeanne Chauvin, *Cours de droit* professé dans les lycées de jeunes filles de Paris, Paris, 1895, liv. I, section II, chap. 2. (Jeanne Chauvin est la première femme à avoir obtenu le titre de docteur en droit, en 1892.)

20. Adeline Daumard, *les Bourgeois de Paris au XIXᵉ siècle, ut sup*, 2ᵉ partie, chap. 4, et Jean-Pierre Chaline, *ut sup.*, 3ᵉ partie, « Esquisse d'une conscience de classe ».

21. Laurens-Naulrès, *le Guide pratique des fiancés dans toutes les circonstances de la vie*, Paris, 1914, chap. 4, fait partir les témoins de chez la fiancée. Pour la baronne d'Orval, ils sont amenés directement à la mairie.

22. Baronne d'Orval, *ut sup.*

23. *Ibid.*

24. Isaure-Toulouse, avocat, *Manuel pratique du mariage, du divorce, de la séparation de corps et de la séparation de biens*, avec détail et total des frais de chaque matière, Paris, 1891, chap. 1, section III.

25. Clément Vautel, *Madame ne veut pas d'enfant*, Paris, 1924, chap. 3, décrit un mariage à l'église de la Trinité : « Cérémonie à la fois religieuse et très parisienne : la foule des invités, encore augmentée par un afflux de midinettes, avait pu entendre, dans divers airs de Massenet, de Puccini, de Maurice Yvain, le ténor Fridolini, de l'Opéra-Comique, et Mlle Rebecca Brunschwig, des Bouffes-Parisiens. »

26. Comme l'indique Jean-Pierre Chaline, *ut sup.*, d'après les archives privées de la famille Stackler, grand indienneur de Rouen.

27. Baronne d'Orval, *ut sup.*

28. Mme de Graffigny, *ut sup.*, chap. 7.

29. Baronne d'Orval, *ut sup.*

30. Jules et Gustave Simon, *ut sup.*, « le Mariage à la mairie ».

31. Camille Marbo, *A travers deux siècles..., ut sup.*, 1ʳᵉ partie, chap. 6.

32. Vicomtesse Nacla, *Il !... ut sup.*, chap. 3.

33. Jules et Gustave Simon, *ut sup.*, « le Voyage de noces ».

34. Baronne Staffe, *la Femme dans la famille, ut sup.*

35. Vicomtesse Nacla, *Il !..., ut sup.*, chap. 2.

36. Marcel Prévost, *Lettres à Françoise, ut sup.*, XXIX.

37. Baronne d'Orval, *ut sup.*

38. Voir, par exemple, le roman de la présidente de la Société du féminisme spiritualiste, Olga de Bezobrazow, *la Femme nouvelle*, Paris, 1896. Voir aussi Jules Bois, *l'Ève nouvelle, ut sup.*, et le pastiche que fait Marcel Prévost de l'idéalisme nordique dans *les Vierges fortes*, Paris, 1900, I : *Frédérique*.

39. Guy de Maupassant, *Une vie*, Paris, 1883, chap. 5.

40. René Boylesve, *Madeleine jeune femme*, Paris, 1912, chap. 2.

# DEUXIÈME PARTIE

CHAPITRE 1

1. Rachilde, *Monsieur Vénus*, Paris, 1889, chap. 8.
2. *Journal des Goncourt, ut sup.*, 7 août 1865.
3. *Confessions d'une jeune femme*, anonyme, Paris, 1906.
4. Gustave Droz, *Monsieur, madame et bébé*, Paris, 1866, « En ménage », conférence d'introduction par le père Z. Théodore Zeldin, *Histoire des passions françaises, 1848-1945*, Oxford 1973, Paris, 1979, t. I, chap. 11, a souligné l'importance de ce livre, réédité cent vingt et une fois entre 1866 et 1884.
5. Comtesse de Tramar, *l'Amour obligatoire*, nouvelle édition, Paris, 1913, 2$^e$ partie : « les Étapes de la vie d'une femme ».
6. Eugène Brieux, *les Trois Filles de M. Dupont, ut sup.*, acte III, scène 14.
7. Hugues Le Roux, *ut sup.*, chap. 3.
8. Marcel Prévost, *Mademoiselle Jaufre, ut sup.*, 3$^e$ partie, chap. 1.
9. Marcel Proust, *A l'ombre des jeunes filles en fleurs*, Paris, 1919, 1$^{re}$ partie, « Autour de Mme Swann ».
10. Alexandre Dumas fils, *le Demi-Monde*, Paris, 1855, Acte III, scène 5.
11. Mme de Staël, *Corinne ou l'Italie*, Paris, 1807, liv. III, chap. 3.
12. *Ibid.*, liv. IV, chap. 1.
13. *Ibid.*, liv. XVI, chap. 5.
14. Jules Renard, *Journal*, Paris, 1925-1927.
15. André Gide, *les Faux-Monnayeurs*, Paris, 1925, 3$^e$ partie, chap. 1.
16. Jules Renard, *l'Écornifleur*, Paris, 1892, chap. 32.
17. Albert Bataille, *Causes criminelles et mondaines de 1880,* Paris, 1881, chap. 6.
18. *Ibid.*, chap. 7.
19. *Code de la femme*, Paris, 1920, « code intime », qui comprend « Devoirs conjugaux, Excuses et explications, Actes contre nature ».
20. Dr Charles Montalban, *la Petite Bible des jeunes époux, suivie de Considérations sur la possibilité d'avoir un garçon ou une fille*, etc., Paris, 1885, « la Lune de miel ».
21. Georges de Porto-Riche, *Amoureuse*, Paris, 1891, Acte II, scène 6.
22. *Ibid.*, Acte II, scène 2.
23. Mme Adam (Juliette Lamber), *Coupable*, comédie en un acte, in *Mon petit théâtre*, Paris, 1890.
24. Jules Renard, *l'Écornifleur, ut sup.*, chap. 38.
25. J.-P. Dartigues, *De l'amour expérimental ou des causes d'adultère chez la femme au XIX$^e$ siècle, étude d'hygiène et d'économie sociale résultant de l'ignorance, du libertinage et des fraudes dans l'accomplissement des devoirs conjugaux*, Versailles, 1887, 1$^{re}$ partie, chap. 3.
26. *Ibid.*, 2$^e$ partie, chap. 5.

27. Marcel Prévost, *Lettres de femmes, ut sup.*, « Journal de Simone », 1, « Anniversaire ».

28. Marcel Prévost, *Mademoiselle Jaufre, ut sup.*, 3ᵉ partie, chap. 4.

29. *Ibid.*, 3ᵉ partie, chap. 1.

30. Colette, *Claudine en ménage*, Paris, 1902.

31. Colette, *Claudine s'en va*, Paris, 1903.

32. Juin 1871.

33. Honoré de Balzac, *Mémoires de deux jeunes mariées*, 1841, 2ᵉ partie, lettre LXIII.

34. Clément Vautel, *Madame ne veut pas d'enfant*, Paris, 1924, chap. 5.

35. *Ibid.*, chap. 3.

36. *Ibid.*, chap. 5.

37. *Ibid.*, chap. 1.

38. Gilbert Lascault, *Écrits timides sur le visible*, Paris, 1979, « Poubelles's blues, les restes d'un rival ».

39. Paul Hervieu, *le Dédale*, Paris, 1903, acte I, scène 5.

40. *Ibid.*, acte IV, scène 8.

41. *Ibid.*

42. Alphonse Daudet, *Rose et Ninette, Mœurs du jour*, Paris, 1892, chap. 10.

43. Alexandre Laya, *Causes célèbres du mariage ou les infortunes conjugales*, Paris, 1883.

44. Jeanne Marni, *Comment elles se donnent*, Paris, 1895.

45. Anatole France, *le Lys rouge*, Paris, 1894, chap. 23.

46. Gabriele D'Annunzio, *l'Enfant de volupté*, Paris, 1889, liv. I.

47. Edmond de Goncourt, *la Fille Élisa*, Paris, 1876, chap. XXXIII.

48. Henry Bataille, *la Femme nue*, Paris, 1908, acte I.

49. Alexandre Dumas fils, *l'Ami des femmes*, Paris, 1864, préface, 1869.

50. Alexandre Dumas fils, *l'Homme-Femme*, Paris, 1872.

51. Alexandre Dumas fils, *l'Ami des femmes, ut sup.*, préface.

52. Edmond et Jules de Goncourt, *Manette Salomon*, Paris, 1867, CV.

53. *Ibid.*, CVIII.

54. *Ibid.*, CXLII.

55. *Ibid.*, CL.

56. *Ibid.*, CLIII.

57. Alexandre Dumas fils, *la Femme de Claude*, Paris, 1873, acte I, scène 3.

58. Alexandre Dumas fils, *Une visite de noces*, Paris, 1871, comédie en un acte, scène 3.

59. *Ibid.*

60. A propos de ce pamphlet, voir l'article d'Odile Krakovitch, « Misogynes et féministes, il y a cent ans. Autour de *l'Homme-Femme* d' A. Dumas fils », in *Questions féministes*, n° 8, mai 1980, et *Nouvelles Questions féministes*, n° 2, octobre 1981.

CHAPITRE 2

1. George D. Painter, *Marcel Proust, les années de jeunesse*, 1959, version française 1966, chap. 7.

2. Fernand Mitton, *les Femmes et l'adultère de l'Antiquité à nos jours*, Paris, 1910, chap. 2.

3. Roger Morin, *la Sanction pénale de l'adultère*, thèse pour le doctorat de droit, Poitiers, 1911.

4. Henry Bordeaux, *Histoire d'une vie, ut sup.*, t. III, XV.

5. Henry Bordeaux, *Histoire d'une vie*, t. II : *la Garde de la maison*, Paris, 1955, III, I.

6. Jean-Paul Clébert, *l'Incendie du Bazar de la charité*, Paris, 1978.

7. Nadar, *Quand j'étais photographe*, réédition, Paris, 1979.

8. Henry Bordeaux, *Histoire d'une vie*, t. I : *Paris aller et retour*, Paris, 1951, X, I.

9. Eugène Labiche, *Célimare le bien-aimé*, Paris, 1863, acte I, scène 4.

10. *Ibid.*

11. *Ibid.*

12. Sacha Guitry, *le Mari, la femme et l'amant*, Paris, 1919, acte II

13. Eugène Brieux, *les Avariés*, Paris, 1901 (pièce interdite par la censure ; représentée en Belgique en 1902 ; à Paris enfin en 1905), acte I ⌐8 pièce met en scène les ravages de la syphilis.

14. Sacha Guitry, *Faisons un rêve*, Paris, 1918, acte III.

15. *Ibid.*, acte IV.

16. Paul et Victor Margueritte, *L'autre*, Paris, 1907.

17. André Roussin, *la Petite Hutte*, Paris, 1947.

18. Marcel Prévost, *Lettres de femmes, ut sup.*, « le Choix d'un amant »

19. André Maurois, *le Cercle de famille*, Paris, 1932, 3ᵉ partie, chap. 10.

20. Marcel Prévost, *Dernières Lettres de femmes*, Paris, 1897, « Premier Remords ».

21. Marcel Prévost, *Lettres de femmes, ut sup.*, « Journal de Simone », chap. 5 : « Maternité ».

22. Gustave Flaubert, *Madame Bovary*, Paris, 1857, 3ᵉ partie, 5.

23. *Ibid.*, 3ᵉ partie, chap. 6.

24. Rachilde, *ut sup.*, chap. 7.

25. Marcel Prévost, *les Demi-vierges, ut sup.*, 3ᵉ partie, chap. 1.

CHAPITRE 3

1. Hugues Le Roux, *ut sup.*, chap. 7.

2. Paul Bourget, *Physiologie de l'amour moderne, fragments posthumes d'un ouvrage de Claude Larcher recueillis et publiés par Paul Bourget, son exécuteur testamentaire*, Paris, 1891, préface.

3. Paul Bourget, *le Fantôme*, Paris, 1901, chap. 5.

4. *Ibid.*

5. Paul Bourget, *Physiologie de l'amour moderne, ut sup.*, Méditation IV « De l'amant moderne ».

6. Paul Bourget, *Cruelle Énigme*, Paris, 1884, VIII, « La Chute ».

7. *Ibid.*, VI, « Horizon noir ».

8. *Ibid.*, VIII.

9. *Ibid.*, XI, « Du cœur au sens ».

10. Paul Bourget, *Complications sentimentales*, Paris, 1897, I, « l'Écran », V.

11. Paul Bourget, *Physiologie de l'amour moderne, ut sup.*, Méditation V, « De la maîtresse », Notule XVII.

12. Paul Bourget, *l'Irréparable*, Paris, 1885.

13. *Ibid.*, chap. 7.

14. Paul Bourget, *Un cœur de femme*, Paris, 1890, XI, « le Dernier détour du labyrinthe ».

15. Paul Bourget, *Cruelle énigme, ut sup.* IX, « Dernière noblesse ».

16. Paul Bourget, *Complications sentimentales, ut sup.*, II, « l'Inutile science », V.

17. Paul Bourget, *Un divorce*, Paris, 1904, VIII, « l'Imprévu ».

18. Légende d'un dessin de Ferdinand Bac, dans *la Femme intime*, album inédit, Paris, 1894, préfacé par Marcel Prévost. Une femme, à sa table, la tête appuyée sur sa main gauche, écrit. Sa longue chevelure est dénouée.

19. Paul Bourget, *Cruelle Énigme, ut sup.*, IV, « Un rêve vécu ».

20. Paul Bourget, *Complications sentimentales, ut sup.*, I, « l'Écran », V.

21. Paul Bourget, *la Terre promise*, Paris, 1892, II, « Une ancienne maîtresse ».

22. Paul Bourget, *Un crime d'amour*, Paris, 1886, I, « Avant la faute ».

23. *Ibid.*, IV, « Commencement de réveil ».

24. Paul Bourget, *Complications sentimentales, ut sup.*, III, « Sauvetage », III.

25. Paul Bourget, *Un crime d'amour, ut sup.*, XI, « Lueur d'aube ».

26. Paul Bourget, *Un divorce, ut sup.*, V, « Fiançailles ».

27. *Ibid.*

28. Paul Bourget, *Un crime d'amour, ut sup.*, X, « Un remords ».

29. Paul Bourget, *Cruelle énigme, ut sup.*, VIII, « la Chute ».

30. Paul Bourget, *la Duchesse bleue*, Paris, 1898.

31. Paul Bourget, *Un divorce, ut sup.*, V, « Fiançailles ».

32. Paul Bourget, *Cruelle énigme, ut sup.*, X, « Une Dalila tendre ».

33. Paul Bourget, *Lazarine*, Paris, 1917, I, « les Personnages ».

34. *Ibid.*, II, « la Tragédie », VI.

35. *Ibid.*, II, VIII.

36. Paul Bourget, *Némésis*, Paris, 1918, VII.

37. *Ibid.*, VIII.

38. Paul Bourget, *Physiologie de l'amour moderne, ut sup.*, Méditation V, Notule XIV.

39. Paul Bourget, *Complications sentimentales, ut sup.*, II, « l'Inutile science », III.

40. *Ibid.*, IV.

41. Paul Bourget, *le Fantôme, ut sup.*, chap. 6.

42. Paul Bourget, *Complications sentimentales, ut sup.*, III, « Sauvetage », VI.

43. *Ibid.*, VIII.

44. Paul Bourget, *Un homme d'affaires*, Paris, 1900, V.

45. Paul Bourget, *Un divorce, ut sup.*, III, « Berthe Planat ».

46. Paul Bourget, *les Détours du cœur*, nouvelles, Paris, 1904-1907. « Le Fils », 1904.

47. Paul Bourget, *la Geôle*, Paris, 1923.

48. Paul Bourget, *Recommencements*, Paris, 1897, « le Vrai Père ».

49. Paul Bourget, *Un crime d'amour, ut sup.*, XI.

50. Paul Bourget, *la Terre promise, ut sup.*
51. Paul Bourget, *Un cœur de femme, ut sup.*
52. *Ibid.,* XI.
53. Paul Bourget, *Némésis, ut sup.,* X.

CHAPITRE 4

1. Marcel Prévost, *les Vierges fortes, ut sup.,* II, *Léa,* liv. III, chap. 1.
2. *Ibid.,* liv. III, chap. 3.
3. *Ibid.* Voir, sur ce point, Henry James, *les Bostoniennes,* 1886 : la militante féministe Verena Tarrant abandonne la cause pour suivre Basil Ransom.
4. Daniel Lesueur, *Nietzschéenne,* roman-supplément à *l'Illustration,* février-mars-avril 1908, XIII.
5. Marcelle Tinayre, *la Rebelle,* Paris, 1906, chap. 15.
6. Amélie Gayraud, *les Jeunes Filles d'aujourd'hui,* Paris, 1914, 1ʳᵉ partie, chap. 3.
7. Philippe Pagnat, *Enquête sur l'amour,* Paris, 1907, chap. 2.
8. Paul Mantegazza, *la Physiologie de la femme,* Paris, 1897, 3ᵉ partie, chap. 18.
9. Auguste Bebel, *la Femme dans le passé, le présent et l'avenir,* Zurich, 1883, Paris, 1891, « la Femme dans le présent ».
10. Léon Blum, *Du mariage,* Paris, 1907, chap. 1.
11. *Ibid.,* chap. 4.
Sur le livre de Léon Blum, voir André Gide, *Journal,* 16 juin 1907 : « Le livre de Blum, *Du mariage,* donne lieu à beaucoup de commentaires [...] la constante, l'unique préoccupation avouée du *bonheur,* dans ce livre, ne laisse pas de me choquer [...] Les plus belles figures de femmes que j'ai connues sont résignées ; et je n'imagine même pas que puisse me plaire et n'éveiller même en moi quelque pointe d'hostilité, le contentement d'une femme dont le bonheur ne comporterait pas un peu de résignation. »
12. Victor Margueritte, *la Garçonne,* Paris, 1922, 1ʳᵉ partie, chap. 4.
13. *Ibid.,* 3ᵉ partie, chap. 5.
14. Victor Margueritte, *le Compagnon,* Paris, 1923, 1ʳᵉ partie, chap. 3.
15. *Ibid.,* chap. 4.
16. Victor Margueritte, *la Femme en chemin,* roman inédit, in *les Œuvres libres,* recueil littéraire mensuel ne publiant que de l'inédit, novembre 1921, XVIII.
17. Victor Margueritte, *le Compagnon, ut sup.,* 1ʳᵉ partie, chap. 6.
18. Philippe Pagnat, *ut sup.,* chap. 4.
19. Congrès international de la condition et des droits des femmes, 5, 6, 7, 8 septembre 1900, à l'Exposition universelle, au palais de l'Économie sociale et des Congrès, Paris, 1901, préfacé par Marguerite Durand, deuxième section, « Éducation », 7 septembre.
20. Robert Brasillach, *Comme le temps passe,* Paris, 1937, 3ᵉ épisode, « la Nuit de Tolède ».
21. *Maternité esclave, les Chimères,* livre collectif de féministes, à la suite du Manifeste des 343, Paris, 1975, « Vierge et Putain ».
22. Sur le « devoir d'orgasme », voir l'article d'André Béjin « le Pouvoir

des sexologues et la démocratie sexuelle », in *Communications*, 1982, n° 35, « Sexualités occidentales ».

Sur les individus transformés par la « société permissive » en « consommateurs » sexuels, voir l'article de Pier Paolo Pasolini, paru dans le *Corriere della Sera*, sous le titre « Ne pas avoir peur d'avoir un cœur », in *Écrits corsaires*, 1975, traduction française 1976.

## TROISIÈME PARTIE

### CHAPITRE 1

1. Colette, *Mes apprentissages*, Paris, 1936.
2. Camille Marbo, *Hélène Barraux, celle qui défiait l'amour*, Paris, 1926, 2ᵉ partie, chap. 3.
3. *Ibid.*, chap. 4.
4. Baronne Staffe, *la Femme dans la famille, ut sup.*, chap. 2 « l'installation ».
5. Henri de Noussanne, *le Goût dans l'ameublement*, Paris, 1896, II, « Partie moderne et d'enseignement pratique », VI, « Quand on meuble ».
6. Mme H. de Graffigny, *ut sup.*, chap. 4, « Achat des meubles et articles de ménage, prix approximatifs, etc. ».
7. Catalogue de la Maison Lalande, A. Aubron successeur, 34 rue de Charenton à Paris, s. d. (vers 1890).
8. Théodore Zeldin, *ut sup.*, t. III, « Goût et Corruption », chap. 3.
9. *Lettres de la comtesse de Ségur au vicomte et à la vicomtesse de Simiand de Pitray*, publiées par la vicomtesse née Ségur, Paris, 1891.
10. Henry Havard, *l'Art dans la maison. Grammaire de l'ameublement*, Paris, 1884. 4ᵉ partie, « les Pièces d'habitation ».
11. Cité dans *les Styles français. Le mobilier, du Moyen Âge au Modern Style, 1500-1900*, collection Plaisir de France, Paris, 1973.
12. *Ibid.*
13. Voir le musée Grobet-Labadié à Marseille.
14. Henri de Noussanne, *ut sup.*, II, VII.
15. Edmond Bonnaffé, *Causeries sur l'art et la curiosité*, Paris, 1878, « Au lecteur ».
16. Ernest Bosc, *Dictionnaire de l'art, de la curiosité et du bibelot*, Paris, 1883, introduction.
17. Paul Ginisty, *Le Dieu Bibelot. Les collections originales*, Paris, 1888.
18. Edmond de Goncourt, *la Maison d'un artiste*, Paris, 1881, 2 volumes, préambule.
19. Spire Blondel, *Grammaire de la curiosité, l'art intime et le goût en France*, Paris, 1884, conclusion.
20. Octave Uzanne, *Parisiennes de ce temps, ut sup.*, 2ᵉ partie, chap. 14.
21. *L'Art de la mode*, Paris, 1881, 2 volumes, II, p. 18.

22. *Ibid.,* II, p. 63.

23. Marius Vachon, *la Femme dans l'art,* Paris, 1893, liv. V, chap. 2.

24. *La Mode pratique,* 1892, n° 14, « Parisiennes fin de siècle ».

25. Élisabeth de Gramont, *Mémoires,* t. II : *les Marronniers en fleur,* Paris, 1929, chap. 7.

26. Ce sous-chapitre et les deux suivants ont été publiés dans la revue *Urbi,* n° 5, 1982, sous le titre : « la Douceur du nid : les " Arts de la Femme " à la Belle Époque ».

27. *Exposition des Arts de la Femme, guide-livret illustré,* Paris, 1895.

28. Comtesse de Pange, *Comment j'ai vu 1900, ut sup.,* I A *l'ombre de la tour Eiffel,* I.

29. *La Mode pratique,* 1892, n° 2, chronique féminine : « l'Exposition des Arts de la Femme », signée la Grand'Ville.

30. *Revue pour les jeunes filles,* 5 juin 1895, n° 1.

31. *Mon chez-moi,* 10 mars 1909.

32. Charles Turgeon, *ut sup.,* t. I, liv. III, chap. 5.

33. *La Femme française,* n° 25, 8 décembre 1903, rubrique « la Femme française chez elle ».

34. Colette Yver, *les Cervelines, ut sup.,* III.

35. Eugène Melchior de Vogüé, *Jean d'Agrève,* Paris, 1897, « Midi ».

36. Colette Yver, *Princesses de Science,* Paris, 1907, 4ᵉ partie, chap. 1.

37. Harlor, *Tu es femme...,* Paris, s. d. (1908), 2ᵉ partie.

38. Gustave Droz, *ut sup.,* « En ménage », conférence d'introduction par le père Z.

39. Abel Conte, *l'Art chez soi pour tous. La Photo-Peinture sans maître,* Paris, 1904, édition revue et augmentée.

40. Henri de Noussanne, *ut sup.,* III, « Partie pratique », VIII, « l'Art des petits riens ».

41. *Ibid.,* I, « Partie rétrospective », I, « Causerie ».

42. Valentine Thomson, *Sur un coin de table,* Paris, 1913, préface.

43. Joseph Périer, *Importance du goût et de sa culture,* Paris, 1886.

44. *Après le pensionnat, ut sup.,* 4ᵉ partie : « la Jeune Fille et l'Avenir », action de la femme dans le mariage.

45. A. Piffault, *la Femme de foyer,* Paris, 1908, 1ʳᵉ partie, chap. 12, « l'Esprit ménager ».

46. Charles Wagner, *Auprès du foyer,* Paris, 1898, chap. 12.

47. *La Jeune Fille du xxᵉ siècle,* février 1902, « Ouvrages de jeunes filles », par Rose Trémière.

48. Madeleine Pelletier, *l'Éducation féministe des filles,* Paris, 1914, chap. 2.

49. Edmond Bonnaffé, *ut sup.,* « les Propos de maître Salebrin ».

50. Mme M. Hennequin, *l'Art et le Goût au foyer,* Paris, 1912, chap. 6.

51. Émile Bayard, *le Bon Goût, dans le geste, sur soi, dans la maison,* 2ᵉ édition, Paris, 1919, chap. 12, « Des causes du mauvais goût ».

52. Georges de Montenach, *la Formation du goût dans l'art et dans la vie,* Fribourg, 1914.

53. Arsène Alexandre, *les Arts de la jeune fille,* Tours, 1899, 2ᵉ partie, chap. 5.

54. André Gide, *Si le grain ne meurt,* Paris, 1919, 1ʳᵉ partie, chap. 6. Jean

Delay, *la Jeunesse d'André Gide,* Paris, 1956, t. I, « l'Image de la mère », parle de l'épisode de l'écran.

55. Jacques Chardonne, *l'Epithalame,* Paris, 1921, liv. II.

56. Judith Gautier, *le Second Rang du collier, ut sup.,* chap. 9.

57. Mme Hennequin, *ut sup.,* II.

58. Marcel Prévost, *Lettres à Françoise, ut sup.,* XXX.

59. André Lichtenberger, *Portraits de jeunes filles,* Paris, 1900, chap. 8.

60. C'est le principe du *Cours de composition décorative appliquée aux travaux de dames,* de Mme G. Schefer et Mlle Klein, Paris, 1902.

61. *L'Intérieur,* n° 5, juillet-août-septembre 1912.

62. *La Femme française,* n° 5, 8 février 1903, « Lettre de la femme française ».

63. Abel Hermant, *Souvenirs de la vie mondaine,* Paris, 1935, chap. 7, I.

64. Gertrude Stein, *Autobiographie d'Alice Toklas,* 4$^e$ édition, Paris, 1934, chap. 6.

65. Edmée Renaudin, *Edmée au bout de la table, ut sup.,* 4.

66. Octave Uzanne, *Parisiennes de ce temps, ut sup.,* 1$^{re}$ partie, chap. 3.

67. Hugues Le Roux, *ut sup.,* chap. 3.

68. Octave Uzanne, *les Modes de Paris, variations sur le goût et l'esthétique de la femme de 1797 à 1897,* Paris, 1898, chap. 10, « la Parisienne contemporaine ».

69. Adeline Daumard in *Histoire économique et sociale de la France,* t. IV, *ut sup.,* « la Difficulté d'être femme ».

70. Edmond Goblot, *la Barrière et le Niveau,* Paris, 1925, chap. 7.

71. Comtesse de Pange, *Comment j'ai vu 1900, ut sup.,* t. I, chap. 2.

72. *La Femme au foyer, journal populaire de la famille,* n° 23, 26 avril au 3 mai 1903, « la Toilette », par Mme Georges Bréville — directrice du journal.

73. Mmes Schefer et Amis, *Économie domestique,* Paris, 1896, chap. 9.

74. Paul Chabot, *Jean et Yvonne domestiques en 1900,* Paris, 1977, chap. 4.

75. Honoré de Balzac, *les Employés,* Paris, 1838.

76. *Mon chez-moi,* 10 mars 1909.

77. Octave Uzanne, *les Modes de Paris, ut sup.,* chap. 10.

78. Baronne Staffe, *Mes secrets pour plaire et pour être aimée,* édition revue, corrigée et augmentée, Paris, 1896, 1$^{re}$ partie, « Pour plaire, l'art de s'habiller ». Voir aussi *le Cabinet de toilette,* Paris, 1891, 2$^e$ partie, « Soins corporels en général, les dessous de la toilette ».

79. Émile Bayard, *ut sup.,* chap. 6, « le Bon Goût dans la toilette féminine et masculine ».

CHAPITRE 2

1. Voir mon article « la Maîtresse de maison » dans l'ouvrage collectif *Misérable et glorieuse la femme du XIX$^e$ siècle,* Paris, 1980.

2. *L'Assiette au beurre,* n° 84, 8 novembre 1902, « Gens du monde », série de dessins de Cappiello.

3. Octave Uzanne, *Parisiennes de ce temps, ut sup.,* 2$^e$ partie, chap. 14.

4. Marcel Prévost, *Lettres à Françoise, ut sup.,* XXII.

5. Mme M. Sage, *La Science et les Travaux de la ménagère,* Paris, 1901, 2ᵉ partie, chap. 5.

6. Baronne d'Orval, *ut sup.,* « la Jeune Femme ».

7. Anne Martin-Fugier, *la Place des bonnes, ut sup,* 2ᵉ partie, chap. 3.

8. *Ibid.,* 1ʳᵉ partie, chap. 3.

9. Edmée Renaudin, *Edmée au bout de la table, ut sup.,* 4.

10. Anne Martin-Fugier, *ut sup.,* 1ʳᵉ partie, chap. 2.

11. Adeline Daumard, in *Histoire économique et sociale de la France,* t. IV, *ut sup.,* « Ressources et fortunes de la bourgeoisie ».

12. Colette Yver, *Princesses de science, ut sup.,* 3ᵉ partie, chap. 1.

13. Baronne Staffe, *Mes secrets pour plaire et pour être aimée, ut sup.,* 2ᵉ partie : « Pour être aimée, la grâce morale ».

14. *Ibid.,* 1ʳᵉ partie : « la Santé, le surmenage ».

15. Edmée Renaudin, *Edmée au bout de la table, ut sup.,* 4.

16. André Siegfried, *Mes souvenirs de la IIIᵉ République. Mon père et son temps. 1836-1922,* Paris, 1946, chap. 4.

17. Comme l'a indiqué Geneviève Poujol, en présentant le journal de sa grand-mère, Marie Roux-Poujol, au cours d'un séminaire de Michelle Perrot, Université de Paris VII, mai 1981.

18. Comtesse de Pange, *Comment j'ai vu 1900, ut sup.,* t. I, chap. 4.

19. *Les Français peints par eux-mêmes,* Paris, 1840, t. I, « Les duchesses ».

20. Mme M. Sage, *ut sup.,* 9ᵉ partie, chap. 4.

21. Comtesse de Pange, *Comment j'ai vu 1900, ut sup.,* t. II, chap. 1.

22. Edmée Renaudin, *Edmée la bague au doigt, ut sup.,* 2.

23. Marcel Proust, *le Côté de Guermantes,* Paris, 1920, Pléiade, p. 205.

24. Jules et Gustave Simon, *ut sup.,* « le Roman et le Théâtre ».

25. *La Grande Dame,* mai 1894.

26. Jacques Chastenet, *ut sup.,* chap. 5.

27. Voir aussi Yvonne Knibiehler, in *l'Histoire des mères du Moyen Age à nos jours,* Paris, 1980.

28. Sur les nourrices, voir mon article « la Fin des nourrices » dans *Le mouvement social,* octobre-décembre 1978, nº 105, et Fanny Fay-Sallois, *les Nourrices à Paris au XIXᵉ siècle,* Paris, 1980.

29. Henri Lavedan, *Avant l'oubli,* I. *Un enfant rêveur,* Paris, 1933.

30. Jacques Chastenet, *ut sup.,* chap. 1.

31. *Ibid.*

32. R. P. M. A. Leseur, *Vie d'Élisabeth Leseur,* Paris, 1931, chap. 2.

33. *Guide pratique des familles aux bains de mer,* 350 plages de la Manche et de l'Océan, avec 30 cartes des côtes de France, Paris, 1896, « Trouville ».

34. Marcel Prévost, *Nouvelles Lettres à Françoise, ut sup.,* VIII.

35. Gabriel Aubray, *Lettres à ma cousine,* Paris, 1897, III.

36. Octave Uzanne, *les Modes de Paris, ut sup.,* chap. 9.

37. Baronne Staffe, *Mes secrets pour plaire et pour être aimée, ut sup.,* 1ʳᵉ partie : « les Exercices du corps et les sports ».

CHAPITRE 3

1. Baronne d'Orval, *ut sup.*, « Menus faits ».
2. Simone de Noaillat, *Marthe de Noaillat 1865-1926*, Paris, 1931, « la Passion des âmes ».
3. *Ibid.*, « l'Apôtre du Christ-Roi ».
4. Jean-Bernard, *la Vie de Paris, 1899*, Paris, 1900, LX, 28 décembre.
5. R. P. M. A. Leseur, *ut sup.*, chap. 3, et surtout 7 : « l'Apostolat ».
6. Certaines ont eu, jusqu'à une date récente, ou ont encore des activités philanthropiques. Mme B., continuant la tradition familiale, s'est occupée jusqu'en 1975 du patronage Olier, rue d'Assas. Elle réunissait dans son appartement un groupe d'amies une fois par semaine. Elles préparaient l'ouvrage de couture qu'elles terminaient ensuite chez elles, pour approvisionner leur comptoir de la journée de bienfaisance du mois de décembre. Mme Gd. a été dame d'œuvres à la paroisse Saint-Pierre de Neuilly, jusqu'en 1975 également. Elle s'occupait du Vestiaire, du Goûter des vieilles dames et était visiteuse des chambres de bonnes (elle y distribuait des bons de Saint-Vincent-de-Paul). Mais leurs activités bénévoles n'ont pas pour cadre seulement la paroisse. Mme T. s'occupe d'une petite handicapée de la Fondation Claude-Pompidou. Mme R. milite depuis cinq ans à Amnesty International. Elle reçoit chez elle les militants de son groupe, certains sont étudiants, elle s'entend fort bien avec eux.
7. *Le Féminisme chrétien*, fondé en 1896 par Marie Maugeret, a été relayé par *la Femme contemporaine* en 1903 jusqu'en 1913.
8. Émile Cheysson, conférence prononcée lors de l'inauguration des cours d'enseignement ménager à l'Institut de la femme contemporaine : « l'Enseignement ménager et la question sociale », in *Œuvres choisies*, Paris, 1911, t. II.
9. *Ibid.*
10. *La Jeune Fille française*, 15 novembre 1902, cité dans « Lettre à une jeune femme ».
11. *La Femme d'aujourd'hui*, 25 mars 1905, « la Charité mondaine et Mme la comtesse de Bourqueney ».
12. Par exemple : Augusta Moll-Weiss, *De la rue au foyer*, Paris, 1913. Il faudrait, dit-elle, obliger les femmes à servir le pays dans des consultations de nourrissons, des crèches, des jardins d'enfants, des écoles de garde, des dispensaires, des hôpitaux, pendant deux ans. On ferait, en même temps, leur éducation maternelle pratique (6e partie).
13. *La Femme française*, 8 mars 1903, « Lettre de la femme française : le vrai féminisme ».
14. *Fémina*, 15 avril 1901, n° 6, « Solidarité féminine ».
15. Mme de Lys, *le Rôle de la femme dans la famille*, Paris, 1891.
16. Voir les articles de *la Fronde*, en juin-juillet 1899, qui se font l'écho de la déclaration de Mme Chalamel et parlent de « la Question du sixième ».
17. *Bulletin paroissial de Saint-Sulpice*, « Lettre sur l'hygiène et la moralité des logements », 25 mars 1908 ; « Questions de morale : l'escalier de service », 25 février 1910.

18. On la trouve déjà, sous le titre « Commande pressée », dans *les Annales de sainte Solange,* n° 1, juin 1900.

19. Eugène Brieux, *les Bienfaiteurs,* Paris, 1896.

20. *Bulletin Paroissial de Saint-Sulpice,* 25 février 1907.

21. *Ibid.,* 25 novembre 1906.

22. *Ibid.,* 25 octobre 1906. En octobre 1906 est morte Mme Charles Sainte-Claire Deville, qui a longtemps présidé l'Œuvre.

23. *Ibid.,* 25 décembre 1906.

24. *Ibid.,* 25 mars 1908.

25. *Ibid.,* 25 mai et 25 juin 1908.

26. *Ibid.,* 25 août et 25 septembre 1908, et aussi *Notice sur le patronage Saint-Joseph, 8 rue Jean-Bart,* Paris, 1910.

27. *Bulletin paroissial de Saint-Sulpice,* 25 juin 1909.

28. *Bulletin de la Ligue française de l'enseignement,* 1894, pp. 336, sqq.

29. *L'Action sociale de la femme,* 10 octobre 1902, et Congrès Jeanne d'Arc, 1905.

30. J.-B. Piolet in *le Correspondant,* 10 juillet 1902. Sur la baronne Piérard, voir Roger-Henri Guerrand et Marie-Antoinette Rupp, *Brève Histoire du service social en France 1896-1976,* Paris, 1978, chap. 1.

31. Congrès Jeanne d'Arc, 1905, « Cercle catholique de dames ».

BRIGITTE

32. Berthe Bernage, *Brigitte jeune fille et jeune femme,* Paris, 1928, chap. 8.

33. *Ibid.*

34. *Ibid.*

35. *Ibid.*

36. *Ibid.*

37. *Ibid.*

38. *Ibid.,* chap. 12.

39. Berthe Bernage, *Brigitte et le devoir joyeux,* Paris, 1937, « Brigitte et la personnalité ».

40. *Ibid.,* « Brigitte et ses convives ».

## QUATRIÈME PARTIE

CHAPITRE 1

1. Edmée Renaudin, *Edmée la bague au doigt, ut sup.,* 1.

2. Henry Bordeaux, *Histoire d'une vie,* III *la Douceur de vivre menacée, ut sup.,* II.

3. *Ibid.,* VIII.

4. Pierre de Coulevain, *Ève victorieuse,* Paris, 1901, XXXI.

5. Paul Adam, *la Vie des élites. La morale de Paris,* Paris, 8ᵉ édition, s. d. (après 1907), chap. 3. Une rubrique « Collège de France » dans le journal *la Fronde* en 1897 et 1898 apprend au lecteur que des conférences ont été faites au Collège par diverses personnalités sur les femmes et le féminisme

(Irène Jami, « *la Fronde,* quotidien féministe 1897-1903, et son rôle dans la défense des femmes salariées », mémoire de maîtrise sous la direction de Maurice Agulhon, Université de Paris I, octobre 1981).

6. Simone de Beauvoir, *ut sup.*, 1re partie.

7. Edmée Renaudin, *Edmée la bague au doigt, ut sup.*, 5.

8. Élisabeth de Gramont, *Mémoires,* t. II, *ut sup.*, « Salons parisiens ».

9. Edmée Renaudin, *Edmée au bout de la table, ut sup.*, 38 et 39.

10. Simone de Beauvoir, *ut sup.*, 1re partie.

11. *Ibid.*, 3e partie.

12. Marcel Prévost, *Lettres à Françoise, ut sup.*, XVIII.

13. Mathilde Bourdon, *Nouveaux Conseils aux jeunes filles et aux jeunes femmes, ut sup.*, « les Livres ».

14. M. de Lassus, *Bréviaire d'une jeune fille,* Paris, 1911.

15. Clarisse Juranville, *le Savoir-Faire et le Savoir-Vivre, ut sup.*, chap. 8.

16. Clara Malraux, *ut sup.*, 2e partie, « Lisbeth ». Sur le rôle des lectures proposées aux femmes, voir Betty Friedan, *la Femme mystifiée,* Paris, 1964 ; Germaine Greer, *la Femme eunuque,* Paris, 1971 ; Anne-Marie Dardigna, *la Presse « féminine ». Fonction idéologique,* Paris, 1978.

17. Dr Charles Montalban, *ut sup.*, « Des rapports conjugaux jusqu'à la ménopause ou âge critique de la femme ».

18. Jules Renard, *Journal, ut sup.*, 7 juillet 1908.

19. Georges de Porto-Riche, *ut sup.*, acte I, scène 3.

20. Jules Renard, *l'Écornifleur, ut sup.*, chap. 40.

21. Clara Malraux, *ut sup.*, 1re partie : « Paris-sur-Seine ».

22. *Ibid.*, 2e partie, « 1920 ».

23. Louise Weiss, *Mémoires d'une Européenne, ut sup,* t. I, 1re partie, chap. 15.

24. *Ibid.*, 2e partie, chap. 20.

25. Simone de Beauvoir, *ut sup.*, 1re partie.

26. Mme Octave Feuillet, *ut sup.*, chap 13.

27. *Ibid.*, chap. 21.

28. *Ibid.*, chap. 23.

29. Edmée Renaudin, *Edmée la bague au doigt, ut sup.*, 6.

30. *Ibid.*, 7.

31. Gustave Flaubert, *Madame Bovary, ut sup.*, 2e partie, chap. 3.

CHAPITRE 2

1. Mme Hudry-Menos, *la Femme,* Paris, 1900, 1re partie.

2. *La Jeune Fille contemporaine,* 15 juillet 1905, n° 7, comtesse de Diesbach, Cours d'enseignement ménager, chap. 1.

3. *L'Enseignement ménager,* septembre 1904, n° 7, Conférence de la comtesse de Diesbach au Congrès Jeanne d'Arc.

4. Édouard Bled, *Mes écoles,* Paris, 1977, chap. 6.

5. Yvonne Sarcey, *la Route du bonheur,* 7e édition, Paris, 1909, chap. 4.

6. *Ibid.*, chap. 17.

7. Baronne Staffe, *Mes secrets pour plaire et pour être aimée, ut sup.*, 2e partie : « la Grâce morale ».

8. Bernadette Jouvin, *Pour être heureuse,* Paris, 1907, « Habitudes morales : le courage ».

9. Vicomtesse Nacla, *Il ! Le choisir. Le garder, ut sup.,* chap. 3.

10. Baronne Staffe, *Mes secrets pour plaire et pour être aimée, ut sup.,* 2e partie : « la Parole ».

11. *Ibid.*

12. *Mon chez-moi,* 10 février 1909, Mme Adal, « le Domaine féminin : la bonne humeur ».

13. *La Femme contemporaine,* n° 1, octobre 1903.

14. *La Femme nouvelle,* n° 1, 15 avril 1904.

15. *La Classe ininterrompue, cahiers de la famille Sandre, enseignants,* 1780-1960, présentés par Mona Ozouf, Paris, 1979, Marie.

16. *Lettres du lieutenant-colonel Moll,* Paris, 1912, lettre du 6 octobre 1910.

17. Camille Marbo, *Hélène Barraux, celle qui défiait l'amour, ut sup.,* 3e partie.

18. *La Femme au foyer, journal populaire de la famille,* 23 au 30 novembre 1902, n° 1.

19. *Ibid.,* n° 22, 19 au 26 avril 1903.

20. Mme Octave Feuillet, *ut sup.,* chap. 14.

21. Lydie Martial, *Qu'elles soient des épouses et des mères !* Paris, 1898, 2e partie, chap. 3.

22. Clarisse Bader, *la Femme française dans les temps modernes,* 2e édition, Paris, 1885, chap. 5, § 8.

23. Mme Paul Delabassé, *la Jeune Fille après l'école. Comment on devient bonne ménagère,* Paris, 1908, chap. 1.

24. Charles Turgeon, *ut sup.,* t. I, liv. V, chap. 2.

25. Gabrielle Réval, *l'Avenir de nos filles,* Paris, 1904, chap. 21.

26. Hugues Le Roux, conférence de décembre 1901 dont rend compte *l'Action sociale de la femme,* 10 avril 1902.

27. Charles Turgeon, *ut sup.,* t. I, liv. V, chap. 9.

28. Henry Bordeaux, *Histoire d'une vie,* t. III, *ut sup.,* XI.

29. Henry Bordeaux, *les Yeux qui s'ouvrent,* Paris, 1908, 2e partie, chap. 4.

30. *Ibid.* 2e partie, chap. 3.

31. *Ibid.*

32. Baronne Staffe, *Mes secrets pour plaire et pour être aimée, ut sup.,* 2e partie : « la Parole ».

33. François Mauriac, *le Désert de l'amour,* Paris, 1925, chap. 5.

34. Amélie Gayraud, *ut sup.,* 1re partie, chap. 1.

35. *Ibid.*

36. Cité par M. P. Bourgain, secrétaire d'Octave Gréard, in *Gréard, un moraliste éducateur,* 2e édition. Paris, 1908, 3e partie, chap. 17.

37. *Ibid.*

38. Paul Janet, *la Famille,* 1855, cité dans *la Jeune Française,* recueil de lectures pour les jeunes filles, Alcide Lemoine et Juliette Marie, 2e édition Paris, 1910, texte 151 : « La femme doit être la compagne intellectuelle de son mari. »

39. Marcel Prévost, *Lettres à Françoise, ut sup.,* XII.

40. Louise Weiss, *Mémoires d'une Européenne*, t. I, *ut sup.*, 1<sup>re</sup> partie, chap. 10.

41. *Ibid.*, chap. 6.

42. Amélie Gayraud, *ut sup.*, 1<sup>re</sup> partie, chap. 2.

43. En exergue à Augusta Moll-Weiss, *les Écoles ménagères à l'étranger et en France*, Paris, 1908.

44. Cité par Victor du Bled, « la Jeune Fille française », in *la Femme dans la nature, dans les mœurs, dans la légende, dans la société*. Tableau de son évolution physique et psychique, 5 volumes, Paris, s. d. (1910), t. IV.

45. Clarisse Juranville, *le Savoir-Faire et le Savoir-Vivre, ut sup.*, chap. 5.

46. Marcel Proust, *les Hautes et fines enclaves du passé*, Nantes, 1979, p. 16 (réédition de « Sur la lecture », 1905).

47. Edmée Renaudin, *Edmée la bague au doigt, ut sup.*, § 1.

48. Louise Weiss, *Mémoires d'une Européenne*, t. I, *ut sup.*, 1<sup>re</sup> partie, chap. 10.

49. Alfred Hannedouche et Mme A. Demailly, *Livret d'enseignement ménager*, Paris, s. d. (1903), préface de M.-J. Baudrillard.

50. Étienne Lamy, *la Femme de demain*, Paris, 1901, « les Femmes et le Savoir », III.

51. George Sand, *Histoire de ma vie*, Paris, 1854-1855, 4<sup>e</sup> partie, chap. 9.

52. *L'Amie*, novembre 1901. Poésie d'Henriette Bezançon.

53. Valentine Thomson, *ut sup.*, 2<sup>e</sup> partie, chap. 4.

54. A. Piffault, *ut sup.*, 1<sup>re</sup> partie, chap. 12 (la citation d'Anatole France est tirée du *Jardin d'Épicure*).

55. Mme L. Doresse, *la Ménagère*, Paris, 1927, préface de Mlle Berthier.

56. *Ibid.*

57. Marie Boutier, *l'Éducation ménagère*, Paris, 1925, introduction.

58. Paulette Bernège, *De la méthode ménagère*, Paris, 1928. Sur ces questions, voir *Culture technique*, n° 3 spécial, 15 septembre 1980, « Machines au foyer ».

59. Françoise Mayeur, *l'Éducation des filles en France au XIX<sup>e</sup> siècle*, Paris, 1979, chap. 6.

60. II<sup>e</sup> Congrès international des œuvres et institutions féminines, *ut sup.*, 3<sup>e</sup> section, mardi 19 juin 1900.

61. *Journal de Marie Lenéru*, préface de François de Curel, Paris, 1922, 2 tomes, 2 avril 1900.

62. Marie-Hélène Zylberberg-Hocquard, *Féminisme et Syndicalisme en France*, Paris, 1978, chap. 1.

63. *Femmes savantes II*, opuscule rédigé pour le 80<sup>e</sup> anniversaire du lycée Molière, par M.-L. Rançon, agrégée, 1968. Cette même brochure précise qu'en 1931 on compte 869 agrégées et 997 certifiées ou licenciées.
Les chiffres de M.-L. Rançon sont à comparer avec Françoise Mayeur, *l'Enseignement secondaire des jeunes filles sous la III<sup>e</sup> République, ut sup.*, 3<sup>e</sup> partie, chap. 6, note 14 : en 1907, il y avait 746 femmes professeurs et chargées de cours dans les lycées et cours secondaires, auxquelles s'ajoutaient 165 maîtresses de chant, dessin, couture, gymnastique.
Sur les femmes professeurs, on trouvera des renseignements plus précis dans la thèse de troisième cycle (sociologie, Paris VIII) qu'achève Marlaine Cacouault.

64. Colette Yver, *Princesses de science, ut sup.*, 1<sup>re</sup> partie, chap. 2.

65. *Ibid.*, 4<sup>e</sup> partie, chap. 1 et 2.

66. *Ibid.*, 2<sup>e</sup> partie, chap. 4.

67. Colette Yver, *Dans le jardin du féminisme*, 13<sup>e</sup> édition, Paris, 1920, « les Sources ».

68. Paul Adam, *ut sup.*, chap. 23.

69. Colette, *De ma fenêtre*, Paris, 1942, chap. 1.

70. Louise Weiss, *Mémoires d'une Européenne*, t. 1, *ut sup.*, 1<sup>re</sup> partie, chap. 16.

71. Ernestine Wirth, *la Future Ménagère*, lectures et leçons sur l'économie domestique, la science du ménage, l'hygiène, les qualités et les connaissances nécessaires à une maîtresse de maison, à l'usage des écoles et des pensionnats de demoiselles, Paris, 1882, 3<sup>e</sup> partie, chap. 14.

72. Cité par *la Chevauchée*, n° 6, 15 décembre 1900, Henri Rovel, « Nos contemporaines ».

73. Gabrielle Réval, *l'Avenir de nos filles, ut sup.*, chap. 10.

74. Actes du Congrès international des œuvres et institutions féminines de 1889, Paris, 1890, troisième section, p. 442.

75. Cité par James Mc Millan, *Housewife or Harlot : The Place of Women in French Society, 1870-1940*, Grande-Bretagne, 1981, 1<sup>re</sup> partie, chap. 4. Mc Millan souligne le conservatisme des féministes françaises, parallèle, dit-il, au profond conservatisme de la société française.

76. Cité par *la Chevauchée*, n° 2, 15 octobre 1900, Léonie de Bazelaire (directrice du journal), « les Congrès de femmes ».

77. L'expression est d'Irène Jami, mémoire de maîtrise, « *la Fronde...* », *ut sup.*

78. Rapport au II<sup>e</sup> Congrès..., 22 juin 1900.

CHAPITRE 3

1. Charles Turgeon, *ut sup.*, t. I, liv. IV, chap. 6.

2. Hugues Le Roux, *ut sup.*, chap. 4.

3. Adeline Daumard in *Histoire économique et sociale de la France, ut sup.*, « la Difficulté d'être femme ».

4. Camille Marbo, *Hélène Barraux, celle qui défiait l'amour* et *A l'enseigne du griffon, Histoire de deux jeunes filles modernes, ut sup.*

5. Comtesse de Pange, *Comment j'ai vu 1900*, tome I, *ut sup.*, chap. 3.

6. Madeleine Pelletier, *l'Éducation féministe des filles, ut sup.*, chap. 4.

7. Gabrielle Réval, *l'Avenir de nos filles, ut sup.*, conclusion.

8. Judith Gautier, *le Second Rang du collier, ut sup.*, chap. 9.

9. Zénaïde Fleuriot, *la Vie en famille*, Paris, 1862, 2<sup>e</sup> partie, chap. 24.

10. Léon Rimbault, *ut sup.*, « Geneviève et les vierges du foyer ».

11. Anna Lampérière, *la Femme et son pouvoir*, Paris, 1909, 2<sup>e</sup> partie, chap. 4.

12. *Ibid.*, chap. 7.

13. *Journal de l'Université des Annales*, 16 octobre 1907.

14. *Ibid.*, 8 mai 1907, Jules Bois, « la Femme moderne ». Voir aussi le portrait de Mlle Chapron in Ad. Vincent et Mlle Bat, *Chez Catherine ménagère*, Paris, 1914. Vieille fille très laide, elle a été institutrice au Val-

Ombreux pendant trente-cinq ans, « avec l'ardeur jamais lassée, la foi enthousiaste de ces pauvres filles qui, ne pouvant goûter les joies de la maternité ni en connaître les pénibles charges, prodiguent à des " étrangers " les trésors de leur tendresse instinctive ». Voir enfin Victor Margueritte, *la Garçonne, ut sup.* L'amie de Monique Lerbier, Mme Ambrat, est professeur au lycée de Versailles et fondatrice de l'Œuvre des enfants recueillis : « Une de ces maigres quadragénaires, sans âge et presque sans sexe, qui n'ayant jamais été mères, se vouent, de tout l'élan féminin insatisfait, au trompe-cœur de l'éducation. »

15. Ernest Legouvé, *Histoire morale des femmes*, 5ᵉ édition, Paris, 1869, liv. V, chap. 2.

16. N. M. Le Senne, cité par Mme Jules Samson, *Une éducation dans la famille*, Paris, 1885, chap. 18.

17. IIᵉ Congrès des œuvres et institutions féminines, rapport de M. Pierre Foncin, vendredi 22 juin 1900, 3ᵉ section.

18. Henri Marion, *Psychologie de la femme*, Paris, 1900, 13ᵉ leçon.

19. Amélie Gayraud, *ut sup.*, 2ᵉ partie, lettre de Jeanne Caillère.

20. Madeleine Pelletier, *la Femme vierge, ut sup.*, chap. 23.

21. *Ibid.*, chap. 13.

22. Madeleine Rebérioux, *la République radicale ? 1898-1914, Nouvelle Histoire de la France contemporaine* 11, Paris, 1975, V, I, « De la C.G.T. à la S.F.I.O. »

23. Paul et Victor Margueritte, *Femmes nouvelles*, Paris, 1899, chap. 15.

24. Victor Margueritte, *le Couple, ut sup.*, dernière phrase de l'avant-propos.

25. C'est ce qu'oublie Edward Shorter, dans sa conclusion « Vers la famille postmoderne ». Il écrit que la famille nucléaire sera remplacée par « le couple à la dérive, une dyade conjugale sujette à des fissions et fusions spectaculaires et privée de tout satellite ». Il oublie toutes les instances créées pour remettre en selle le couple...

26. Louise-Marie Compain, *l'Un vers l'autre*, Paris, 1903, 2ᵉ partie, chap. 18.

27. *Ibid.*, 3ᵉ partie, chap. 28.

# Table

# COLLECTION « FIGURES »
## dirigée par Bernard-Henri Lévy

*Achevé d'imprimer le 17 juin 1983*
*sur presse CAMERON,*
*dans les ateliers de la S E.P.C.*
*à Saint Amand-Montrond (Cher)*
*pour le compte des éditions Grasset*
*61, rue des Saints Pères, 75006 Paris*

Nº d'Édition : 6160. Nº d'Impression :1103.
Première édition : dépôt légal : février 1983.
Nouvelle édition : dépôt légal : juin 1983.
*Imprimé en France*

ISBN 2-246-28521-6

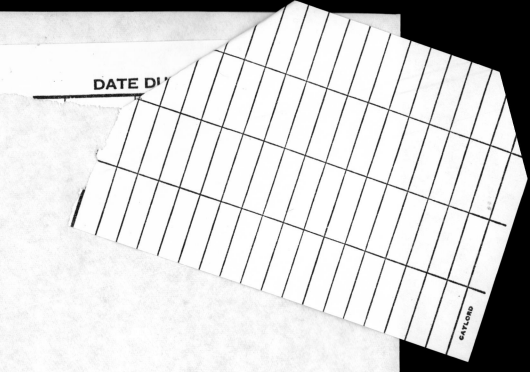